赤朽葉家の伝説

桜庭一樹

「辺境の人」に置き去られた幼子。この子は村の若夫婦に引き取られ，長じて製鉄業で財を成した旧家赤朽葉家に望まれ輿入れし，赤朽葉家の「千里眼奥様」と呼ばれることになる。これが，わたしの祖母である赤朽葉万葉だ。——千里眼の祖母，漫画家の母，そして何者でもないわたし。高度経済成長，バブル景気を経て平成の世に至る現代史を背景に，鳥取の旧家に生きる三代の女たち，そして彼女らを取り巻く不思議な一族の姿を，比類ない筆致で鮮やかに描き上げた渾身の雄編。第60回日本推理作家協会賞受賞作。ようこそ，ビューティフル・ワールドへ。

赤朽葉家の伝説

桜庭一樹

創元推理文庫

THE LEGEND OF THE AKAKUCHIBAS

by

Kazuki Sakuraba

2006

目次

赤朽葉家の伝説

第一部　最後の神話の時代
一九五三年〜一九七五年　赤朽葉万葉

一　未来視の夏

赤朽葉《あかくちば》万葉《まんよう》が空を飛ぶ男を見たのは、十歳になったある夏のことだった。万葉はわたしの、祖母である。そのころ祖母はまだ、山陰地方の旧家である赤朽葉家に輿《こし》入れする前で、山出しの野蛮な娘であったため、苗字というものがなかった。ただの、万葉、と村では呼ばれていた。

祖母は物心ついたころから、不思議なものを見た。骨組みのがっちりとした大女で、黒い、鴉《からす》の濡れ羽色をした髪を腰まで垂らし（それも晩年はさすがに、雪のような白銀色に変わったが）、おおきな瞳をよぅく細めて、ときどき、遠く、山の頂《いただき》のほうをみつめていた。祖母は視力がとてもよく、そして目には見えないものを視《み》た。赤朽葉家の千里眼奥様と呼ばれるのはまだ先の話だが――わたしはいま、祖母の子供時代の話をしようとしているので――幼いころから、ときおり未来を視ていたのはまちがいない。それはときには、座敷の掛け軸の、墨でくろぐろと描かれた文字が勝手に変わって記す予言であったり、死者が部屋に入ってきて身振り手振りで告げることであったり、ときには意味のわからない映像として視ることもあった。祖母はそのことをあまり周りに話さなかった。ただの、万葉は村では変わり者の〝辺境の人〟の子孫と思われていて、祖母はそのことにすこしの誇りと、人並みに気に病む気持ちの両方を、終生いだいていたからだ。

ただの、万葉は昭和二十八年、西暦でいうところの一九五三年のその夏、おそらく十歳だった。おそらくというのは、村の誰も、そして万葉自身も、正確な年齢を知らないからだ。万葉は、山陰地方と呼ばれる日本の辺境、くろぐろとつらなる中国山脈と灰色に染まる日本海のあいだにはさまれた細長い、いつも天候の悪いこの土地に、ある日とつぜん、落っこちてきた。山脈の奥から、転がり落ちるように。万葉自身は憶えていないが、三歳になるかならないかというとき、〝辺境の人〟に、村においていかれたのだ。

〝辺境の人〟というのは、この物語を書くときにわたしがつけたものである。山陰地方の人々、つまりわたしたちの祖先はもうずっと長いあいだ、山脈の奥に隠れ住む、われわれ村の人間とはちがう、旅する人々のことを、名前をつけずに「あれ」とか「あやつら」とか「あの山の人たち」などと呼んできた。近年になってサンカ、ノブセ、サンガイなどと民俗学者が名づけたようだが、その名は、少なくとも、わたしたちが暮らす鳥取県西部の紅緑村《べにみどりむら》ではいちども使われたことがない。いつのころからか、おそらく数百年、いやもっともっとはるか昔から、山脈の奥に隠れ住む、くろぐろとした長い髪を風になびかせ、皮膚が鞣革《なめしがわ》のように黒く骨組みもがっちりとした人々がいて、ひとところにとどまることなく、季節によって、山のあちこちを自由に暮らしていた。年貢もなく、召集もなく、近年になっては税金もなかったが、国家がないために己《おのれ》の身はすべて己で守った。ここ五十年ほどは、紅緑村でも、遠く島根の、出雲《いずも》の村々でも「あやつら」を見ていないようなので、いまもまだ中国山脈の奥に生息しているのかはわからない。ともかく、紅緑村のただの、万葉は六十五年ほど前、彼ら〝辺境の人〟が村に降りてきた最後の時代に、大人たちとともに村まで降りてきて、そうしてなぜだか、女の子供ひとりだけ、ぽつんと、紅緑村においていかれたのだ。

そのころのことを憶えている人の多くはもう鬼籍に入ってしまったので、詳しいことはわからないが、ここ数百年のあいだ〝辺境の人〟は、村で人手が必要になると、山脈から黒い風のように降りてきては手伝ってくれたらしい。彼らが必要とされるのは冠婚葬祭の、葬であった。村で若い不慮の死者（自殺者である）が出ると、紫の煙がたつトコネン草の束を燃やす。すると夜のうちに彼らはやってきて、葬儀の準備をする。木を切り箱を作り明け方に死者の硬くなった体を、ぼきり、ぼきりと腿《もも》と脛《すね》の骨を折って正方形の箱につめこんでやる。そうしてなにかまじないの文句を唱えながら、箱を山奥の渓谷《けいこく》に、捨てに行く。彼らがくると寺の住職も手出しをせずに、若い死者を連れて山に消えるのをただ待っていた。だからその、ただの、万葉がおいていかれた六十五年ほど前の朝も、きっと、誰か若い死者が出たのだろう。脚を折ってつめこむのは、化けて出ないようにという配慮か、それとも真四角の箱になにか呪術的な意味があったのか、いまとなってはよくわからないが、それは民俗学者たちに任せることにしよう。ともかく祖母は、いかにも〝辺境の人〟といった、色黒でがっちりとし、長い髪をくろぐろとさせたひとりの女は、「あやつら」が箱に詰めた死者とともにいなくなったあと、ぽつんと、ある民家の軒先の、ピンクの朝顔の蔓《つる》が釣瓶に巻きつく井戸端に、人形を立てかけるようにしておいていかれたのだ。

「忘れて、いったのかねぇ」

と、その六十五年後、もうすぐ死ぬといった時期に、ぽつりと祖母は言った。

「そんなわけないじゃないの。子供をおいていくなんて」

「それなら、わしは、どうしておいていかれたんかねぇ」

その答えは、いまとなっては、誰も知らない。ただ、ただの、万葉はこうして、紅緑村の子供といっしょに大きくなることになったのだ。


万葉が引き取られたのは、そのピンクの朝顔が咲く井戸端の、三軒先の若夫婦のもとだった。少々不気味な、我々とはすこぅし容姿もちがう、女の子供を、若夫婦はそれでもきちんと人並みに育てた。我々山陰地方の人間は、紅緑から西にくだって出雲地方の辺りまで、どこも同じような容姿をしている。色白で、線が細くて、柳腰。かんばせも目が細くてうりざね顔で、よくいえば宮廷顔、悪く言えばうらなりびょうたんといったところだ。一説によるとこの辺りの人々は、弥生時代になって朝鮮半島から渡ってきて、日本にたたら製鉄の技術を伝えたとも言われているので、それで、そういう顔つきなのかもしれない。対して、万葉を捨てて山脈に消えた〝辺境の人〟は、色黒でがっしりとした、対照的な容姿をしていた。万葉は村にいても、町に出ても浮いていたが、若夫婦はときに厳しく、ときに慈《いつく》しみをもってこのおかしな子供を育てた。学校にも通わせたが、万葉はなぜだか、文字を憶えることができなかった。「読めない」「書けない」と言い、学校の勉強はからきしだった。

その代わり、ときおりおかしな予言をした。そのころ島根県出雲市に、終戦後にマッカーサーがつくった警察予備隊の第三管区隊がおり、それが保安隊と名を変えて、米軍貸与によるカービン銃をひとり一挺、持ち歩いていた。この地域出身の、出征にはまにあわなかった世代の若者や、ほかの地域からやってきた者たちだった。火を噴く未知の武器、カービン銃が村人はおっかなくてならなかった。村ではいまだに、罪びとが出ると庄屋の家に行き、槍や投網《とあみ》でつかまえてもらってお上に差し出す、江戸時代の地方都市といった文化が生きていたのだ。カービン銃を抱えた、カーキ色の制服姿の若い男たちが町を闊歩《かっぽ》していると、色黒の顔をした、文字も読めぬ、ただの、万葉がその中の一人を指さして、言った。

「光って、飛び散る」

若夫婦はそれを聞いてもなんとも思わなかったが、その日の夜更け、保安隊員のひとりの銃が暴発して死んだと聞かされて、首をかしげた。万葉に聞くと、万葉は「光って、飛び散る。そう視えた」としか言わなかったという。子供の言うことなので若夫婦はそれ以上は気にしないことにしたが、その実、ただの、万葉には、ときおりおかしな方法で未来が視えていたのだった。あるいはそれが、〝辺境の人〟たちに、あの朝、井戸端においていかれた原因だったのかもしれない。

万葉はときおり、未来を視た。それは高いところにいるときが多かったらしい。光って飛び散る死体を視たのも、若夫婦の夫のほうに肩車されて往来を歩いているときだった。山にのぼったり、高見《たかみ》と呼ばれる、村のもっとも裕福な者たちが住む坂の上まで行ったときなどに、ふと未来が万葉の目を行き過ぎた。人が死に、生まれ、おおきな事故があった。ただの、万葉はそれをただ視ているばかりだった。子供であったし、それに、光って飛び散った死体を視たあと、若夫婦の反応から、あまりそれを口にしないほうがよいように思ったのだ。万葉はほとんどの場合、だまっていた。それに万葉の視る未来は、多くの場合ははっきりせず、そのときにはなんのことかわからないものが多かったのだ。

そして十歳になった夏、万葉は、空を飛ぶ男を初めて視た。

その男は若くはなかった。いや、若いようにも見えたが、中年かもしれない、と後になって万葉は思った。どちらにしろわずか十歳の少女には、二十歳も四十歳もそうちがいがあるわけではない。大人の男。なんだかさびしそうな。万葉はそうとだけ考えた。男は枯葉色の服を着ていた。小柄で、この地方特有ののっぺりした白い顔に、切れ長の瞳がひとつだけあった。というのは、ぽっかり開いているのは左目だけで、右目は固く閉じられていまにもつるりと皮膚と同化しそうに見えたからだ。

薄桃色の夕闇に、その男はうっすらと浮いていた。

薄い唇を開いて、なにかささやいた。

〈ま、ん、の、じっ……!〉

幻だ、と万葉は思った。相変わらず、文字の読めない、学校からの帰り道。容姿も変わっていて、勉強がまるでできない万葉には、友達がなかなかできなかった。腰まで伸ばした黒髪を風になびかせて、早足で村道を歩き、近道なので高見の坂道を上がっている途中で、万葉の鼻先にとつぜんその男が現れたのだ。

男はまるで空から落ちてきたように、うつ伏せの姿勢で宙に浮いて、両手をひろげて、真上から万葉をじいっとみつめていた。薄桃色の空を背景に男はしばらくそこにいたが、やがて暮れかけた夕空に吸いこまれるように遠ざかり、消えていった。万葉は待ってくれと言おうとして、口を閉じた。いまのも未来だ、と万葉にはわかった。どういう意味かはわからないが、いまの隻眼《せきがん》の男は、空を飛ぶのだ。それをいつの日か万葉は知るのだ。ただの、万葉はその夕方、空を飛ぶ隻眼の男を視たときに初めて、自分は未来視、変わりもんの、千里眼の万葉なのだと自覚した。そしていつの日か、いま幻となって現れた不思議な一ツ目の男と自分は知り合うのだろう、と。

それはもしかすると、万葉のけったいな初恋だったのかもしれない。万葉はそれから秋がきて、冬がきて、春がきてもまだ、あの幻の男のことを考えていた。万葉はその男に〝一ツ目〟と名前をつけた。夕暮れになると、べつの未来も視えないだろうかと、高見の坂道にのぼって遠くに目をこらした。だがしかし、その幻はもう万葉の目の前には現れなかった。そして、万葉のこころに住み着いた〝一ツ目〟が、現実の、たしかな実体を持つ男として彼女の前に現れるのは、それから十年の後のこととなった。

その男が、万葉の視たとおりに〝空を飛ぶ〟のは、さらに、ずぅっと先のことである。

この当時、鳥取県紅緑村には、ふたつのおおきな家があった。それは地元の者には〝上の赤〟と〝下の黒〟と呼ばれていた。そしてこの〝上の赤〟こと旧家、赤朽葉家がこの物語の舞台となる、祖母が輿入れしわたしが生まれ育つことになる家である。

赤朽葉家はそれこそ、家の者にさえ歴史をさかのぼれないぐらいはるか昔から、この中国山脈の麓《ふもと》の村にあった。この紅緑村そのものが、赤朽葉家の先祖が山を切り開いてそこにたたら場をつくったためにできた村落なのだ、とも言われていた。赤朽葉家の先祖は朝鮮半島から海を渡って、ちいさな島国の海沿いの土地に流れ着いた。そして碑野川《ひのがわ》の上流で上質な砂鉄が取れる土地をみつけて住み着き、製鉄技術をもとにして栄えたのだろう。

たたらとは、古代朝鮮語で「さらに加熱する」という意味があるとも、古代サンスクリット語で「熱」の意味だとも言われている。製鉄技術はその昔、それこそ想像もできないほど昔のこと、インドから中国江南を経て朝鮮半島南部へ、そして日本列島へ、少しずつ伝わってきた。ふいごや原始的な炉を使った技術はごく近年まで、赤朽葉家の所有するたたら製鉄所で使われていたが、黒船来航とともに、西洋の製鉄技術が入ってきた。製鉄業は戦争と切っても切れないものだ。日本が軍事国家になるとともに技術も向上し、ドイツ製の、くろぐろとした溶鉱炉を灰色の空高くのばす大工場が増えていった。明治の九州の八幡製鐵所、さらに近年の神戸の川崎製鉄といった近代化され官民企業となった大製鉄所と同様、村の〝上の赤〟こと赤朽葉製鉄もまた、大掛かりな施設となって村を潤《うるお》した。

終戦後の赤朽葉製鉄は、当時を憶えている人によるとたいへんな盛況だったという。山陰地方特有の、いつものっそりと曇った薄灰色の空を、暗黒の摩天楼のように、近代を象徴する溶鉱炉、竜の噴く炎のような鉄の川、鉄櫛《てつくし》の歯の如く並ぶ無数の煙突から日々濛々《もうもう》と上がる黒煙の束が、おおいつくしていった。溶鉱炉を流れ落ちる真っ赤な滝と、獣の咆哮《ほうこう》のように響く機械の轟音《ごうおん》、油と汗まみれの職工たちの額にうつる、紅蓮《ぐれん》の炎。それらはいまは見る影もない。現代を生きるわたしが知るのは、時代の変化によって火を止めて赤錆にまみれ、巨大な廃墟と化した、黒い、かわいた死都だけである。

赤朽葉製鉄の、かつてのたたら場をつぶしてつくられた天空の溶鉱炉、その工場は終戦後の山陰地方の若者にとっては、花形の職場のひとつであった。

当時、製鉄所で働く者は金回りもよく、よく働き、余暇には青春を謳歌《おうか》していたという。毎年、春にある製鉄所の職工募集には、体重制限があるために餅を食べて目方を増やした、たくさんの若者がやってきた。「春は餅食いの季節」とも言われた。鮮やかな菜っ葉色の制服を着た職工たちは、六畳二間に裏庭もついた宿舎を割り当てられ、そこで暮らしていた。若い夫婦は、夫が製鉄所で働き、妻は家で家事をし、休みの日には二人でうまいものを食いに行ったり、芝居を見物したりした。終戦後の日本における庶民の暮らしとしては、まずまず満足のいくものだったらしい。

幼い万葉を拾って、育ててくれたのも、そういった夫婦ものの一組だった。

彼らが住む宿舎は、山の麓を切り崩してつくられた、ひな壇のようにだんだんになった土地にびっしりと並んでいた。真ん中に、山の上と下を結ぶ急な坂道になった大通りがあって、その右に十五棟、左には二十五棟の宿舎が規則正しく並んでいた。下に行くほど身分は低く、同じ職工でも土地の者は上のほう、よその土地からきた者は下のほうを割り当てられていた。もっと上に行くと、製鉄所の管理をする、いわゆるホワイトカラーの人々の広い屋敷が何軒もあった。そしてもっと上、大通りのいちばん上に、はるか昔からそこにある、赤朽葉家の真っ赤な大屋敷があった。

その大屋敷は山の樹木や土になかば埋もれるようにして、巨人の手で押されてやわらかな山に押しこまれでもしたかのように、ちょっとかしいで、のっそりと建っていた。赤い瓦が輝く屋根に、赤茶色の門。視力のいい万葉には、夏など、開け放された赤朽葉屋敷の大広間の、襖《ふすま》いっぱいに描かれた日本海と、まるで生きているように泳ぎ回る真っ赤な鯛の大群の絵が大通りの坂道からよぅく見えた。赤朽葉家はまことに、どこもかしこも、赤かった。それは暗い、腐りかけた紅葉《もみじ》の赤とでもいう色彩で、山の頂に、まさに王者の風格で堂々と、しかしちょっとかしいで、建っていた。

ひな壇の下のほうは現世であり、上の高見に上るほど天に近くなる。下は黒煙と油にまみれて裏庭に洗濯物も干せないほどの空気の悪さだったが、高見の空はいつも、澄んでいた。天上界にある、赤い、天国の門。赤朽葉家のおおきな門は、下にいる村人たちにはそう見えていた。赤朽葉家の、分家の人々は高見の途中にちいさな、しかしやはり赤い家を建ててもらい製鉄所の運営をして暮らしていたが、本家の人々を見る機会はあまりなかった。黒塗りのおおきな外国製の車で、ときどき、大通りをすごいスピードで降りてくる。車の中は暗くて、よく見えない。万葉の視力をもってしても、赤朽葉本家の人々の姿は見えず、謎のままだった。

それが〝上の赤〟について当時、万葉が知る全貌だった。高見に続くひな壇のような宿舎を見上げながら、万葉は、せかいは、だんだんでできとるのだ、と思っていた。

そしてそのころの万葉は、だんだんの下の下、黒煙まみれの宿舎に住んでいたので、赤朽葉家よりも〝下の黒〟こと黒菱《くろびし》家のほうが、より身近であった。


黒菱家のほうは、旧家でもなんでもない。つらなる中国山脈と日本海にはさまれた、この横長の山陰地方では重宝《ちょうほう》される港町、錦《にしき》港の近くにある貧しい造船業者に過ぎなかった。戦前は黒菱の子供たちもほかの村人たちと変わりなく、裸足で着たきり雀《すずめ》の惨《みじ》めな様子だったという。日本が軍事国家になるにつれ、造船業は栄えることになり、終戦後、気づけば金ぴかの成金になっていた。黒と金を基調とした、まるで巨大なお仏壇のようなお屋敷を、海沿いの、半島のようにすこし張り出した土地に建てて、子供に豪華な服を着せた。万葉と同じぐらいの年の、みどりという娘だった。

みどりはのっぺりした顔に、目だけぎょろりと飛び出た、あまり美しくなくしかも悋気《りんき》な娘で、黒と金でぴかぴかしたよそいきの着物を着せられて、振袖のたもとを風に揺らしながら、黒煙にまみれた紅緑村のあちこちを練り歩いていた。

〝下の黒〟こと造船所で働く男たちの家族と、〝上の赤〟こと製鉄所の職工たちの家族は、あまり仲がよくなかった。赤のほうは成金に使われていると黒をばかにし、黒のほうは黒煙が汚い、くさいと文句を言った。身近なものどうし軽蔑しあい、いがみ合っていたため、彼らが飲みに行く店も、子供を連れて行く公園なども、いくどかの血を見るほどの不幸な揉め事の後、完全に住み分けがなされるようになった。終戦後の山陰地方には、海沿いと山側のあいだに、赤と黒で引かれた見えない線のようなものが生まれていた。

おとなたちのいがみあいは、もちろん子供たちにもあっというまに伝染した。赤の子供たちは黒の子供たちをいじめた。黒の子供たちは、黒と金の振袖に身を包み、頭に金ぴかのかんざしをいくつも挿した出目の黒菱みどりを姫のように祭り上げて、赤の子供たちから守ろうとした。赤の子供たちには、みどりは「出目金」と呼ばれていた。なるほど、顔も、振袖のくろぐろとした揺れも、頭の上のボコボコした飾りも、子供の残酷な目で見れば魚の出目金そっくりと言えなくもなかった。

万葉は学校でも文字が読めず、教えられる勉強もほとんどがわからなかったので（祖母はけして頭が悪いわけではなかったが、それどころか冴えてさえいたが、計算問題などは難しかったらしい。きっと頭の構造が人とはちがっていたのだろう）、どちらの子供からも浮いていた。出目金は子供なりに、そんな万葉を、もっとも弱いものとみなしたのだ。学校帰りによく、手下といっしょに待ち伏せしては、万葉に石を投げたり、近づいてきて髪を引っ張ったりした。

「ひろわれっ子」

と、出目金は学校帰り、万葉のあとをついてきて、いつまでも同じことを繰り返した。驚くべき粘着質であった。

「ひろわれっ子。ひろわれっ子。色も黒いし、みっともねぇ。髪の毛だって黒すぎる。ねぇ?」

出目金がそう言って首をかしげると、手下たちも一斉にうなずいて、同じ言葉を繰り返した。

出目金はうれしそうに、

「貧乏人」

万葉が答えないので、地団駄を踏んで、続ける。

もうすぐ赤と黒の線、見えない結界に辿り着く。そこから先は追ってこられないことを知っているので、万葉はそこまでの我慢と思って、毎日、黙って歩き続けた。

さてこの、万葉十歳の年。紅緑村の、最後の神話の時代の始まり。語るべき事件が三つあった。

一つはあの空飛ぶ男〝一ッ目〟を視たことである。もう一つはこの、出目金こと黒菱みどりにまつわるちいさな事件である。

小学校からの帰り道にいじめられ続け、すっかり出目金ぎらいになった万葉は、おつかいなどで町に出ても、出目金が手下を連れて闊歩していそうな錦港の大通り、産業道路はまず歩かなかった。せまい磯の匂いの充満する横丁を、昆布のすだれをかきわけかきわけ、歩いたものだった。ところがその冬。日本海からの湿った風に吹かれながら鰯《いわし》を三匹、明日の味噌汁のワカメもすこし、とおつかいにきた万葉は、漁港の隅、はらはらと雪の降り散る灰色の海を見渡せるちいさな公園で、ばったり出目金に会ってしまった。

出目金は黒い振袖の上にちゃんちゃんこを羽織って、いつものように手下の小汚い男どもを連れずに、一人でぼうっと海を見ていた。万葉は隠れようとしてすべって転び、公園の砂場に顔から落ちて砂まみれになった。音に気づいて振り向いた出目金は、まず万葉がそこにいることに驚き、それから、いつものように嘲笑《あざわら》おうと口を開いた。そしてその口を閉じて、涙をぬぐった。

出目金は泣いていたのだ。意地悪な振袖女らしからぬその顔に、万葉はびっくりして、砂場で転んだまま口をぽかんと開けて相手の顔を見上げた。出目金は、ぎょろりと飛び出たふたつの目からぼたぼたと涙を流していた。塩辛そうじゃな、と万葉は思った。海の女の涙や汗は、わけもなく、塩気が多そうな気がしたのだ。

「どうしたんじゃ」

「……兄じゃを、待っちょる」

出目金はぶっきらぼうに答えた。涙を拭いても拭いても新しいのが流れてくる。しゃくりあげながら、

「まだ、シベリヤから、帰ってこん」

「シベリヤ?」

「抑留じゃ。兄じゃは女みたいにきれいじゃから、心配じゃ。女みたいにきれいな男ってのは、

わかるか、女みたいに弱いってことじゃ。振袖着せるわけでなし、なんの役にも立たん。兄じゃは弱い男じゃから、鮪《まぐろ》捕りの船にもよう乗らんかった。酔ってげぇげぇ吐きよった。烏賊《いか》釣りの小舟にだけ、なんとか乗りよったが、烏賊がかわいそうじゃ、とかわけのわからんこと言いよって、ろくに捕りゃあせん。そんなおんなおとこが、シベリヤで生きとるはずがなかろうがね」

出目金は一気に言うと、また涙をぬぐった。

この一九五三年は、終戦からすでに八年もの月日が経っていて、帰ってくる人はきて、こない人はこず、そして生き残ったものはすでに新しい生活を始めていた。軍人、民間人あわせると六百万人以上もの人が、何年にも分けて、中国大陸から、南の島から、そしてシベリヤから帰ってきた。黒の造船所にも赤の製鉄所にも、復員兵や引揚者はたくさんいた。万葉は泣いている出目金にそうっと近づいて、

「あんた、兄じゃを覚えておるの？　だって戦争に行ったとき、あんたはまだ小さかったじゃないか」

「写真で見た。あと、父様も母様も、そう言いよる。それに、兄じゃが帰ってこんと、わしが跡取りになる」

「ええじゃないの」

「いやじゃ。……兄じゃを写真で見た。わしは、あのきれいな兄じゃに帰ってきてほしいんじゃ。それだけなのに」

出目金は涙をぬぐった。

日本海から、また湿った風が吹いた。降っても降っても雪は、灰色の海面に吸いこまれるようにして消えていく。ざばり、ざばりと波が荒く立つ。

万葉は、ちょっと待て、復員兵は海から帰ってくるんかな、と思った。陸からじゃなかろうか。遙か中国山脈の向こうから、渓谷の鉄橋をいくつも越えて、大紅緑駅に毎日辿り着く列車。ときおり、忘れたころにふらりと戻ってくる復員兵もいまだにいる。しかし出目金は海を見続けているので、なにも言わずにとなりに立って、荒れる海を見ていた。

万葉は、出目金をおそれるあまり海沿いにはなるべく近づかなかったが、この辺りの風景がけしてきらいではなかった。なにより、標高の低い漁港の近くでは、万葉は幻を視ることがない。そのことが楽だった。となりで泣いている出目金のことはすっかり忘れて海に見入っている万葉の顔を、出目金が涙の乾いた目で、じっとりとねめつけた。くろぐろと波打つ、腰までの髪をぐいっとひっぱって、

「心配せんのか！」

「いたい！　心配せんわ。いじめっ子」

「ひろわれっ子！」

「いたいがな！」

「あんたには兄じゃもいないのに。わしがうらやましいだろう？」

「うらやましくなんかない。わしは、足りとるもの」

足りとる、とはなんのことかとっさに自分でもわからなかったが、万葉にはもともと、欲というものがあまりなかった。必要なものは若夫婦に揃えてもらっていたし、贅沢をしたがったり、現世的な欲をもつには、幻を多く視すぎた。万葉は〝辺境の人〟であったもとの家族に捨てられ、いまの家族との生活も貧しいものだったかもしれないが、それでも心持ちとしては、まずまず足りていたのだ。

「足りてなんかおらん。それに、この髪も黒すぎじゃ。どうして束ねてきれいにしないのさ。美人でもないのに」

「きれいに見せたくなんかないよ」

「強がりじゃ。女はきれいにしたいもんじゃ。振袖着たいもんじゃ」

「でも……こうしているのが、わし、好きなんよ」

万葉が低い声で答えると、出目金はびっくりしたようにヘエッと言った。頭をのけぞらすと、その頭にいくつも挿された金ぴかのかんざしも、いっしょに左右にぶらぶらと揺れた。出目金は唇をかんだ。それから手を伸ばすと、万葉のくろぐろとしたつややかな髪を、思いっきり引っ張った。

五十本近くの髪がぶちぶちっと音を立てて抜けた。万葉がおどろいて振りむくと、出目金は、してやったり、というようにうれしそうに、にやぁりと笑った。前歯が一本抜けていて、真っ黒な空洞が口の奥に見えた。万葉がいたむ頭皮を両手で押さえて、転がるように駆けて公園を出ると、真っ黒な振袖を乱して、出目金がのども裂けよと叫ぶ、

「貧乏人！　ひろわれっ子！　野蛮人！　死んじまえ！」

おそろしい悪態がいつまでもいつまでも、万葉にからみつくようにして追いかけてきた。

——それが、その十歳の冬のことで万葉が覚えている、二つめの事件だ。


三つめは恵比寿《えびす》様の事件だ。同じ冬の、雪解けが始まった季節のことだった。

学校が春休みになり、子供たちは家の手伝いをしたり、誘いあって町まで遊びに出かけたりと騒がしかった。万葉を育てる若夫婦は相変わらず忙しそうで、夫は製鉄所から夜、真っ黒になって帰ってきた。妻のほうは昼間は洗濯し、共同で使う井戸まで水を汲みにいき、ちいさな裏庭に野菜の苗を植えた。万葉はその夫婦のことが好きだったので、縁側にちょこんと座って足をばたばたさせながら、ひがな一日、立ち働く母親の姿をみつめたり、夫婦のあいだに生まれた弟妹の子守りを手伝っていた。

母親は忙しさのあまり子供たちにかまわなかったが、ときおり万葉の横を通り過ぎるとき、割烹着のポケットに手を入れて、煎《い》り豆を一粒、口に入れてくれた。ぽりぽりと噛んでいると、「おいしい？」と微笑む。万葉はうなずく。母親はまたどこかに早足でいなくなってしまう。

そんな、いつもどおりのある日のことだった。

玄関を出たところで、ちょうど大通りを黒塗りの車が下っていくのが見えた。高見のお偉いさんの乗る車だ、と万葉にもわかった。ぶらぶらと大通りに向かって歩いていくと、ぼぅん、とすごい音がした。

家の陰から覗いてみると、車は停車して、ボンネットが開き、煙が上がっていた。制服姿の運転手があわてたように降りてきて、車を点検し始めた。

万葉は首をかしげて、その様子をみつめていた。昼下がり、いつもは職工の家族たちで人通りが激しいのに、そのときはまるで魔術をかけられたように、大通りには誰もいなかった。万葉がみつめていると、車の後部座席のドアがとつぜん、爆発するように開いた。そして、見たことのない幻が降りてきた。

それは小さくて、丸々と太った女の人だった。肌が真っ白で、顔がおどろくほどまんまるで、やわらかそうなお肉に目鼻がずっぽりと埋もれていた。糸のようにほそくなった目を、さらにおしつぶす頬の肉。恵比寿様にそっくりだ、と万葉は思った。簡素だが上等な着物を着て、ちいさな足に赤と黒の格子縞のおもちゃみたいな草履《ぞうり》を履いていた。黒髪を、塗りの櫛一つでくるくるとまとめていた。

年のころは四十歳ぐらいか。

恵比寿様の幻だ、と万葉は思った。女の恵比寿様だ。まさかそんなおもしろい容姿をした女が、現実の人間だとはとっさに思わなかったのだ。外国製の車から転がるように降りてきた女の恵比寿様は、迷いなく、物陰にいた万葉めがけてころころと走ってきた。

万葉は思わず、逃げた。

毬《まり》のように太った中年女が、敏捷《びんしょう》な十歳の娘に追いつけるはずがない。恵比寿様はふぅふぅいいながら、すばしこく逃げる万葉を追いかけたが、すぐにつかれて足を止めた。そして綿菓子のような柔らかな声で、万葉を呼んだ。

「ねぇ、いまここにいた、ちいさな、山の娘さん。出てきてちょうだい」

万葉はそのとき、五軒先の家の縁の下に、山猫のように丸くなって隠れていた。恵比寿様はばたばたと着物の裾《すそ》を乱して走りながら「娘さんよ、娘さんよ」と呼んでいる。

万葉は息を押し殺していた。

やがてころころ転がるように、女の恵比寿様は万葉が隠れる縁の下のまん前を通り過ぎた。赤と黒の格子縞のすてきな草履が、目の前を行き過ぎていった。

「娘さんよ、娘さんよ」

声は遠ざかるかにみえて、また近づいてきた。ちいさな足音。あんなに太っているのになぜか足音だけは風のように軽かった。すてきな草履がまた戻ってきて、そうして、暗い縁の下から見える、陽光の眩《まぶ》しい外の景色いっぱいに広がるように、肉に埋もれたおおきな顔がぬうっと現れた。

万葉は、ひっと息を呑んだ。

恵比寿様はうれしそうに笑った。

「あら、あら、あら。こぉんなところに隠れておった」

「幻、消えて！」

「……幻？　それは、なぁんの名前？」

恵比寿様はたもとからハンカチを出して、ひろびろとした富士額に浮かんだ、白胡麻油のような汗を拭いた。それからまた、にかっと笑った。

「わたしは、タツだよぅ」

「タツ？」

万葉はふと、これは幻ではなく、人間なのではないかな、と思った。このご時世にこれだけ太るということは、物不足の折もあって考えづらいが、幻に特有のあの、死者のような、氷の風が吹くような、しんと冷えた感じは、このころころの恵比寿様からは感じられなかった。タツと名乗った太った白い女は、また額の汗を拭いた。拭いても拭いても、白胡麻の汗。万葉は縁の下からそろそろと這い出ていった。

土埃とちいさな羽虫の死骸まみれになって出てきた万葉のからだを、タツははたいてきれいにしてくれた。そうして、腰をかがめて万葉の顔を覗きこむようにして、改めてささやいた。

「娘さんよ。わたしは、赤朽葉タツですよ」

「……あかくちば？」

万葉は問い返した。とっさになんのことかわからなかったのだ。それから口をぽかんと開けて、空を仰いだ。

職工の宿舎をひな壇のようにつらねた、その上の上。今日も、油混じりのくろぐろとした黒煙の向こうにそびえる、あの腐りかけの紅葉のような暗い赤色をした、大屋敷。赤い門は、天国の門。

別世界の人々。

なるほど、天上の人なら、このご時世でも、女がまるまる太れるほど食糧がありあまっていても不思議ではない。

「〝うえのあか〟」

「なぁに、それは」

聞き返されて、万葉は言葉に詰まった。そして子供ながら一生懸命、村人にとって赤朽葉製鉄と黒菱造船は上と下と言い分けられていて、あと、親が赤で働いてる子と黒の子は仲が悪くて、と、子供の目から見えることを説明した。

「おや、それじゃあんたは、黒菱さんとこの娘さんに、いじめられてるの」

「うん。あいつは小鬼よ」

「おや、まぁ。あの子はやんちゃだからねぇ」

上の人、赤朽葉タツは使う言葉まで自分たちとはちがった。上品な、不思議な言葉遣い。万葉は緊張してきた。車がまだ大通りで煙を吐いているので、タツは万葉を連れてちょこちょこと歩いて坂道を下り、下ったところにある御茶屋さんで、万葉にぶくぶく茶と栗羊羹《くりようかん》をご馳走してくれた。

「ぶくぶく茶、好き?」

「うん……」

このぶくぶく茶とは、山陰地方に伝わるおやつである。甘く炊いた五色豆《ごしきまめ》を茶碗に入れて、あとからお茶を注いで、よく混ぜてぶくぶくと泡立てる。楊枝《ようじ》で豆をつまみながら、お茶を飲むのである。

お茶と羊羹を交互に口に運ぶ。赤朽葉タツはその様子をにこにこしてみつめていたが、

「さっき、車のボンネットから煙が出たときにね、こりゃ、なにかのお告げだねと思ったんだよぅ。あの坂道で車が止まることなんていままでなかったんだもの」

「……お告げ?」

「そう。そしたらあんたが、車の外にいたもんだから。紅緑村に、山の人たちにおいていかれた子供がいるって話を聞いたけれど、あんたのことでしょう。山の人たちとおんなじ、黒い顔をした子供だもの。すぐにわかった」

「……」

「わたしは、赤朽葉分家の娘で、本家の長男の康幸《やすゆき》さんに嫁《とつ》いだのよ。さっきあんたが指さした大屋敷に住んでるんだよぅ」

「……」

万葉の目をもってしても、見ることのできなかった天上の人々、赤朽葉の女はころころと太った顔をかしげて、幼い万葉をみつめた。そして言った。

「あんた、八岐大蛇《やまたのおろち》って知ってる?」

万葉は黙ってうなずいた。

八岐大蛇は、日本神話に登場する、山陰地方にいたという伝説の生物だった。頭も尾も八つあり、目はほおずきのように赤く、背中に松が生え、八つの丘にまたがるほど巨大な大蛇で須《す》

佐之男命《さのおのみこと》に退治されたのだ。それにしてもこの赤朽葉の奥様は、どうしてそんな話をし始めたのだろうか。

奥様はそれ以上はなんの話もせず、お茶を飲む万葉を見下ろしていた。それから小声で聞いた。

「あんた、名前はなんていうの？」

「万葉」

「苗字は？」

万葉自身には苗字はなかったが、引き取ってくれた若夫婦の苗字は多田《ただ》といったので、それを名乗った。奥様はうなずいた。それから、ぷくぷく茶を飲み終わった万葉を連れてまた坂を上った。黒塗りの車は無事に直ったようだった。

車に乗るときに奥様はなぜか、

「多田万葉、あんた、大きくなったらうちの嫁にきなさい。いいわねぇ？」

「は……」

万葉がおどろいてみつめかえしているあいだに、ドアがばたんと閉まった。黒ずんだ窓ガラスの向こうは、なにも見えない。車が走り出すのと同時に、誰もいなくなっていた大通りは、魔術が解けたように人通りが元に戻り、またかしましくなった。

これからまもなく、近代から取り残されたようなこの山間の村でもようやく、神話の時代が遠ざかり、こういった不思議な空気は自然と消えていくことになる。昔ながらの川沿いのたたら場に洋式の巨大溶鉱炉と大工場がやってきたように、このころから各家庭にも、テレビ、洗濯機、冷蔵庫という三種の神器が少しずつ導入され始めた。テレビがつくった近代の文化によって、広かった日本列島は急速にせまくなり、同じ文化を同時に吸収できるようになっていた。この鳥取県西部の小さな村も同様だった。

この地方がまだ、神話時代の名残を残す文化の離れ小島であったのは、おそらく終戦から十年ほどが経ったこのころまでのことだったのだろう。〝辺境の人〟たちはそれより十年ほど先駆けて、山の奥深くに消えてしまったことになる。

万葉は不思議な力によってタツに出逢った、この日のことをよく憶えていた。

そして鳥取県紅緑村では、近代化していく村の上に、神話的世界の象徴である赤朽葉家がむかしと同じ姿で、真っ赤にかしいで、この後も君臨し続けていくのである。

2　首が飛んで死ぬる

さてその一九五三年から一気に七年の月日を、この物語は飛ぶことになる。万葉がそのころのことをよく憶えていないせいもある。万葉は中学校に上がり、しかし相変わらず文字が読めず、かんたんな計算もできず、出目金一味のいじめはひどくなるばかりで、すっかり現世に嫌気がさしていた。万葉がよく憶えていると語ったのはこの時期、一度だけまたあの〝一ツ目〟の男の幻を視て坂道を転がるように追いかけ、オート三輪にあやうくひかれかけたことと、五五年の春いちばんに吹いた〝山おろし〟が、ことのほか強かったことだけだ。

〝山おろし〟というのは山から吹き下ろすしめった強風のことである。遠く中国大陸から日本海を経て、中国山脈というおおきな壁に阻《はば》まれるまで風というものは自由に吹き、山脈にぶつかってこの地方に湿気を降らせる。それで山脈のこちら側、じめじめしていつも空が薄灰色の地域を山陰、山の向こうのからりと晴れた土地を山陽と呼ぶのである。中国山脈から吹き下ろして、この土地をなめるようにして海まで抜けていく山おろしは、春になるととくに強くなるが、一年中、風の多い土地ではあった。農家などの、田んぼの真ん中に建てられた家はたいがい、分厚く高いブナの垣根をこしらえて家と蔵を風から守った。どの家の垣根も、山から海にむけて無数の矢印のように、なびいた奇妙な形のままで育っていた。それほど、風は強かったのだ。

その年の春、ことのほか強いそれが吹いて、大通りの坂道を歩いていた万葉は、あやうく風に足を取られて飛ばされかけた。五軒先の子供が飼い始めた雑種の小犬が、きゃうんと鳴きながら飛んできて、万葉は幻か確かめるひまもなく、とっさに両手をのばして抱きとめた。それはたしかな実体をともなって、万葉の腕の中でくんと鳴いて、熱い舌で彼女の腕をなめまわした。温かく、湿って、重いその生き物を抱きしめて強風に耐えているとき、万葉の視力のいい目に、おどろくような光景がうつった。

ずっと視線の先。山のはるか上にある真っ赤な、かしいだ、赤朽葉の大屋敷。その開け放された大広間で、強風が暴れて、座敷の畳が二枚、ふわりと持ち上がったのだ。それは二枚で相撲《すもう》を取るようにしばらくのあいだ立ち上がってぶつかりあっていたが、風が止むと力をなくして床に倒れた。万葉はあきれて、今年の山おろしはなんと強い風だろうと思った。高見のお屋敷街の庭に咲き乱れていた花々が風に花びらを散らし、色とりどりの模様のようになって坂の下にいる万葉と小犬のもとに降り落ちてきた。「きれいじゃねぇ……」とつぶやいたとき、小犬の飼い主である子供が飛び出してきて、「わしの犬じゃ！」と叫んで万葉の手から小犬を奪い返した。

憶えているのは、それだけじゃ、と祖母は言う。それならそうなのだろう。中学を出ると祖母は、家で、育ててくれた若夫婦——さすがにもうだいぶ若くなくなっていたが、捨て子を拾うほど元気な人たちであったため、いつまでも気は若かった——のあいだにつぎつぎ生まれた弟や妹たちの世話をした。ときどきは、近隣の農家に手伝いに行ってちょっとしたお小遣いをもらって帰ってきた。万葉はこの夫婦が好きであったので、女の子供ならではの一途《いちず》さで、できればいつまでも小さな宿舎でいっしょに暮らしたいと思っていた。

時代は、追い風に押されるように近代化されていった。赤朽葉の製鉄所一つ見ても、それはあきらかなことであった。その昔、戦前までたたら場の誇り高き職人であった老人たちは、いまは坂の下の下、ちいさなほったて小屋で、からだをちいさくして、一日やることもなく過ごしていた。村の伝統工芸保存会というものが発足し、薪《まき》を使った昔の炉や、江戸時代から使われている天秤ふいご、砂鉄を採取する方法をまとめたパネルなどをあわせた展示室をつくった。職人たちはそこに呼ばれて、社会科見学にやってきた村の子供たちに、たたら歌を口ずさみながら昔ながらの鉄のつくりかたを教えてみせた。男の子供たちは喜んだ。しかし、昔ながらの、親方に弟子入りして修業し、何十年もかけて身につけた、尊《とうと》いはずの技術はもうとうに遠い過去のものになっていた。

ドイツ式の、巨大な溶鉱炉を鉄の塔のようにそびえさせた、最新式の製鉄所で働く職工たちのほうは、町を肩で風切って歩いていた。給料もよく、夜の町でも彼らは厚遇された。飲み屋ではママたちが、職工さんの上客を何人持っているか競い合い、娘さんたちの結婚相手としてもひっぱりだこだった。職工は昔ながらの職人とはちがい、機械を整備し、自分も巨大な機械と一体となり、原子的な歯車となる。そこに腕とプライドを持つ、戦後の新しい価値観による若い労働者たちだった。彼らは戦後の産業そのもので、近代合理主義の申し子だった。彼ら個人の生活の発展が、この敗戦国の、それでもそれなりに明るい未来につながっているようにも思われた。

十七歳になったある春のこと。万葉は町に出て、米やら味噌やら弟妹の着替えやらを買いこんでいた。夕方になると、鮮やかな菜っ葉色の制服を着た職工さんや、自衛隊——この数年前、防衛庁が発足し、それとともに保安隊は自衛隊という奇妙な名に変わっていた——の制服を着た男たちが町にあふれて、酒を飲んだり、賭け事をしたり、繁華街にできたデパートで輸入物の洋服や靴を景気よく買ったり、宵町《よいまち》横丁と呼ばれる飲み屋街で女を買ったりした。日暮れが近くなると男たちはとたんに下品になったが、万葉はその容姿から、変わった娘だとじろじろ見られることはあっても、男たちに気楽にちょっかいを出されることはあまりなかったので、夕刻の町をそうこわがることもなかった。米や味噌を抱えて急ぎ足で歩いていると、日暮れの空が急に暮れてきた。暮れたのではなく雲に覆われたのだ、真っ黒な雨雲だ、と気づいたときにはもう降り出していた。油紙に包んだだけの味噌が溶けて流れるのを恐れて、万葉は手近な店先に飛びこんだ。

ぶくぷく茶屋だった。店先で万葉と、山から迷い出てきたちいさな狸《たぬき》の親子が、三人並んで暗い空を見上げていた。と、店の主人が出てきて狸たちを蹴飛ばし、雨の中に追いやった。それから、洗いざらしの髪をたらして、化粧けもない万葉のほうを振り返り、客じゃないなら出て行けと言った。よけいな小遣いもなしに買い物にきた万葉には茶代もなく、しかたなく狸の後を追うように雨の中を走り出そうとした。

そのとき、店の中から若い男の声がした。

「お入りなさい、あんた。おい、あんた」

万葉は振り向いた。

髪の長い、やけに背の高い男が一人、隅の席に座っていた。顔はのっぺりとしていていかにもこの地方の顔立ちだったが、目が切れ長で鋭く、唇が奇妙に赤かった。悪くはないが、男前というにはなにかが足りない。髪が長すぎ、背が高すぎ、腕が長すぎた。それですこしおかしな、妖怪じみた雰囲気がするのかもしれなかった。

男のテーブルにはぶくぶく茶と、分厚い本が一冊おいてあった。お茶も飲みかけ、本も読みかけで、手を止めて眩しそうにこちらをみつめていた。

「はぁ、あの……」

「お座んなさい。おじさん、この人にもぶくぶく茶を一つ」

「味噌が溶けますから、外には出たくなくって……」

「そりゃ、そうでしょう。お座んなさい。おや、あんた、やっぱりおかしな様子だなぁ」

おずおずとそばに寄ってきた万葉を見上げて、若い男は笑い声を上げた。子供のように無邪気に、万葉のごわごわと硬くて長い髪を引っ張ってみた。それから青白い顔を近づけてきて、万葉の、彫りが深くてあきらかにこの地方の者とはちがう、変わった顔をしみじみとみつめた。

「こりゃ、確かに山の人だ」

「はぁ……」

「あんた、ほかにも食べたいものがあったら言いなさいよ。俺はめずらしいものが好きなんだ。この本とか、それにあんたみたいな顔とかね。ほれ、メニューだ」

放り投げるようにして店のメニューを渡されたので、万葉はあわててはっしと受け止めた。それには、万葉には読みたくても読めない文字の羅列があった。万葉は顔を赤らめながら、その奇妙な若い男に、

「わし、文字が読めないんで……」

男も、顔を赤らめた。

「……学校、行ってないのかい」

「いや、行きましたけど。読めないし、足し算もできんのです。どうしても頭に入ってこんで」

「へぇ……」

男はしばらく黙っていたが、万葉のぶくぷく茶が運ばれてくると「遠慮せんで、お飲みなさい」と小声で言った。

それから独り言のように、メニューを読み始めた。

「ぶくぶく茶。こんぶ茶。ほうじ茶。コーヒー。紅茶。栗羊羹。芋羊羹。黒豆羊羹。五色豆大福……」

万葉が笑ったので、男はすこしほっとしたように、もう一回、最初からメニューを読んだ。

それから長い髪をかきあげて、朱色の、薄い唇をふるわせて、

「雨がやむまで、ここにおりなさい。多田万葉さん」

「はぁ、すみません……」

万葉は頭を下げた。

名も知らぬ男はそれきり、読みかけだった本を手にして、またそのページに目を落とした。横書きで見たことのない文字だったというから、おそらく英語で書かれた小説かなにかだったのではないか。しばらく泡立った茶の中を泳ぐ五色豆をつまんでいた万葉だが、ふと不思議になって、

「あなた、なんでわしの名前を知っとるのですか」

「……ママが言ってたから」

男はちらりと顔を上げて、万葉を見た。切れ長の瞳が細められた。茶を一口飲んで、

「ママが、多田万葉っていう山の子が、下にいるって。あんたはどれだけ女を囲ってもいいけど、嫁はあの山の子にしておきなさいっていうからさ」

「ママって、なんです」

「あぁ、母親のことさ」

洋書の硬い表紙を人差し指でこつこつと叩いて、男が答えた。それはきっと海の向こうのハイカラな言葉なのだろうと思いながら、万葉はうなずいた。

店の外で、雨脚がますます強くなった。男の声が聞き取りづらいほど、水がリズムを刻んで暴れている。店主が店先のドアを閉めて、灯りをつけた。橙色《だいだいいろ》のちょうちんがふたつ、店の奥と手前で輝き始めた。

男が書物のページをめくりながら、だるそうに言った。

「俺は赤朽葉曜司《ようじ》。聞いたことあるだろう」

「いや、ありません」

万葉があっさり首を振ると、男――赤朽葉本家の跡取り息子で、なおかつどら息子であった曜司――は、がっかりしたように万葉を見た。

「なんだ。村の娘たちには評判かと思っていたのに」

「評判かもしれませんけど、わしは、つきあいがないから」

「なんだ。そうか」

「あなた、それなら、タツさんの息子さんなんですか」

「あぁ。似てるだろう」

万葉は黙った。曜司のすらりとした長身と、切れ長の瞳、紅でもさしたかのような真っ赤な唇を順繰りに見渡した。それから、タツが痩せたらこういう容姿なのかもしれない、と考えてはみた。首をかしげたまま黙っていると、

「俺はママのいうことならたいていは聞くんだ」

「はぁ……」

「だから、多田万葉さん、きっとあんたと結婚するよ」

「だけど、赤朽葉本家の子が、捨て子となんか結婚しないでしょう。タツさんがそんなことを言っていても、家の人がお許しにならないと……」

「ママに逆らえるような男は、本家にも分家にもいないさ。あの人は、こわいからね」

「へぇ……？」

万葉は、もう七年ほども昔のこと、坂道でエンコした黒塗りの車から降りてきた、あのころころと太った中年女のことを思い出した。白胡麻油のような汗をふきだしていた、恵比寿様そっくりだった、ちいさなちいさな赤朽葉タツ。あれが高見の誰にも逆らえないほどこわい女だとは、とうてい思えなかった。

窓の外で夕立が止んだ。

その代わり風が出て、閉めたドアの隙間から吹きこんで、ちょうちんの火を吹き消した。ぶくぷく茶屋の中は急に真っ暗になった。万葉の目の前に座っている、背の高い、うらなりびょうたんのような若い男の白い首に、窓からの月明かりがあたって、白蛇のようにぬめりと光りだした。

「俺はあんたと結婚するよ。死ぬまでいっしょにいるんだから、気が合うといいけどねぇ。でも、どうだろうね……」

月光に青く照らされた細いのど。つばを飲んだら、のど仏がおおきく動いた。あっけにとられていると、店主がちょうちんに火を入れて、店の中はふわりと火の花が咲いたようにまた明るくなった。

それは若い娘たちが身を焦がす恋の話などではなかったが、万葉は結婚するなどと言われたことがなかったので、驚きと羞恥《しゅうち》に頰を染めて黙っていた。テーブルに目を落とすと、万葉には読めないメニューを手にとって、いじった。

すると、ときどき、動揺しているときにあることだったのだが、メニューに書かれた文字がずるりと音を立てて変容して、べつの文字をつくり始めた。まるで生きているかのようにのたくって、おおきな八つの文字になった。万葉は穴の開くほどその文字を見ていたが、読めないものは読めなかった。曜司に鉛筆を借りると、芯をなめなめ、その文字を伝票の裏に書き記した。

不器用に丸写しされた八つの文字を、曜司が興味深そうに覗きこんでいた。伝票を受け取ると、おおきな声で読んだ。

「首が、飛んで、死ぬる」

万葉はおどろいて、曜司の青白い顔を見上げた。

その瞬間に、未来が視えた。雪かと思ったら、薄桃色をしたはげしい桜吹雪が店に飛びこんできて、万葉たちを包んだ。おもちゃのように曜司の首がちぎれて、どこかに飛んでいく姿を万葉は視た。いま背中に垂らされている曜司の髪は、その未来の姿では後ろで結ばれ、白髪も交じっていた。すこし老いた曜司は、笑いながら、首がもげて飛んで、切り口からの赤朽葉色の血しぶきも鮮やかに、火を噴くロケットさながらの姿を一瞬見せた。なぜか狂い咲く桜の花びらが蝶の大群のようにぱたぱたとうごめいて竜巻をつくり、首のない彼をおおいつくした。それから時を巻き戻すようにして首がもどり花吹雪もどこかにかき消えて、また、もとの若い赤朽葉曜司にもどった。万葉は胸を押さえて、黙っていた。曜司は不思議そうに、八つの文字をみつめていた。

「なんだい、こりゃ？　あんた、文字が読めないのに、書けるなんて不思議だね」

「はぁ……」

「無口な娘《こ》だね。騒々しいよりいいけど。それにしても、これが俺のプロポーズへの返事かい？　はは、あんたはまったく、おもしろいな」

万葉は首を振って、それはなんでもありませんと小声で答えた。いつの日かこの赤朽葉のぼんは首がもげて死んでしまうのだと思うと、胸がどきどきとした。そして、どういう理由でかぼんの首がもげるまでは、自分は赤朽葉タツが望むとおり、このぼんの嫁になって、おもしろがられながらともに暮らすのかもしれないと思ったのだった。

やがて雨がやんだ店の外に出て、万葉は米と味噌、弟妹の新しい着替えを抱えて歩きだした。夜のひな壇は、大通りの坂道をのぼるにつれ、各宿舎の玄関に出されたちょうちんがぼうっと輝いて壮観であった。昼夜のない三交代制で働く職工たちは、夜遅く帰ってくることも多いため、主婦たちはどれもがそっくりな宿舎の迷路で夫が迷わないよう、玄関に苗字や家紋を書きこんだおおきなちょうちんをつるしてしるしにしていたのだ。玄関にちょうちんが、家の中には電気が煌々《こうこう》と灯り、製鉄所の景気の良さよと、下の町の人々からひな壇は毎夜見上げられていた。

その灯りの灯るひな壇の、もっとも上にある赤い門に向かって、坂道を黒塗りの車が万葉を追い越していった。さっきのぼんが乗っているのだろうか、と万葉は考えた。それからふと、酒を飲むでも女を買うでもなし、夕刻の茶屋でひとり、女学生のようにお茶を飲み、分厚い本など読んでいたぼんのことを、奇妙な男だと思った。長い黒髪が万葉のもののようにごわごわと洗いざらしではなく、さらりと黒絹のように流れていたことも。

「あん人と、わしは、似合わんよ……」

首をかしげながらも万葉は、通り雨に濡れた坂道を急ぎ足で、家に帰っていった。

万葉が十代を過ごしたこの時代は、終戦後の激動の日々でもあり、変化の多い時であった。まず世界のあちこちから引揚者が帰ってきて、土地に残っていた人々の群れに同化していった。戦勝国アメリカからやってきた魔人マッカーサーがこの国を新しい形につくりかえ、「老兵は死なず、ただ消え去るのみ」という言葉を残して去った。日米安全保障条約が締結され、経済が発展し始めた。このころ、集団就職といって、地方都市の子供たちが中学を卒業すると同時に都会へ巣立つようになった。金の卵と呼ばれる彼らだったが、その実、安い給料で長時間の労働を強いられるばかりで、現実は苦いものであることが多かった。

山陰地方ではこの時期、赤の製鉄所、黒の造船所ともに景気がよく、村の若者は都会に出ていくことなく条件のよい職場を手に入れた。娘たちは十七、八歳になると、本人どうしが好きあうか、家どうしで決めるかして、婚姻してはやくも一家の主婦となっていった。

万葉は、あの奇妙なぼんとの出会い以外には、嫁にと望まれる話もなく、日々をのんびりと過ごしていた。なんといっても弟妹に手がかかった。食事の世話や洗濯をし、休みの日には手を引いてデパートに連れていった。屋上で演歌歌手のショーを見て、大食堂でお子様ランチを食べさせ、また手を引いて、ときには疲れて眠った弟をおんぶして、だんだんの宿舎に帰るのだった。

中学を卒業してからは同級生たちとも疎遠になっていたが、山から降りて漁港を歩いているときと、町中にさいきんできた華やかなアーケード街の店をひやかし歩きしているときに、ほんの二度だが、出目金こと黒菱みどりらしき姿を見た。

万葉はとくに声をかけることなく遠目で見ていただけだが、出目金は子供のときと変わらず、豪奢な黒い振袖をひらひらさせて、金のかんざしをいくつも髪にさして、下駄を鳴らしてアーケード街を闊歩していた。取り巻きだった男の子たちはとっくに働きに出て、いなくなったらしく、出目金はいつもひとりだった。男のようにすらりと背がのびて、振袖揺らして歩く姿は迫力があり、身のこなしはおどろくほどに美しかった。あんなへちゃむくれだったのに、ずいぶんきれいになったものだ、と万葉は驚き、あきれたものだった。出目金を見かけたのは夕方と夜で、くすんだ薔薇色に染まった日暮れの海を背景に、一枚の静止画のような見事さでゆっくりと歩いていた。

ところがこの出目金は、黒い振袖と金のかんざしでみながそう思いこんでいたものだが、じつはいつのころからか、黒菱みどり本人ではなかったのだ。それは現在にいたるまでみどり自身と、祖母しか知らぬことである。いや、黒菱の家族は知っていたのだろうが、誰もそれを口にしなかったために後世まで秘密のこととなった。

出目金の正体は、じつのところ、みどりの兄であった。

ある夜のこと、おつかい帰りの万葉は近道をして、漁港の隅にある廃工場を横切った。夜空はよく晴れて、群青色《ぐんじょういろ》一色に染まる中、青白い月の光が工場跡を照らしていた。そのかたむいたバラックから、出目金が黒い袖を揺らして走り出てきたかと思うと、低い声で鼻歌を歌いながら、ぱっと振袖の裾を自分でまくったのだ。

振袖の下には襦袢《じゅばん》もなにも、つけていなかった。毛むくじゃらの足が二本見えて、その付け根に、万葉がみたことのないものが生えていた。出目金は低い声で歌いながら、じゃばじゃばと立小便を始めた。歌うたびに、金色のかんざしが右に、左に揺れた。万葉が呆然と立ち尽くす中、出目金は小便を終えるとまた裾を元に戻して、歌いながらどこへともなく消えた。

ぼうっと立ったまま見送っていた万葉の肩を、ふいに誰かがぎゅうっと握りしめた。子供のようなちいさな手だった。万葉は短く悲鳴を上げ、振り向いた。

小柄な少女が立っていた。ぎょろりと飛び出た目に、青白い肌。貧相に痩せた肩。こっちが本物の黒菱みどりだ、と万葉は気づいた。むかしの姿が別人のように、出目金は黒い地味な絣《かすり》の着物を着て、髪を二つに結んでいた。ちっとも美しくなっていなかった。恨みがましく万葉を睨《にら》んで、小声でおどした。

「いま見たことを、もらしたら、許さないよ」

「……いまのは、誰」

「兄じゃだよ。シベリヤから帰ってきたのさ」

出目金は歌うように言った。

月明かりが皓々《こうこう》とその顔を照らしていた。出目金の顔には奇妙に表情がなかった。どこへともなく歩きだした、振袖の兄じゃを追うように、小走りで廃工場を抜けていく。万葉も思わずその後を追った。

「おかしくなって帰ってきた。鮪船《まぐろせん》にも乗れん男が、戦争になんて、いけるわけがなかったんじゃ。すっかりへんになって、ようやく去年戻ってきた」

「へん……じゃなぁ」

万葉はさきほど見た異様な光景を思い起こしながら、うなずいた。出目金は唇を噛んだ。ひらひらと走っていく兄じゃの後ろ姿を追いながら、

「生きて帰ってきたのが、不思議なぐらいじゃ」

「あぁ……」

「結納まですませた許婚《いいなずけ》もいたんじゃが、そっちの家に悪ぅて、生きとることも伝えとらんのよ。死んだことにして、よそに嫁にいってもらったほうがええにきまっとるがな。そんで兄じゃを蔵に押しこめとっても、わしのふりして、振袖着たがって、出かけるだが。父様に殴られても、家の者が鍵かけても、どうやってだか出てきてしまう。それで、わしは堂々と歩けんようになっただが。だって、そうだが？　黒菱みどりが二人いたら、怪しまれる」

「たしかに、わしも、あんたがふらふら歩いとるのかと思っとったよ」

「わしはこのところ、こうしてずっと、兄じゃのあとをついて歩くだけだが。ほうっておけんで。だから、もう、振袖も着れん」

出目金は怒ったように言った。

「兄じゃが落ち着いたら、わしが婿《むこ》を取る」

ひらひら走る復員兵の兄じゃが、ようやく黒菱家の真っ黒な門を越えて家に戻ると、出目金も人目をはばかるようにして家に戻っていった。

その夜万葉は、おおきな階段を、職工や、農民や、背広姿の男たちが靴音も高らかに上って

いく中——近代のだんだんを、希望に顔を輝かせて上っていく中——声もなく一人だけ転がり落ちてくる、黒い振袖姿の男の夢を見た。

戦後は、男の時代。労働という、男たちの、力の時代。だんだんで足滑らせた、きれいな、おんなおとこ。みどりの兄じゃ。うなされて目を覚ますと、家族と雑魚《ざこ》寝《ね》する宿舎のせまい部屋に、誰かが立っていた。

おおきな、着物を着た誰か。

黒と思ったけれど、すこし赤い模様もある、着物。

誰、と聞こうとして、幻だと気づいて口を閉じた。そうっと近づくと、着物の中はからであった。ちりぢりになった臓物《ぞうもつ》らしきものがところどころにこびりつき、それが赤い油染みのような模様となって、闇にぬらぬらと輝いているのだった。

「どうしました。みどりの兄じゃ？」

着物がうごめいた。

「シベリヤで、なにがありました？」

着物が泣いた。

涙の粒のように、ぽたぽたと臓物が落ちた。ぐっしょりと血が滴った。

「あんた、きれいでした。わしら女より、ずぅっと振袖も似合って、きれいな立ち姿でしたがな」

着物がわななき、部屋が揺れた。

男の野太い、声が聞こえた。

着物は泣き喚き続ける。

臓物が飛び散る。むわりとなまぐさい匂いが万葉を包んだ。裾をまくったときに見えた毛むくじゃらの二本の足と、立小便のあとしょんぼりとこうべをたれていた男のものを、万葉は思い出した。着物はまだ泣いている。咆哮している。部屋中に臓物が飛び散る幻の中、

「トコネン草を、燃《も》してくれぇ」

かろうじて聞き取れた声に、万葉はしっかとうなずいた。幻は万葉の嗅いだことのない奇妙になまぐさい匂いの中、夜明けとともに消えていき、その夜に視た幻を万葉は誰にも――黒菱みどりにも言わぬまま、三ヶ月を耐えた。

そうして三ヶ月が経ち、もう冬もやってくるという、しんと凍えたある夜のこと。眠っている万葉の耳に、宿舎の窓ガラスにぶつかる小石の音が聞こえてきた。家族を起こさぬように立ち上がって、窓を開けると、黒菱みどりが飛び出た両目から海の女の塩辛そうな涙を流して、突っ立っていた。

万葉は寝巻の上からどてらを羽織って飛び出した。走りよって「どうした」と聞くと、出目金はおそろしいほどの力で万葉の肩をつかんで、揺さぶった。

「スコップはあるか」

「……スコップ？　あるよ。こんな夜中に、スコップを借りにきたのか」

「バケツもあるか」

「あるよ。……なんだよぅ、みどり」

「兄じゃが死んだ。バケツとスコップでかき集めないとならんほど、飛び散って死んだ。あんた、トコネン草を燃やして、山の人たちを呼んでくれんか」

「トコネン草……」

万葉は立ち尽くした。

トコネン草は、村で不慮の若い死者が出たときに〝辺境の人〟たちを呼ぶために燃やすものである。ここ十五年ほどは〝辺境の人〟を誰も見ていないので、燃やして紫の煙を出したとて、きてくれるかどうかはわからない。だがみどりは、彼らの子供である万葉が燃やせば、かならずきてくれると思っているようだった。

しかしそれにしても、トコネン草を燃やすということは、みどりの兄じゃは自殺者になったことになる。あの幻で、未来の亡者《もうじゃ》を視たときに万葉は察してはいたが、それにしても、いたましさもひとしおであった。

万葉は出目金とともに、バケツとスコップを持って大通りの坂道を降りた。夜はしんと冷えて、二人の息は月明かりをうつして青白く染まっていた。出目金は低い声で、兄じゃが振袖着て死んだことは内緒にせんといかん、と言った。

「わしのふりして歩いておったんが兄じゃとは、知られたくない。知られたくないんじゃ」

「どうやって死んだの」

「ついさっき、貨物列車に飛びこんで、死んだ。こなごなじゃ」

出目金は抑揚のない、奇妙な声で続けた。

「父様に教えたら、弔《とむら》わずに、解体したあとの牛みたいに、捨てられてしまうだが。家の者はもう誰も、兄じゃを兄じゃとは思っとらん。息子とは思っとらん。恥じとるから、と、と、と、と、弔わん、かも、しれん……」

と、と、と、とつぶやき続ける出目金の、暗い思いに引きずられるように万葉もいつのまにか小走りになった。

大紅緑駅から中国山脈の奥につながる、人気《ひとけ》のない線路で、出目金は足を止めた。線路の数十メートルものあいだに、人のものとも動物のものともつかぬ、臓物や血、さまざまなものが散っていた。出目金が持ってきたらしい木の箱がひとつ、夜露に濡れてぽつねんと置かれていた。万葉は震えながらも、トコネン草を探し出してきて、それからマッチで火をつけた。

火は細い紫色のラインになり、夜空にゆっくりと上がっていった。ゆらめいて、おどろくほど高くまで続いていく。つかんでのぼっていけばどこまでも上がれそうな、不思議な、紫色した丈夫な紐のような煙だった。

みどりは、ずるりと皮膚のむけた兄じゃの首を抱えて、重そうによたよたしながら戻ってきた。箱に入れる。長くつややかな黒髪にはまだ無数の金のかんざしが挿さったままだった。それから毛むくじゃらの足をひっぱって、しゃくりあげた。呆然としていた万葉も、われに返り、いっしょに、付け根のところで切れている足をひっぱった。箱につめて、また線路を走る。みどりが、

「この辺りはよく、山から降りてきた狸が列車に轢《ひ》かれるだが。夜だし、運転手もまだ人をはねたとは気づいとらん。でも朝になったら、貨物列車にくっついとる血とか臓物で、はねたのが人じゃとわかる。そしたらこの辺りにもおとながやってくる。その前に、片付けるんじゃ。兄じゃの恥を知られたくない」

「でも、箱につめても、それを……」

「山の人が、連れていってくれる。兄じゃは若い。不慮の死者じゃ。きっと連れていって、山に隠してくれる。なぁ、そうじゃろう？　万葉、わしはぜったいに兄じゃを笑いもんにはさせん。黒菱の跡取り息子だったんじゃけん。頼りの男だったんじゃけん」

「みどり……」

きっぱりと言い切るみどりの目玉は、決意の強さのせいか、星のわずかな光を反射してぎらぎらと輝いていた。

油染みに似た血と臓物の赤模様が染みこんだ、黒い振袖を、みどりは持ち上げた。片腕が入っていた。それも箱につめて、血だらけになったみどりは、月を見上げて高笑いした。

みどりも狂ったのかと、万葉は唖然とした。

それから近づいて、肩をなでた。

みどりは笑いながら、え、げへへ、とへんな声を立て、それからまたわぁわぁと泣き出した。

ふたりは拾えるだけ拾って箱につめると、疲れきって、互いにもたれて座りこんだ。夜はまだまだ終わらなかった。なまぐさい、血と臓物の臭いにまみれて気を失うように眠りについた。

明け方、目を覚ますと血は乾いて、匂いも消えていた。トコネン草の火も消えていた。みどりをつついて起こし、箱のほうを振り返った。

兄じゃをつめた箱は、消えていた。

山を見上げた。

明けかけた空に、山がうす桃色に染まっていた。頂にはもう雪が積もっている。人の気配もない。声もしない。その人たちはいまも山に、在《あ》るのか、ないのか。わからない。立ち上がろうとすると万葉の膝に、季節はずれの鉄砲薔薇が一輪、載せられているのに気づいた。

きたのだ、と万葉は思った。

彼らは、在るのだ。みどりの兄じゃを弔ってくれるのだ。機械化され勢いよく近代に攻めこんでいく戦後の紅緑村では、地に足つけた力の時代では、おんなおとこは、恥であった。だが、彼らは兄じゃを弔ってくれるのだろう。万葉は呆然としているみどりの手を引いて、空が明ける前に急いでその場を後にした。トコネン草を燃やしたあとを隠し、血にぬれた着物を隠し、逃げるように。みどりと、上の赤と下の黒の結界である分かれ道の手前で、手を振って別れた。「誰にも言わんよ」と言うと、みどりは「当たり前じゃ」と吐き捨てるように言った。それから二人は上と下に分かれて走り出した。

万葉は宿舎に帰って、バケツとスコップを洗い、自分の手足もよく磨いて血の匂いを消した。それから鉄砲薔薇を、コップに水を入れて、窓辺に飾った。

この年、この国の首相は池田勇人という元気のよい初老の男で、今後の十年間で国民の所得を倍にするという『国民所得倍増計画』をぶち上げて気を吐いていた。戦争に負けた当時の焼け野原の光景は一気に遠のき、産業の高度化、農業の近代化、人的能力の向上などが叫ばれた。時代は鉄鋼、自動車工業、建設業を中心に好景気の波に乗り始め、人々は口癖のように、立身出世が庶民の夢と繰り返しては、とにかく、よぅく働いた。若い人から順に終戦のショックからさめ、経済発展こそ未来への道と信じ始めた時代であった。だんだんになったせかいを、人々は我先にとのぼり続けていたのだった。

3　恋のバカンス

ためいきの出るような　あなたのくちづけに
甘い恋を夢みる　乙女ごころよ
金色にかがやく　熱い砂のうえで
裸で恋をしよう　人魚のように
ああ　恋のよろこびに　バラ色の月日よ

はじめてあなたを見た
恋のバカンス

一九六三年、万葉二十歳《はたち》。山陰地方は溶鉱炉からの黒煙にもくもくと灰色に染まり、碑野川の水の流れも同じ色で、人々は繁栄を夢見てやはり日々、よく働いていた。

ラジオからは若い双子の歌手が歌う流行歌『恋のバカンス』が繰り返し、流れていた。

万葉は遅ればせながら、町に友人と呼べる女たちもできて、彼女らといっしょにぷくぷく茶屋に寄っては、店に設置された白黒のテレビを前にして口を開け、楊枝で茶の中の五色豆をつまんでは、画面に見入っていた。

男の時代にふさわしい、男のヒーローたちが現れていた。テレビはますます普及して、この国じゅうが、電波に乗って国の中央からやってくる同じ文化を、まったく同時に受け取り続けていた。テレビの画面には、プロ野球の名シーンが流れて、ホームラン王と呼ばれた王貞治選手の、一本足打法をみんなで繰り返し見た。プロレスでも、力道山という名の強くておおきな男が日々、戦いに勝っては勝ちどきを上げていた。それを見るたび、茶屋に集まった人々はいっしょになって勝ちどきを上げた。王の打ったボールが空高く飛び、力道山が勝利し、それは見ている人々の心を途方もなく浮き立たせた。男は強いもので、女はそんな男に恋をする。テレビの中でも、外でも、なんのてらいもなくそう信じられていた。やさしい時代であった。

万葉が友人たちとテレビに見入っていた、とある夕方。久方ぶりに出目金に出逢った。あの、上と下に分かれる坂道の結界で手も振らずに別れて以来、三年ぶりに目を合わせた二人は、黙ってうなずきあった。ぶくぷく茶には飽き飽きしていたのか、出目金は店主に「おじさん、コーヒー」と言った。相変わらず、金ぴかの成金姿であった。金のビーズが輝く漆黒のワンピースに、打ち出の小づちを模《かたど》ったぴかぴかのイヤリング。髪にはパーマネントを当てて、ぎょろりと飛び出た目の回りには、アイシャドウを塗っていた。

コーヒーに角砂糖をいくつもいくつも入れながら、出目金は万葉に「ねぇ、ひろわれっ子」と声をかけた。周りの友人たちがぎょっとして、二人の顔を見比べた。万葉は鷹揚《おうよう》にうなずいて、

「なによ、いじめっ子」

「わし、結婚するよ」

「……どんな男さ」

「丈夫で、働きもんで、みっともない男さぁ」

出目金はからっぽの目つきをして、遠く、白黒テレビのほうを見上げた。力道山がなんども なんども空手チョップを繰り出していた。そのたびにどっと、茶屋の客たちがはやし立てた。周りがうるさいので万葉は椅子ごと出目金のそばによって、顔を近づけた。

聞くよ、というように耳を出目金に寄せると、出目金は目玉をさらにぎょろりとさせて、万葉のちいさな、浅黒い耳を覗きこんだ。そこに奈落があると恐れるように、いちど息を呑む。

「あのな、万葉」

「なにさ」

「丈夫で、働きもんで、みっともない男を、わし、選んだよ」

「さっきも聞いたよ」

「わしは黒菱造船の跡取り娘だが。いくらでも相手を選べるよ。だからわし、いちばん強そうなのを選んだよ。顔では、選ばんかった」

「あぁ」

「わし、だんなさんを大事にするよ」

コーヒーを乱暴にかき混ぜて、出目金はそれきり黙っていた。誰かがチャンネルを替えると流行歌が流れ出した。白いドレスを着たかわいらしい女たちが、マイクスタンドの前で歌っている。地方都市にはいないような、垢抜けて、おもちゃみたいな女たちだ。『恋のバカンス』が流れ出し、茶屋にいる女たちもいっしょに口ずさんだり、振り付けを真似したり、きゃっきゃと喜び始めた。

出目金がコーヒーを飲む。苦そうに顔をしかめる。万葉のぷくぷく茶にスプーンをつっこんで、勝手に五色豆をすくって口に運ぶ。苦そうな顔のまま、嚙み締める。それから絞り出すようにうめいた。

「わしは、兄じゃに、裸で恋をしとったんよ。わし、きれいな男が好きじゃ。鏡を見るより、きれいな男をみつめていたい」

「みどり……」

「もっと豊かな国になってな、わしらもよぅく働いてな、がんばると、わしらの娘、孫の時代になったらな、おんなおとこでも若死にせんかもしれんな。どうじゃろう」

「さぁな。みどり、そんな先のこと、わしにもわからん」

「万葉にわからんなら、わしにもわからんわ」

出目金は目玉をぎょろめかせて、笑った。いっしっし、とへんな笑い声を立てた。それが、あの明け方以来の再会で二人が交わした会話のすべてであり、またここからずいぶん長いあいだ、万葉と出目金は顔を合わせることがなかった。その年の夏に出目金は、身長二メートルを超す力道山似の婿を取り、漁港のある半島の大通り、産業道路を交通規制して、金襴緞子《きんらんどんす》の花嫁衣裳で、なんと一キロもの距離をねり歩いた。

「まるで屏風みたいな金の内掛けに、黒い角隠し《つのかくし》をしてな。日本髪結った髪には、金のかんざしがびっちりじゃ。襦袢も、足袋《たび》も金。草履は黒で、見たこともない、チンドン屋みたいに派手な花嫁御寮《ごりょう》だったがや」

と、〝下の黒〟の人々が口々に噂した。そんな花嫁御寮が長々と、車の往来を禁止した産業道路をねり歩き、黒と金できらきらした、お仏壇のようだと揶揄《やゆ》される、黒菱の成金御殿に大威張りで入っていったのだ。大男の婿は、金ぴかの出目金をよいしょと抱えて、家の敷居をまたいだ。すると出目金は、金の足袋を穿いた両足をばたばたさせて大喜びしたという。

「ずいぶんでっかいお婿さんだったみたいだねぇ」

万葉が住む、だんだんの途中にある〝上の赤〟の宿舎で、若夫婦が――さすがにもう若くはないが――楽しそうに噂していた。弟妹たちは産業道路まで見物に行っていたらしく、妹が出目金を、下駄を履いた弟が婿の真似をして、しずしずと歩いてはきゃっきゃと笑った。ばらまかれた金箔餅を拾ってきていたので、夕飯に久しぶりに餅を食べた。前歯に金箔がたくさんついて、子供たちは歯茎《げっぷ》をむき出して見せ合い、笑った。めでたい日であった。

その夜、若夫婦が月賦で買ったラジオが、茶箪笥の上でニュースや落語や、流行歌を流していた。今年何度聴いたかわからない、恋の歌がまた、ちゃぶ台で頬杖ついて首をかしげる、万葉二十歳のちいさな耳に飛びこんできた。

金色にかがやく　熱い砂のうえで
裸で恋をしよう　人魚のように
ああ　恋のよろこびに　バラ色の月日よ

わしは、兄じゃに裸で恋をしとったのよ、と出目金の声が蘇《よみがえ》った。恋、というのはあれじゃが、あんだけおしゃれな出目金だから、きれいな兄じゃをよぅく慕っていたということじゃなぁ、と万葉はぼんやり考えた。

わしらの生き方や、選択が未来をつくるかもしれん。それまで万葉はそんなふうに考えたことがなかった。働くのも、なにごとかを為《な》すのも男たちの役割、責任で、わしら女は、影の、また影。そんなふうに感じながらのんびりと日々を生きていた。しかし出目金の、わしらもよぅく働いて、もっと豊かな国になったら、子供や孫の時代はもっとよくなるという言葉が、万葉に驚きと、天地がぐらつくような不思議な感覚を与えた。

しかし、みどりはそんなふうにして、兄じゃの死から立ち直ろうとしていたのだろう。

「みどりの婿は、でっかかったんかぁ」

ひとりつぶやいて、ラジオを見上げる。バカンスぅ、と甘い声がよくのびて、歌は終わった。

〝下の黒〟の金ぴかの婚礼に沸き立った夏には、同じ年にもう一つ、もっときらびやかな、そして雅《みやび》な婚礼が村で行われるとは、紅緑村の誰一人として予想していなかった。張本人の万葉でさえ、のんびりと弟妹の世話をして過ごしていただけで、まさか己が花嫁御寮になるとは考えつきもしなかった。

若夫婦の夫が、ある夜、ちょうちんを灯してみんなで待っているのに、宿舎の路地でぐるぐる迷って「きつねにばかされたようじゃったよ」と言いながら汗を拭き拭き、戻ってきた。おとうちゃんのお帰りじゃと、妻と、拾われっ子の万葉と、弟妹たちがわらわらと玄関に出て「おとうちゃん、おかえりなさいませぇ」と迎える。汗と黒煙と油の染みこんだ、もとは鮮やかな菜っ葉色だった職工の制服を脱ぎながら、夫が、

「ちょっと、おまえ。明日、高見のほうに行くだが」

「わしが。なんでですの」

妻が聞き返すのに夫はかぶりを振り、さっさといちばん風呂に入ると寝てしまった。そして翌朝、妻に一張羅の着物を着せて、自分もめずらしく背広を着こんで、坂を上がっていった。

夫婦はえらく子だくさんで、いつも世話の必要な幼児がいたので、万葉はおしめを替えたり、洗ったり、庭の草取りをしたりとくるくるよく働いた。昼過ぎになって、妻も真っ青な顔をして宿舎に戻ってきた。

夫婦して「きつねにばかされたようだね」と言いながら、部屋に上がって、庭でおしめを干している万葉に、

「万葉ちゃん、ちょっとここにお座んなさい」

「はぁ。どしたのさ、二人とも」

「いいから。いいから。ここにお座んなさい」

万葉はおしめを干し終わってから、庭から部屋に戻った。繁栄と比例して、工場からの黒煙はひどくなるばかりで、風向きによってはとても外に洗濯物など干せない。今日はこちらが風上なので、いまのうちに日光に当ててよぅくおしめを殺菌しておこうと思っていたのだった。

「なによ。せっかく洗濯日和《びより》なのに」

「洗濯なんて、せんでもいい。あんた、高見の奥さんになるらしいよ」

「は」

「高見の奥さんじゃ。それも、いちばん上、よくわからんが、赤朽葉のぼんのところにほしいって言われてね。なんだかさっぱりわからんが。万葉ちゃん、ぼんと仲がいいのか」

「いや、ぜんぜん……」

万葉は首を振った。

いまからずっと前、十年も前に坂の途中で赤朽葉タツに会った話と、三年前に雨宿りしていた茶屋でぼん、赤朽葉曜司に会った話をすると、夫婦は二人とも首をかしげた。

夫のほうが頭をかきながら、

「よくわからんけど、あんたをぜひに、と高見に呼ばれて、言われてね。持参金もなんもつけられんよ、なんといってもうちはだんだんの職工だもの、と言ったんだけど、娘だけ連れてきてくれたらいいと言われたもんで。でも、あんたがいやなら、いやって言えばいいんよ」

「はぁ。いやでは、ないですけど」

万葉はうなずいた。

これまでの人生で万葉は、流行歌にあるような、火花が散るような恋などしたことがなかったし、これからもそんな小洒落た感情とは無縁であるような気がしていた。三年前の雨宿りの夕方、ぼんがつぶやいた「俺はあんたと結婚するよ。死ぬまでいっしょにいるんだから、気が合うといいけどねぇ」という言葉を思い出して、そのまま口に出した。

「気が、合うといいですけどねぇ……」

「まぁ、そりゃあ、夫婦になるんだからね」

若夫婦はどちらからともなく目を合わせて、微笑みあった。弟妹たちも静かになり、事の成り行きを見守っている。万葉がいやがらないので、それになんといっても、だんだんでは聞いたことのないとんでもない玉の輿の話でもあり、夜になると夫のほうが出かけて、正式に承諾する旨、高見に伝えてきた。

妻のほうがため息をついて、

「あんた、偉いところの奥さんになってしまうねぇ。おしめ洗わせたりしてたのに」

万葉の手から、たたみかけの乾いたおしめをそっと取った。

「ついこないだ、黒菱の金ぴかの花嫁御寮が出たときには、人ごとだったけどねぇ。赤朽葉の婚礼で、しかも本家のぼんなら、あんなもんではないよ。向こうは成金の造船屋だけど、こっちは本物の旧家だもの。どうしよう。うちからそんなたいそうなものが出るとは、予想もしとらんかったわ」

弟妹たちが眠ってしまい、家には大人だけが起きていた。妻はそうっと、庭のほうを見た。三軒先の軒下にある、共同で使われている古い井戸。さいきんは水道もすこしずつ設備が整って、井戸は夏場にトマトや西瓜《すいか》、サイダーを冷やしたり、水浴びするときに使われるぐらいで、寂れていた。幼い万葉が人形のようにもたせかけられていた井戸端も、咲き乱れていた朝顔はすでになく、枯れかけた蔦《つた》が不吉な模様のようにのたくって、風に乾いた音を立てていた。

「あそこに、あんたが、いたんよ」

妻がないしょ話をするようにつぶやいた。

日に焼けて、皺《しわ》が増え、年相応にきちんと老けた顔だった。しかしその顔にはまだ生気がみなぎり、不思議なほどてらてらと輝いていた。

妻が指さす古い、灰色をした井戸を、万葉もじっとみつめた。みつめていると、もたせかけられて心もとない、色黒の〝辺境の人〟たちの子供が、いまもそこに置き捨てられたままでいるような気がした。

それは不吉で、あまりかわいらしくもない、奇妙な落し物のように思えた。万葉は不思議になって、いや、ずぅっと不思議だったが、これまで遠慮して聞いたことのないことを妻に問うた。

「おかあちゃん、どうしてわしを拾ってくれたの。あのころは若かったし、お金だって余裕がなかったでしょう。それに、自分の家の前に捨てられてたわけじゃなし。三軒先の井戸なのに」

「そうねぇ」

妻は考え考え、答えた。

「わしが子供のころは戦争も始まって、食べるものもなくて、もっと貧しかったしね。ここの暮らしは天国よ。あのころは男はどんどん兵隊さんに取られとって、産めよ、増やせよ。とにかく子供は宝じゃと言われとったのよ。あのころと比べたら、ここにきてからは豊かだったし、それに、子供はやっぱり宝でしょう」

夜風が吹いて、二人が、眠りほうける弟妹たちとともに入っている蚊帳《かや》がふわりと揺れた。庭には野菜の苗や秋桜《コスモス》の花がゆらゆらと揺らめいていた。子供だらけの蚊帳の中で、妻は迷い

もなく、

「誰かが育てな、と思ったのよぅ。わしらがいちばん若かったし。男はよぅく働くのがいちばんじゃし、女はよぅく産んで育てるもんでしょう。わしはそう信じて生きちょったし、そしたら、人が産んだ子でも、関係あるまいね！」

ぶわぁっ、と強い風が吹いて、蚊帳がもっと揺れた。その風を万葉は不吉なものに感じた。

妻が語った人間の生き方が、自明の理ではなくなる、そんな時代がいつかくるような不吉な予感が、ふいに万葉の浅黒いからだを貫いた。未来視の万葉には、ときおり風に吹かれて、予感が胸に飛びこんでくることがあったのだ。それが当たるか外れるかはわからねど。

湿った風の、不吉な暗みには気づかず、妻は目尻に皺を寄せて微笑んだ。

「万葉ちゃんも、たくさん子供を産んで、選んでくれたぼんを大事にしてね。赤朽葉の人たちへのご恩返しに、女ができることは、とにかく産んで育てることよ」

「おかあちゃん……」

そうつぶやきながら万葉は、逆に、このやさしい女は自分とは血のつながらない、まったくの他人なのだと、そのとき初めて悟った。育ての母と捨て子の、ふたつの魂《たましい》にはあらかじめおおきな隔たりがあった。おかあさんは、村の女。わしは、山の女。この心やさしい村の女に拾われ育てられたけれど、山出しの万葉はけして、同じような女にはなれないのだろう。

そんなら、赤朽葉の、あのちいさい恵比寿様のような奥様は、どうしてあえて〝辺境の人〟の子供である万葉を選んで、息子の嫁にしようとしているのだろうか。その謎はまだ万葉には解けないまま、やがて夜は更《ふ》けた。そして万葉はこの夜から、輿入れとなる三月の後の朝まで、これまで感じたことのなかった奇妙な孤独を感じながら職工の宿舎で過ごすことになった。

さてその、三月後となった婚礼の日までに、若夫婦の家は大わらわであった。用意するものはすべて高見から渡されるとあったけれど、近所の人から質問攻めに遭い、せまい宿舎の中もできるだけ片付け、それから、山出しの娘である万葉をなんとかしようと、毎晩お風呂に入れて、妻のほうがその黒い髪をよく洗い、すいて、からだにパウダーなどはたいては、へとへとになって眠りについた。夫のほうもそわそわとして、縁側に座って高見を見上げてはため息をついていた。

赤朽葉家が立てた媒酌人《ばいしゃくにん》がやってきたのは、婚礼の二月前のことであった。赤朽葉製鉄と深い付き合いのある中央の官庁の人で、夫婦でやってきて、万葉に婚姻契約書を手渡した。文字の読めない万葉のかわりに、左右から覗きこんできた弟妹たちが声高らかに、契約書を読み上げた。三軒先まで聞こえるほどの大声で、庭先に近所の人が集まってきた。

婚姻契約

一、男女交契両身一体ノ新生ニ入ルハ上帝ノ意ニシテ、人ハ此意ニ従テ幸福ヲ享ル者ナリ

一、此一体ノ間ニ於テ、女ハ男ヲ以テ夫ト為シ、男ハ女ヲ以テ妻ト為ス
一、夫ハ余念ナク妻ヲ礼愛シ之ヲ志保スルノ義ヲ務メ、妻ハ余念ナク夫ヲ敬愛シテ之ヲ扶助スルノ義ヲ行フベシ
右ニ述ル所ノ理ニ基キ、当日即チ千九百六十三年八月、赤朽葉曜司ト多田万葉ト互ニ婚姻ヲ契約シ、各自ラ姓名ヲ茲ニ記シ其実ヲ表シテ之ヲ誓フ者也

赤朽葉曜司
万葉

なんだいこれは、と近所の人たちがざわめく中、万葉は言われた場所に見よう見真似で自分の名前をなんとか書き、媒酌人に手渡した。若夫婦は部屋の隅でおびえたようにしてその様子を見ていた。そうしてさらに二月の後。婚礼の朝になると、夜明けとともに高見からやってきた使用人たちが、ずかずかと宿舎に入り、万葉を叩き起こして花嫁支度をさせ始めた。

お湯を沸かしてからだを洗わせ、髪結いさんが万葉の長い、伸ばしっぱなしの髪をすいて、腰の辺りで毛先をまっすぐにカットした。それから椿油をたっぷりとって、くるくるとあっというまに見事な高島田に結い上げた。おしろいで分厚く化粧をし、唇の先にだけほんのちょっと、紅をさした。純白の角隠しで、万葉の頭はほとんど隠れてしまった。白無垢を着せられて、

金の草履も華やかに、万葉はまたたくまに品のよい花嫁になり、やがてやってきた駕籠に乗せられて、ゆっくり、しずしずと、宿舎の前の坂道を高見に向かって上り始めた。

それはあまりにもゆっくりとした、亀の歩みにも似た駕籠行きで、朝出たはずが、いちばん上の本家の赤い門の前に辿り着くのに、お昼過ぎまでかかったという。肌寒い秋の風に吹かれながら、万葉は駕籠に揺られ、ひたすら、待った。駕籠の周りには昔ながらの正装をして、笛を吹く者、銅鑼《どら》を鳴らす者、法螺貝《ほらがい》を吹いてみせる爺、男ばかりの和の楽隊が、引きも切らずに花嫁駕籠を囃《はや》し立てていた。駕籠はゆっくりゆっくりと進んでいき、お昼近くなったころにようやく高見のお屋敷街にたどり着いた。駕籠の窓から、外がよぉく見えた。だんだんの下、職工たちの宿舎の前では、お祭りを見るように出てきた人たちの好奇の目があったが、いまこの高見では、すこぉしちがう、万葉を恐れるような奇妙に静かな視線が降り注いでいた。上等な背広を着た、都会の匂いのする男たち。品のよい、ミッションスクール出であるような奥方たち。彼らに抱かれた、絹の服を着た子供たち。みな一様に、恐れるように駕籠をみつめている。

万葉は初め、山出しの自分を忌みきらっているのかと思った。しかし、それとはすこしちがう証拠に、彼らのうちの数人は駕籠に向かって、祈るように手を合わせてなにかつぶやいていた。それは奇妙な光景だった。洒落た服装をし、都会的な雰囲気を身にまとう高見の人たち。男は髪を短く七三にし、女はパーマネントをあてた髪をきれいにセットしている。それが、信心深い村の老人たちのように、花嫁御寮に手を合わせて祈っている。

「頼みますよ、花嫁さん……」

ひとりのつぶやきがふいに、駕籠の窓越しに万葉のちいさな耳に飛びこんできて、締めつけるような圧迫感とともに沈殿した。いま、わしはなにを頼まれたのか。不思議に思って振りかえったときには、その洒落た白いワイシャツ姿の若い男は、手をあわせたままですっと駕籠に背を向けたあとだった。あわせていた両手の手首に、見たことのないきれいな銀のカフスが輝いていたのを万葉はぼんやりとみつめた。いつのまにか駕籠の周囲は、日が暮れたのかと驚くほどに薄暗くなり、暗い空はまるで唐草模様のような雲と、製鉄所から上がる黒煙と、目には見えないなにかでできたいやな色に染まっていた。高見のお屋敷街の途中からは道端に人もいなくなり、その代わりに両端には朱色のよだれかけをかけたちいさなお地蔵さまがいくつもいくつも、気が遠くなるほどたくさん鎮座して、石の目で駕籠をじっとみつめていた。

なにかを祀《まつ》ってあるらしき、真っ赤な鳥居。一つだけぽつんとある、墓。しめ縄を巻かれ水をかけられたおおきな石などが、坂道の周囲に現れた。そのうちそれらも消えて、こんどは赤い色をした、赤朽葉分家たちのお屋敷が現れた。赤瓦の屋根に、赤黒い枯れかけの紅葉をさらす垣根。山おろしの強い山間にあるために、真っ赤な垣根はすべて山の上から下へ、矢印のようになびいた形でかたまっていた。びゅうっと強い風が吹いて、花嫁駕籠はすこしかしいだ。血飛沫《ちしぶき》のような、暗い紅葉が激しく舞い落ちてきた。まるでくるな、去れ、というように風は、意志を持つかのような執拗さで駕籠を押した。巨人の手の指先でぎゅうぎゅう押されているような抵抗だった。祭囃子がすこしずつ減った。爺が吹いていた法螺貝が飛ばされて、坂道を転がり落ちていった。銅鑼が片方飛んで、音が出なくなった。笛も折れて空気しか出なくなってしまい、やがて花嫁駕籠は静かに、音の一つもなく進み続けることとなった。駕籠をかつぐはだしの男たちは、唸り声を上げて、万葉を乗せた丸い花嫁駕籠を抱きしめるようにして上り続けた。楽隊の男たちも残った楽器を捨て、駕籠かつぎを手伝った。風は強まる。分家の使用人らしき男たちも走り出てきて、駕籠を押す。あちこちの真っ赤な屋敷から、わらわらと男たちが、ついで女中らしき、たすき掛けのがっちりした女たちが飛び出してきて、みんなで駕籠を押さえ、駕籠かつぎを支え、やがて楽隊の代わりに、エーコラ、ヨイコラ、とあわせる掛け声が響いて、山を揺るがし風を引き裂くほどになった。

花嫁御寮じゃ、エーコラ
八岐大蛇じゃ、ヨイコラ

嫁ぐとは、これほど難儀なことか、と万葉は目を回しながらも、いつしか駕籠の周りの人々とともに、自分でもエーコラ、ヨイコラと歌いだしていた。どうして掛け声に八岐大蛇が入っているのかはよくわからなかったが、山おろしがきつすぎて深く考える暇もない。エーコラ、ヨイコラと叫びながら、いつしか駕籠の天井がはがれ、丸い駕籠も正面がひしゃげ、そのうち床まで抜けたので、花嫁衣裳のまんまで万葉は金の草履を鳴らして歩いて、花嫁御寮じゃ、エーコラと言いながら坂をのぼりつづけた。

やがて、ぴたりと山おろしは止まった。

頼みます、頼みますよ……とちいさなつぶやきをさざなみのように立てながら、万葉を守って押し上げてきた高見の人たちが、後ずさっていった。怨霊《おんりょう》退散、と誰かがつぶやいた気もしたが、振り返る余裕もなく、万葉はずれた角隠しを直し、脱げかけた白無垢も着直して、金の草履も高らかに、ついに赤朽葉本家の赤い門をくぐった。

物心ついたころから、だんだんの下で眩しく見上げていた、真っ赤なお屋敷。広い庭園が広がり、その向こうに赤瓦を輝かせた巨大な母屋《おもや》が鎮座していた。開け放された大広間では、万葉がその視力でもってはるか下から見た——もしかすると幻視していたのかもしれないが——日本海の荒波を泳ぐ真っ赤な鯛の大群を描いた、見事な横長の襖絵が、昼の光を浴びてきらきらとして万葉を出迎えた。その襖絵が迎えた以外はまったくの無人で、万葉はすこし戸惑った。肩で息をして、しばらくそこに立っていた。すると、たった一人で、駕籠も壊してたどりついた、山の娘の花嫁御寮に、いつのまにか庭先にふわりと飛んで着地するように現れた二人の男女が、微笑んで声をかけた。

「ご苦労さん。なんとか着いたね」

あわてて振り向くと、そこには、三年も前に一度、茶屋で出会ったきりの、これから夫となる男が立っていた。相変わらずの、長い髪。切れ長の瞳に、赤くて薄い唇。背がひょろりと高くて、手も足も長い。赤朽葉曜司は黒いモーニングに絹のシャツといった洋装をして、片手に、のんきなことに読みかけの分厚い本を持っていた。そしてそのとなりに、あの女の恵比寿様のようだったちいさな太った女、タツが、こちらはきちんと着物を着て立っていた。

「よく、辿り着きましたねぇ。さすがは山の娘」

のんびりした口調で、タツが言った。そうしてタツが両手をぱちんと叩いて鳴らすと、どこからともなくわらわらと客や使用人たちが出てきて、お祝いの膳を用意し始めた。たった一人で嫁いできた万葉は、曜司と並んで三三九度を行い、神前で誓いあった後に、酒宴の席でひたすら静かに座っていた。分家の人たちは誰が誰やらわからず、万葉はただ目を回していた。

おかしなことに気づいたのは、日も暮れかけたころ。人が多いのに気づいたのだった。

さいしょは、赤朽葉の親類たちに交じって、職工たちも酒宴にいるのかと万葉は思った。しかしそうではなかった。万葉はしらず幻を視ていたのだった。そこにいるのは、命を落としただんだんの職工たちの姿であった。知り合いの職工が、いまよりすこし老いた姿で、片手をなくしてぶらぶらと歩いていた。万葉をみつけて、なくした片手を上げて挨拶しようとし、戸惑ったように自分のからだを見下ろした。まだ若い職工もいた。万葉が気づいたと同時にみな、半身焼け爛《ただ》れたり、足をなくしたりした姿をさらし始めた。製鉄所は事故も多く、昨日まで元気に稼いでいた男が、今日には働けなくなる、そういった事例も少なくないことを万葉もよく知っていた。ここにいるのは、未来の怪我人や死者たちだった。万葉の目つきに気づいて、静かに酒を飲んでいた曜司が、

「どうした？」

「いえ……」
万葉は首を振った。宴は続き、夜になって、親類の男たちがタツに頭を下げて一人また一人と帰っていくと、未来の亡霊たちも一人また一人と、万葉に頭を下げてどこかに消えていった。

宴が終わると、襖に鯛の大群が躍る大広間には、正装したままの曜司と万葉の若夫婦、それから赤朽葉タツと、その夫である康幸の四人だけがぽつねんと残された。タツはあいかわらず、いや、十年ほど前にだんだんの途中で会ったときよりも、さらに背はちいさく、そしてよく肥えていた。康幸は学者肌といった、痩せて眼鏡をかけた、どうにも体内の水分の少なそうな男で、ときおりウフンと咳をしては、この初めて会った奇妙な嫁をじろじろと見ていた。

赤いお屋敷は、しんと静まり返っていた。空気までがだんだんの下のほうとはちがうようだった。澄んで、冷えて、ところどころが凍っていた。誰もがさざなみのように静かで上品に話す。どたばたと駆け回る、水っ洟をたらした子供などもいない。ここは天上界だ、赤い天国の門をくぐってしまったんじゃ、と万葉は思った。わしはおかしなところに嫁入りしたもんじゃ、と。そして、山の上のほうだけに、ひっきりなしに幻を視た。見上げると、天井高くに、大黒柱と同じぐらいの太さの巨大な梁《はり》が何本も見え、その途中の暗がりに、なつかしい、空飛ぶ一ツ目男が浮かんでいた。つぶれた右目と、やさしげな左目。大人になった万葉の目で見ると、その男はやはり四十過ぎの年齢と思われた。もう何年かぶりに視ることのできたなつかしい幻に、万葉はほっこりと微笑んだ。だがつぎの瞬間に、自分はいまべつの男のもとに嫁入りしたところなのだと思い出した。とはいえ万葉のこころには、現実に起こっているその出来事もまた、儚《はかな》い幻のようにかすんで感じられた。ほっこりとした顔をして天井の幻を見上げていると、ふいに、タツが口火を切った。

「よぅく嫁にきてくれたねぇ。あんた、あの坂を上がれないかと心配しておったよぅ」

万葉はあわてて幻から目をそらし、頭を垂れた。両手を畳について、

「はぁ。山おろしがきつくて、駕籠も壊れてしまいました。でも、なんとか歩いてのぼってきました。今日の風はやけに強かったですね」

「怨霊にじゃまされていたのかもねぇ。ねぇ、あなた」

声をかけられた夫の康幸が、眼鏡をいじくりながら低い声で答えた。

「わしは、怨霊だの、山の娘だの信じないけれどね。この科学技術の時代に、そんなこと」

タツが低い声で言った。

「だけど、わたしには従ってもらいますよ」

「……君に逆らえる男がいたら見てみたいよ。とにかく、この娘さんのことは君に任せた。わしは工場のほうに専念するから」

万葉は顔を上げ、新しい家族になる三人を見比べた。康幸は苦い顔をして万葉から目をそらしていたが、タツは気にせずにこにことしていた。夫になった曜司はというと、懐から出した洋書をめくって、興味のなさそうな様子だ。

「怨霊、って、なんですの」

万葉は聞いた。ここに上がってくる道すがら、八岐大蛇やら、怨霊退散やらとおかしな言葉が聞こえたのを思い出したのだ。戸惑う花嫁に、曜司が洋書からつっと顔を上げて、やさしく言った。

「製鉄所は、どうしても事故が多いからね。溶鉱炉は近代技術の賜物《たまもの》だけれど、でも、生き物みたいなもんだから。そこで働くほどに、逆に不思議な力を信じるようになるんだよ。事故でもあれば、怨霊がいる、とおびえる人たちも出てくるわけさ」

「はぁ……」

「技術の発展には、古いものを踏み壊して地場を固めて新しいものの場とする、そういうことがあるだろう。古くからのたたら場を潰して溶鉱炉をつくったことも、気になるだろうし。工場をつくるときに土地が足りなくて、古くからあった神々の場所をたくさん潰して、上に近代設備をおいたからね」

坂道の途中にあった地蔵や、祀られていた石のことなどを思い出してうなずいていると、タツが、赤朽葉の嫁になっての心得などをあれこれと話し始めた。

結局、万葉が本家の人々からぜひ嫁にと望まれた理由を教えられることは生涯なかったのだが、生活するうちになんとなくわかってきたと、晩年になって語った。八岐大蛇というのは山陰地方の山間にはるか昔から伝わる伝承であり、日本書紀の中にも描かれている物語だった。八つの頭と尾を持ち、炎を吐く巨大な大蛇は、たたら場から流れる鉄の、紅蓮の川の神話的比喩であろうといまでは言われている。もともと、赤朽葉家の先祖は、朝鮮半島から渡ってきて紅緑の山間に住み着き、この国にはなかった製鉄技術を伝えてたたら場の長として君臨した、と紅緑村では伝えられている。だが、日本書紀にも登場する八岐大蛇伝説をあてはめて考えると、歴史はすこし変わってくるのだという。すなわち、新たにやってきた人々の比喩が、八岐大蛇を退治する須佐之男命であり、彼らが朝鮮半島から海を渡ってこの土地にくる前から、八つの紅蓮の川、つまり製鉄技術をもつ土着の人々がこの土地に存在した。たたらはもともと土着の人々の生業であったのだ、と。

それなら赤朽葉の人々は、古くからの人々を倒し、土着の神をも蹴散らして新しい神々を連れてきた侵略者であったのかもしれない。彼らを滅ぼして中国山脈の奥深くに追いやり、その上に新たなたたら場をつくって土地に君臨したこととなる。そうして長い時間が経ち、近代になってさらに、たたら場も、神々の場所も潰して、近代合理主義の賜物といえるドイツ仕込みの溶鉱炉を持つ赤朽葉製鉄所を建設したのである。それはどこかこの国の歴史、そして近代産業の縮図のようでもあった。

赤朽葉製鉄の人々が、事故が起こるたびにたたりを恐れる気持ちは、どこかに、否応なく発展し欧米風に変化していくことに負い目を感じる、日本の古い心があるためだったのかもしれない。ともかく、山の奥深くに住んでときおり降りてくる、国家のしがらみのない〝辺境の人〟たちは、赤朽葉の人々にとっては、とうの昔に追い出した、土着民の遠い子孫のように思われていた。近代化によって山の奥深くに消えて戻ってこなくなった彼らの血を引く、捨て子の万葉を嫁にもらうことには、古い怨霊を鎮めること、そして、怨霊をおそれる己の心を落ち着かせること、といった意味があったのではないか。

もっともこれは、後年になって万葉と、孫娘であるわたしが昔話をしながら語り合い、考え出した仮説であって、ほんとうのところがどうだったかはわからない。ともかく万葉は一九六三年の秋、だんだんの下にいるひろわれっ子から、風を越えて、いちばん上の天上界に嫁入りしたこの夜を経て、紅緑村に君臨する真っ赤な大屋敷の、〝赤朽葉の千里眼奥様〟になったのだった。


その夜、タツから聞いた心得をなんども胸で唱えながら、万葉は席を辞した。広いお屋敷はどこになにがあるのか、その夜の万葉にはよくわからなかった。大広間を出て、曜司に手を引かれて長い廊下を歩いた。女中らしき三十がらみの小柄な女が、太い恵比寿柱の陰からじっとこちらを見ているのが目に留まった。どうも、と会釈をすると、女中はふっと自分のつま先に目を落とした。この年増女は真砂《まさご》といい、じつは曜司のお手つきの女中だったのだが、そのときの万葉は知る由《よし》もなく、また奥手であるために気づくまでそうとうかかった。ともかくそのときの万葉はなにもわからず、ただ曜司に手を引かれてつるつるとよく磨かれた廊下と、その左手に続く障子の、花の形をした明かり窓、右手に広がる広大な裏庭をぼんやりと眺めていた。裏庭はその昔、都の庭師をしていたという老いた男たちが数人がかりで毎日のように手入れし続け、たいへんな芸術的空間となっていた。

かぽぉん、と鹿威《ししおど》しが鳴った。白い砂利は見たこともない紅蓮の炎の模様に整えられていた。

溶けて流れる鉄がかたどられているのだと、曜司がかすれた声で言った。

洋書を懐にしまい、片手で万葉の手を引き、もう片方の手で着込んだモーニングの襟もとを緩めながら、曜司は次第に早足になった。花嫁衣裳に角隠しのままの万葉は、足をもつれさせながら、曜司について小走りになった。どこまでも、年増女中の視線がからみついてきたが、それを振り切るような早足が続くと、長い長い、どこまでも続くつるつるの廊下の途中で、ついに女中の視線はぷつりと切れた。曲がり角にたどりつき、裏庭にそって九十度、曲がったところでのことだったので、真砂の視線はそこに結界があったのだろう。曜司は角を曲がり、曲がり、万葉の目が回るほどの角を曲がって巨大な迷路のようなお屋敷を自在に走り、奥へ奥へ向かっていった。息が切れると思ったら、途中から、廊下がゆるやかに傾斜しているのだった。裏庭も山肌にそってゆったりした坂になっている。澄んだ水が流れ、ちいさな川と、おもちゃのような繊細な滝があったので万葉はおぅ、と声を上げた。庭師のこういった仕事が好きで、万葉はつぎの日から庭に入り浸るようになるのだが、この初夜はそれどころではなかった。山をのぼるようにつるつるの廊下を走り、息を切らしてようやく、もっとも奥深いところにあったちいさな和室に、二人は辿り着いた。それが、新しい若夫婦のための寝室であった。万つめたいふたつの布団が並べて敷かれ、枕元には赤いギヤマンガラスの水差しがあった。万葉は思わず庭を振り返った。かぽぉん、と鹿威しの音が、万葉の心を力づけるように押した。

曜司が乱暴に障子を閉め、洋書を畳に放り出した。花の形の明かり窓から、青白い月光が冷えた炎のように布団に降り落ちていた。

夫の手で角隠しが外され、椿油で整えた高島田も即座にほどかれた。からだが宙に浮いたと思ったら、それは夫に、布団の上にほうられたのであった。ほどけた長い髪が空をさまよい、万葉は思わず、天井に向かって両手をのばした。幼いころからの大切な記憶の数々が、こころから飛び出し暗い部屋中に舞い散るようにして、脳裏にせわしなく浮かんだ。自分という女はもう、自分だけのものではないのだとふいにわかった。ある男の嫁になった、つまり、ある家の持ち物となってしまったのだ。孤独な内的宇宙との決別であったのか。それは自分ひとりのものであった、万葉のこころに、さようなら、という言葉が浮かんだ。自分ひとりのものであった、孤独な内的宇宙との決別であったのか。それともこの期に及んでまだこころに棲み続ける、幻の男への別れであったのか。嫁ぐまでの十年、ついに出逢うことのなかった一ツ目男の姿が脳裏に浮かび、万葉は激しく胸を焦がした。ようやく、もしや自分という女は、あの男のものになりたかったのかもしれないと閃《ひらめ》いたが、その思いは一瞬のことであった。

気づけばふわりと柔らかな、上質な布団の上に落下して、すると万葉の長い髪は黒い巨大な扇のように一面にひろがった。灯りは湿った橙色をしていた。だんだんの養父母の家では触れたこともない、柔らかで雲の上にいるかのような感触の、上等な朱色の布団であった。布団は万葉のからだを呑みこむように激しくくぼみ、おまえはもうこの家のものだと言い聞かせるように血の色に燃えて包みこんだ。

モーニングを脱いだ曜司のからだには、黒く猛々《たけだけ》しい、不思議なものが生えていた。万葉は数年前、海沿いの工場跡で見たみどりの兄じゃの、振袖からのぞいていたそれを思いだした。

しょんぼりと頭を垂れていたおんなおとこのそれとはあまりにちがう猛々しさ。いまにも紅蓮の炎を噴かんと、そびえる溶鉱炉の如くであった。

　万葉は、観念した。

　目を閉じるとすべてが夢うつつとなった。

　その夜のこと。夫となった曜司があまりに荒々しく激しく感じられ、しかもその時間はどこまで続くのかと不思議になるほど長かった。初めは痛みと苦しみでわけもわからなかった万葉も、ことの最中につかれきり、思わず夫の目を見上げて、あきれて問うた。

「あぁ。これは、なんの騒ぎです……？」

　曜司は激しかった動きを止めて、自分もまた、あきれかえったような顔をして万葉を覗きこんだ。つかれ、怯えた新妻の顔をしばらく見ていたが、やがてくしゃりと表情をゆがめて、軽快に笑った。

「騒ぎじゃない。ただの、日々の営みだ。これはずっと続く」

「それなら」

　万葉は、それなら、仕方ない、と思った。自分を抱き続けているのは男ではなく、家そのものの力であるようにも感じられた。この騒ぎのなにがよいのかはわからず、痛みと不安は消えぬままだったが、しかし、いまの自分はおおきな赤い家に包まれている、ここは山の奥深くであると思うと、次第に、不思議と心が落ち着いた。

　夜明けにようやくことが終わると、万葉は水差しからぐいぐいと水を飲んだ。なぜか、飲んでも飲んでものどが渇き、とつぜん燃える川原の餓鬼《がき》になったかのように水を飲み続けた。曜司はだるそうに布団に片肘《かたひじ》ついたまま、もう眠っていた。

そしてこの夜か、つぎの夜か、そのまたつぎの夜かわからぬが、万葉はさいしょの子供、赤朽葉本家の跡継ぎとなる長男、泪《なみだ》をみごもったのだった。

4　地球を知る

初夜の翌朝はよく晴れて、明かり窓からきついほどの朝日が射しこんで万葉を起こした。布団から起き上がると万葉は、身支度を整えて曜司を起こした。

だんだんのほかの家に嫁いだのなら、起きてさっそく湯を沸かし、家族を起こし、と忙しい朝を迎えることになっただろう。しかし大屋敷の朝ともなると、静かで、曜司と手をつないでもとの廊下を下っていっても、なかなか人に会うこともなかった。ゆるやかな坂道になっている廊下で、つるつるの床に足袋が滑り、転んだ。曜司が「慣れるまでは転ぶよ。女中たちもそうだった」と言い、助け起こしてくれた。裏庭は朝日に輝いて、川も、垣根も、灯籠も見事な景色だった。ちいさな和室に辿り着き、そこで曜司と二人、塗りの箱膳で向かい合って朝食を取った。

若奥様にはとくにすることはなかった。女中を束ねて使うのも、ご近隣との付き合いも、タツが一手に引き受けていた。大奥様には誰も逆らわず、ことのほか怖れている様子であることに、万葉は気づいた。若奥様も慣れてきたらタツについて、お茶会やら、お屋敷の使用人たちの手綱《たづな》の取り方やらを仕込まれることになった。しかし、当面はお屋敷の間取り図を頭に入れて、まずは屋内で迷わないようにするのが万葉には先決だった。

昨日の山おろしがうそのように、その朝は空気が柔らかく、澄んでいた。裏庭を歩き続けると、ようやく向こう側、庭の端の木戸にたどりついた。戸を開けて外に出てみると、製鉄所の敷地が広くつらなっていた。山肌を切り崩してつくられた巨大な工場が、ここから一望できた。天まで届くバベルの塔のような、真っ黒な溶鉱炉が一本、そこにそびえていた。

その異様な、巨大な佇まいに万葉はなぜか恐れをなした。呆然と見ていると、燃える朝日の中を、鮮やかな菜っ葉色をした制服姿の、若い職工がひとり近づいてきた。光の中から出てきたその男は、同じ菜っ葉色の帽子を深く被っていた。溶鉱炉をみつめる万葉の視線を追って、それから万葉自身に目を留めた。

とたんにぷっと吹き出したので、万葉は驚いてその職工を見た。

「なに。なんで笑ってなさるの?」

「いや、ははは。どう見ても、山のあやつらと同じ顔した、山の娘がさ。若奥様でございって顔して、そんな立派な着物着て、立っとるから。おかしくて。あんた、ほんとうに似合わねぇもんだなぁ」

万葉はきょとんとした。職工は腹を抱えて笑っている。同い年ぐらいの男らしく、若い声ははじけるように元気だった。

「あんた、山の人たちを知っとるの」

「大昔に、見たことがあるだけさ。だけど一度見たら、忘れない」

職工は急にまじめな声になって、

「俺《おい》の母親は、占領軍のアメリカさんに悪いことされて、それを気に病んで病んでとうとう自死したもんで、子供のころ、箱に詰められて山に持っていかれたのさ。そのときに見た。いま考えても、へんな葬式だった。親父は、山の人たちのことを、徴兵されたときにフィリッピンで見た人たちに似とる、と言っとったね」

「フィリッピン？」

「海の向こう。遠いところさ」

職工は海を指差した。二人がいるところは高見のさらに高見で、黒煙をはく大工場、その煙の流れとともにつらなるだんだんの坂道、その下に広がる村の平野と、錦の色に輝く港、そして不吉な灰色をした日本海がはるかに見渡せた。職工は海のそのまた向こうを指差して、目を細めていた。目深《まぶか》に被った帽子から横顔が見えたので、万葉はその若い、精悍な顔をじいっとみつめた。

たしかにどこかで見たような顔だと思ったのだ。職工でも、だんだんの近所に住んでいる人や、若夫婦の友人などなら知り合いだったが、そういったもともとの顔見知りというわけではない。初めて見る人なのに、このなつかしさにも似た感情はなんであろうか。万葉は胸を押さえ、職工の横顔をじいっとみつめていた。

「若奥様、あんた溶鉱炉を見てぽかんとしとったけど、なに考えてなさった？」

「あぁ、その、大きなもんじゃなぁ、と……」

溶鉱炉をみつめたときの、恐れに似た気持ちのことはうまく説明できそうになかったので、万葉はただそれだけ答えた。職工は「へぇ」とだけ言った。それから万葉の顔を正面から見た。

「あんた、名前はなんだっけ」

「万葉ですけど」

「へぇぇ。俺は豊寿《とよひさ》だ。穂積《ほづみ》豊寿」

万葉は息を吞んで、その職工の顔をまじまじとみつめた。

見覚えがあるような、ないような顔。それもそのはずだった。若き職工、豊寿の顔は忘れようにも忘れられない、あの幻、空飛ぶ一ツ目男その人であった。両手を開いて、ふわふわと空を飛んでいたあの男。幻の中で確かに、幾度も目を合わせた人だ。なつかしいような、哀しいような。出逢ったような、なくしたような。感じたことのない相反する感情に、万葉は胸を押さえたまま黙っていた。

一ツ目男の名は、豊寿というのか。穂積豊寿というのか。

その名を万葉は幾度も、刃で疵《きず》をつけるようにして胸に強く刻みつけた。ちりちりと胸が痛んだ。しかし、鮮やかな菜っ葉色をした制服姿の豊寿はぱりりとして、幻よりもずっと若くて、希望に満ち溢れているように見えた。それになにより……。

万葉はじいっと豊寿の、その精悍な、若い顔を正面から見た。

両目が、あった。

開いた左目と同じく、右目もぱっちりと、無事にそこに輝いていた。のっぺりとしたこの地方特有の顔立ちだが、瞳は黒目がひときわ大きく、鉄の黒さと硬さを思わせた。いまよりすこし年老いた、未来視した中年の豊寿の顔を、万葉は衝撃とともに連想した。この目が片方、いつの日かつぶれるのだと思うと心がさらなる怖れに震えた。

豊寿もまた、穴が開くほどじいっと万葉をみつめていた。万葉は先にそっと目をそらした。

そして、

「豊寿さんは、いくつですか」

と問うた。

「二十歳じゃ」

「あら。……わしと、同い年」

「知っとる。だって、昨日の輿入れでみんな噂しとったけんの。俺と同い年の女が、あの山おろしの中、ついに駕籠が壊れて、重たい花嫁衣裳で、歩いて坂を上って嫁入りしたって聞いてな。そりゃ、たいへんなことだと思っておった」

「たいへんでした。エーコラ、ヨイコラと」

「聞こえとった。それにしても、すごい山おろしだったの」

遙か未来に、どういう理由でか隻眼となって空を飛ぶことになるその職工は、子供のようにくすくすと笑った。

「人も飛びそうな、どえらい風じゃった」

「ほんとうに。でもなんとか辿り着いて、こうして無事に嫁に」

「そりゃなによりだ。若奥様よ」

そこに、屋敷の中、木戸の向こうにある裏庭の遠くから「おおぃ、豊寿やぁい」と呼ぶ、初老の男の声が聞こえた。どこかで聞いた声、と思ったらば、万葉の舅《しゅうと》である、赤朽葉康幸の声であった。豊寿は首をすぼめ、

「おっと、社長に呼ばれてたんだった。はやくついちまったんで、うろうろしてて、あんたに会ったんよ」

「おとうさまに？　あら、まぁ」

「溶鉱炉組の職工にあれこれ要求があるときには、俺を呼ぶんじゃ。俺が納得せんと、職工たちは動かないもんでね」

豊寿は若い顔を、すこし誇らしげに輝かせて万葉を見た。それから「じゃあな、若奥様」と手を振ると、木戸を開けて裏庭に走りこんでいった。

そのほっそりとした後ろ姿を、万葉は立ち尽くし、いつまでも見送っていた。

この一九六三年という年の前後は、戦後の景気のよさに、世の中はどんどん豊かになり、幸

せになっていくのだと皆が信じることができた時代であった。岩戸景気、いざなぎ景気と呼ばれる好景気の波がやってきて、経済成長率は上がり、労働者の収入もまずまずのよさだった。中流意識が広がって、誰もが自分を、社会の下層ではなく中流にいると思い、労働と、余暇と、消費を楽しんでいた。

その一方で、長い修業を必要とする昔ながらの職人仕事が、おどろくべき勢いで衰退していった時代でもあった。

万葉は天上界である赤朽葉家で、召使たちにかしずかれて暮らしながらも、豊寿という顔見知りを得たせいで下のだんだんの暮らしにもうとくはならなかった。ある夕方、坂道の途中でばったり会った豊寿が、だんだんの下を指さして、明るく声をかけてきた。

「おぅい、万の字。工事が始まったの、知ってるかよ」

豊寿は万葉が本家の若奥様とわかっているにもかかわらず、気軽に友人を呼ぶように、万の字、と呼んだ。この時代、職工はまさに労働の現場では花形職業であり、赤朽葉製鉄でも、溶鉱炉を動かすためには経営側も職工たちとうまく折り合っていかねばならなかった。肩で風切る豊寿は、万葉にも気楽に声をかけた。万葉のほうも若奥様としての暮らしに慣れるに従い、周囲ともしだいに気心が知れてきた。万葉は豊寿のことを、おそるおそるだが、豊さんと呼び始めていた。

「工事って、なんのです」

「やっぱり、なぁんも知らねぇんだな。上にいっから。宿舎をコンクリのビルに建て直すのさ。

あんたのだんなさんの案なのによ」

「コンクリ？」

万葉は目を瞬《しばた》かせて、それからよぅく、坂の下につらなる宿舎を見た。木造平屋建ての、昔ながらの長屋のようなそれが綿々とつらなっている。その上のほうから、一部が壊されて工事が始まっていた。

電化製品の普及と、団地の建設。赤朽葉家は天上界であったが、その経済力によって、紅緑村のだんだんの近代化は粛々《しゅくしゅく》と進んでいたのであった。

「ぼんが、これからはコンクリだというからな。ちゃんとうちで作った鉄の、鉄筋を植えこんだ立派な団地にするんだとよ。まぁ、いつまでも木造の小屋に住んでもいられんわな」

豊寿はそれから、俺が住んでるのはあのへんじゃ、とだんだんのどこかを指さした。どの辺りなのかはよくわからなかったが、万葉はうなずいた。

「万の字、この辺りに生まれた子供は、男はみんな職工になりたがるぞ。まぁ、特別成績がよくて、大学まで行けるやつらは、都会に出て、背広着た仕事につくんじゃろうけどな。職工は人気じゃ。それが、あんな立派なコンクリの団地にも住まわせてもらえるとなったら、ますますだろうなぁ。おい」

そう言いながら豊寿は坂を上り始めた。万葉もついて歩きながら、

「わしの育ての父も、職工じゃけど」

「多田のおやっさんじゃろ。俺もよぅ知っとるがな。あん人はよぅ働く、いい職工じゃ」

万葉はうれしくなって、なんどもうなずいた。

「うちでも、いぃおとうちゃんなんよ」

「男はそれがいちばんじゃ」

答える声は、すこし低かった。どうしたのだろうと顔を見ると、豊寿はその精悍な、若い顔を曇らせていた。

「うちの親父は、まぁ、おふくろが気の病でおっ死んだあと、ほんとにいかんようになってな。もともとはたたら場の職人だったんよ。十歳のころに親方に弟子入りしてな、炉のことも、砂鉄のこともようやくわかってきたころに、戦争になって。ようやっと帰ってきたら、おふくろは首つって死ぬし。たたらの仕事に戻っても、昔ながらのやり方しか教えこまれてないから、ドイツさんのつくった、がいな溶鉱炉のことなんかわからん、だいたい、こんなもんには触りたくもねぇってごねて、製鉄所もすぐ首になってな。それからは、ぐだぐだじゃ。俺は家に帰って、親父とふたりきりになるのが本当にいやでな。だから、ここで働いとる時間が好きじゃ」

「豊さんのおとうちゃんは、むかしの職人さんだっただか……」

「おぅ。……だけど、職人なんぞ、ごみじゃ」

豊寿はおどろくほど激しい声音《こわね》で言うと、足元の石を乱暴にけった。時代の変化に対応せぬ、ふがいない父親への苛立ちからか、顔色まで青くなっている。

「たしかに腕はよかったみたいだが。けど、プライドばっかり高くてな。雇われ者《もん》の自覚がないんじゃ。その点、俺たち現場の職工はちがう。工場で規格品を大量生産するのが、俺たちの仕事だ。親方に弟子入りしたんじゃねぇ。会社に就職した、サラリーマンじゃ。だけど溶鉱炉のことなら、高見の、机の前に座っとる高給取りのやつらより、大学出た技師さんより、その実、職工がいちばんわかっとる。ドイツさんの機械と一体化して、技術を熟練させる。機械と一緒に、俺たちも、天までのぼっていくようじゃ」

工場のほうに曲がっていくので、万葉はなんとなく豊寿について歩いていった。豊寿は激しい口調で、

「俺は胸張って、赤朽葉の職工です、最新式の溶鉱炉のことならなんでも任してください、と言える。いまの時代、自分の仕事に、そこまで言えるやつがどれだけおる？　俺は、このドイツさんの溶鉱炉と心中したっていいだが」

万葉は空を見上げた。

今日もまた、もくもくと黒煙を上げて、製鉄工場から黒ずんだ雲が空いっぱいを覆っていた。横長の巨大な工場に入ると豊寿は、万葉にあれこれと鉄の作り方を教えてくれた。菜っ葉色の制服を着た男たちが豊寿を見ると、片手を上げたり、寄ってきて挨拶したりした。豊寿は気さくにうなずきながら、

「これ、多田のおやっさんの娘で、ぼんと結婚したあの子だがや。俺たちの仲間じゃし、よろしくな」

「あっ、若奥様か！」

職工たちはあわてて居住まいを正した。それは経営者側の人間に対する畏怖《いふ》というよりも、

目に見えない力、怨霊退散のためにやってきた山の娘を見る目であるように万葉には感じられた。

と、豊寿が怒ったように、彼らを蹴散らしてそれをやめさせた。

「おいおい、もっと気軽でいいがな。工場にも高見にも、怨霊なんておらん。この科学の時代に、みんなしてなにを言っとるんじゃ。それにこいつは、もとはだんだんの娘じゃ。俺たちの仲間みたいなもんじゃ。なぁ、万の字」

「はぁ……」

万葉はうなずいて、頭を下げた。それでも職工たちは、万葉のほうを怖れるように遠巻きにしてみつめていた。

豊寿は製鉄所の仕事を、溶鉱炉で鉄鉱石を溶かす作業、溶かしたそれを精錬して鋼にする製鋼作業、その鋼に圧力をかけて成形する圧延作業の三つに分けて説明してくれた。そして自分がいる溶鉱炉班のことを、もっとも危険で脱落者も多く、そのぶんやりがいもある部署だと胸を張った。

若々しいその顔に、万葉は思わず、

「目に、気をつけてください。右目に……」

「はぁ、目に……。わかったわ。なんのことじゃかわからんが」

豊寿は不思議そうに首をかしげながらも、うなずいた。

工場の外に出て、改めて巨大な溶鉱炉を見上げた。黒々とした猛々しさに、万葉はまた怖れを感じた。よぉく見ると人が上れるように、お風呂屋さんの煙突のようにちいさな足場が上まで続いていた。「上れるの、豊さん？」と聞くと、豊寿はあわてて首を振った。

「危ない、危ない。あれは万一のときの点検用についているだけだが。溶鉱炉が動いているときは、近づいたらいかん。あのな、溶鉱炉の上に鴉が止まるのは不吉な朝、と言われとるのよ。どうしてかっていうと、動いてる溶鉱炉は熱くてとても近づけん。鴉が止まるのは、景気が悪くて、工場が止まっているから、というわけじゃ。だけど赤朽葉製鉄はこれだけの好景気で、溶鉱炉も俺たちが、三交代制で二十四時間、ずっと動かしっぱなしじゃが。近づいたら火傷《やけど》でケロイドだらけになる。ぜったいいかん」

豊寿が力説しているとき、べつの職工が走ってきて、「豊さん、社長が、豊寿はまだか、どこで油うっとる、と捜しとったぞ」と言った。豊寿はあわてて、赤朽葉のお屋敷のほうを見上げた。

「いかん。忘れとった。坂の途中で万の字に会ったからじゃ」

「わしのせいですか。でも豊さん、あんた、またおとうさんに呼ばれとるの？　よぉく社長に呼ばれる人だねぇ」

「俺は、社長とは気が合うんよ。社長はすごい人じゃ。うちの親父とちがって、新しい時代にちゃんと対応して、いちはやく工場を近代化させた人だからな。いまの繁栄はあの人の力なんよ」

「へぇ……。あの、おとうさんが」

「そうじゃ。俺は今日は、溶鉱炉の夏痩せのことで社長に話すことがあったんじゃ。自分から言い出しといて、忘れとったわ」

豊寿が鉄屑で黒く染まったズックを鳴らして、坂道を上がり始めた。また山おろしが吹いて、万葉は思わず目を細めた。さきに走り出した豊寿は、山おろしに足を取られて一瞬、空に舞い上がりかけたかに見えた。秋の終わりの出来事で、豊寿の代わりに、お屋敷の見事な庭から、暗い赤色をした葉が吹雪のように万葉の上に降り落ちてきた。赤い雪のようじゃ、と万葉はため息のように思った。

風に押されながらゆっくりと万葉が大屋敷に戻ると、赤朽葉康幸が使う応接間から、人の話し声が聞こえてきた。ちょうど、豊寿と康幸がなにやら話を始めたところらしかった。

その応接間はお屋敷の中では唯一の洋風のつくりをしていた。革張りのソファと、白いレースがかかったテーブル。ガラスの灰皿は帽子と見まがうほどに大きい。花瓶にはいつもバラが生けてあった。

裏庭に下りた万葉がちいさな滝から流れる水を飲んでいると、二人の話し声が響いて、万葉のちいさな耳に流れこんできた。部屋の中から、康幸と、職工の豊寿の声が聞こえてきた。二人は激しく言い争っているようだった。

「溶鉱炉の夏痩せには、科学的な理由があるはずだが。社長もそれはわかっとるはずじゃ」

「あぁ、もちろんだ。タツはなんでも、怨霊やら地の霊やらを持ち出すが、科学で説明のできることが大半のはずだよ。わかっている」

「夏場に事故が多いのは、この山陰の気候が問題なんだが。ここは紅緑村じゃ。ドイツとはちがう。ドイツでは起こらん事故だって起こる。いいか、社長。山陰地方は夏場はとくに湿気が多い。だから、溶鉱炉に送る風に水分が増えるだが。……学はないけど、俺はずっと溶鉱炉のそばにおるし、肌で感じるんじゃ。湿気があるから、溶鉱炉が悲鳴を上げて、縮む。炉内にどんだけ余計な湿気があるか。それが夏痩せの原因じゃ。古代の怨霊じゃないし、万の字をぼんの嫁に迎えて直るもんでもない」

「しかし……離縁するわけにもいかんがな」

「離縁したら、俺が嫁にもらうがな」

「豊寿……」

「わははは。いや、いまのは冗談じゃ」

二人の会話は途切れた。

じゃぶじゃぶと水を飲みながら万葉は、小首をかしげて、二人の会話に耳を澄ましていた。

チチチ、と小鳥が鳴いた。紅蓮の炎をかたどった足元の砂利を崩してしまったことに気づいた。

それにしても、職工というものは、社長に対してもずいぶんとはっきり意見をする人々なのだな、と万葉は考えた。彼らがいないと、経営者側の力だけでは工場は動かない。下の宵町横丁で、肩で風を切って歩いていた若い職工たちの姿を万葉は思い出した。

豊寿の低い声が、漏れ聞こえてきた。

「俺たちは戦後の申し子じゃ。社長、敗戦からもうすぐ二十年じゃ。俺は戦争が終わってから物心がついた、新しい時代の日本人じゃけん。大奥様にはなんも含むところはないが、でも、俺たちは迷信じゃなくて、近代科学を信じないといかん。それに……」

豊寿は声を小さくした。

「恋やら愛やらで世間が騒いどるのに、家のために夫婦になるのもよぅわからんわ。ぼんも、おかしな男じゃのぅ」

「うむ……。曜司は母親を信じとるからな。喜ばせるためなら、嫁ぐらい、タツが選んだ娘を黙ってもらうだろう」

「……おかしなことじゃな。じゃけど、ともかく、溶鉱炉は湿気を取るように送風機を改良したら直ると思うんじゃ。来年の夏までにやるから、それまで俺と、技師の先生たちに任せてくれ」

豊寿が立ち上がる気配がした。

水を飲み終わった万葉は、廊下に上がった。歩き出すと、秋の庭にかすかに風が吹いて、小川の水に赤い葉が一枚、落ちた。小舟のように流れていく。それを見送っているうちに、康幸も豊寿も出て行ったらしく、なんの話し声も聞こえなくなった。


その数日後。

風の強い午後に、坂道を上がり始めたところで豊寿と行き合った。歩きながら世間話なぞしていると、二人の目の前を黒塗りの外車が勢いよく、坂道を上がっていった。ついであわてたようにブレーキをかける音が聞こえ、後部座席のドアが開いて、長ぁい腕が一本、亡霊のようにゆらりとのばされてきた。

その腕は近づいてきた万葉の腰を捉《とら》えて車の中にすうっと引きずりこんだ。豊寿が「おっ?」と驚いているまにも、車は発進して坂道を勢いよく上がり始めた。長い腕の持ち主は、夫である曜司だった。小首をかしげて、黒髪を座席に垂らして、こちらをみつめている。万葉はようやく後部座席でひとごこちついて、夫を見た。

「お出かけだったんですか」

「そうだよ。いま帰り。風が強いから、乗せてやろうと思ってね」

座席に、書物が山になっていた。町に出て買いこんできたのだろう。このころから曜司は、それまで好んでいた外国の小説ではなく、経営学やらの本を読むようになっていたらしいのだが、それは後年になって万葉が夫自身から聞いたことだ。このときの万葉には、文字の読めぬ悲しさから、なんの書物なのかはわからなかった。ただ感心したようにその山をみつめていた。

バックミラーに、一人でだんだんを上り続ける豊寿が映っていたが、徐々にその姿は小さく、豆粒のようになっていった。若夫婦はとくになにを話すでもなく、車内の空気はしんと静かだった。やがて車は赤朽葉の門を越えて、玄関の前で停まった。

曜司は、町で買いこんだ本を束にして抱えて、車から降りた。玄関に入って靴を脱いで、廊下を歩き出すと、おやつを抱えすぎた子供のように、一冊、また一冊と落っことしていく。気にせず歩きつづけているようなので、万葉はその後ろについて、曜司が一冊落とすたびに腰をかがめて、拾った。また落とす。拾う。曜司は足を止めると、振り返った。本を抱えてふらつきながらついてくる万葉に、ふいににっこりと微笑みかけた。

「俺はね、万葉」

「なんですか」

「自分がまさか、本を読まない女と結婚するとは思わなかった。本を読まないどころか、文字さえ読み書きできない女とさ」

「……わしも」

万葉はおかしくなって、

「わしも、こんなに本ばかり読む人と夫婦になるなんて、思いもしませんでしたよ。こんな分厚い本なんて、わしは見たこともなかっただが」

曜司の書斎に本を運びこんだ。ちいさな書斎は本の山で、曜司はそれに埋もれるようにして椅子に座り、一冊手に取ってさっそく読み始めた。万葉はそっと書斎を出て、廊下を歩きだした。

ふと、数日前に男たちが話をしていた応接間のことを思い出した。今日は誰もいないようなので、応接間に入って、一人でソファに座ってみたり、バラが飾られているのにみとれたりしていた。

山猫の剝製があり、花瓶は高価な陶磁器で、そしてレースのかかったテーブルには、へんな模様が描かれた丸い、毬のようなものが置かれていた。椅子の足のようなものがついていて、触れると毬だけが回るようにつくられていた。猫が猫じゃらしで遊ぶようにそれをくるくる回していると、書類を抱えた康幸が入ってきた。ずかずかと入り、椅子に座ろうとして、いつのまにかいた万葉に気づいて「わっ！」と叫んだ。

万葉も飛び上がり、それからあわてて頭を下げた。

「すみません、おとうさん……。誰もおらんので、入っておりました」

「いや、いや。いい」

康幸は背を向けて出て行こうとして、すこしこのおかしな嫁と話してみるかという気になったように、急に振り返った。首をかしげて言葉を探し、ちいさな声で、

「……地球儀が好きなのかね」

「これ、地球儀というのですか」

万葉が問い返すと、驚いたように康幸は目を見開いた。

「知らないのか？」

「はぁ。これはいったいなんです」

「なにって、地球の縮図だよ」

「地球？」

「……君、君、君は、地球を知らないのか！」

唖然としたように康幸が叫んだ。万葉はあわてて後ずさった。なにかたいへんなことをしでかしたらしいと気づいたが、康幸が動揺する理由がさっぱりわからなかったのだ。

康幸は眼鏡のふちをいじりながら、怖れるように万葉をみつめた。説明をしようと口を開き、一言うめいたが、挫折した。そして叫んだ。

「うちの奥さん以上だ。いったいどうして知らないのだ。そうだ、おぅい曜司！　曜司！」

大声で息子を呼ぶので、やがて曜司が、廊下の向こうから分厚い書物を片手にやってきた。

「なんなんです、大きな声で」

「おまえの嫁が、地球を知らないという。わしにはうまく説明できん。おまえ、責任をもってちゃんと教えてやりなさい」

「すみません、学がなくて……」

万葉がおろおろと言った。

「中学までは出ているんですけど……。あまり、授業を……」

子供のころのほうがいまより幻を視ることがずっと多く、万葉はあまり授業を聞かずに夢うつつで過ごしていた。科学や、物理や、そういった現世的なことすべてと万葉は、遠かった。それはこれからもずっとそうであるのだが、ともかくこの日、万葉は地球を知ることにはなったのだった。曜司がそれを聞くと張り切って、ソファに座り、万葉を膝の上に座らせて、蛇のように長い腕で抱きかかえて話し出したからだった。

「地球を知らない女と夫婦になるとは、予想していなかったな」

「曜司、はやく説明しろ。説明すればこの事態は打開できるだろう。この娘も、地球を知っている女に変わるんだから。曜司、はやくしろ」

康幸がいらいらしたように言った。眼鏡のふちをいじっては、貧乏ゆすりをする。曜司は片手で万葉の髪の毛をもてあそび、もう片方の腕を長ぁく伸ばして、ちいさな地球をくるくる回した。

やがて一箇所で止めて、細長いちいさな模様を指さす。

「ここが、日本」

「はぁ……。あなた、意味がわかりません」

「日本は島国で、海に囲まれている。その形がこれ」

「どうして毬に地図を描いているのです。見方がわからない」

「このせかいは、毬のようにまるいんだよ。万葉」

「うそばかり！」

「うそじゃあない」

曜司は宇宙の誕生や銀河のかたち、地球の仕組みについて熱心に万葉に教えた。ふんふんと興奮したように鼻息を荒くしながら、膨大な知識を披露し始める。応接間の照明が、裏庭から射す燃えるような夕日と入り混じって暗い桃色となり、部屋は不思議なほど湿った空気に満たされていった。

康幸が居辛くなったのか「……とにかく頼んだぞ」と言い置いて、ふらつく足で出て行った。曜司は父が姿を消すと遠慮をなくし、知識を披露しながらいたずらに万葉の帯を解いていった。さむけを感じて、万葉の浅黒い肌が鳥肌立った。

知識とともに、家の化身たる曜司はまた万葉のからだに押し入ってきた。空が曇り、裏庭からサァァ……と夕方の雨が降り始める音がした。空気はさらに湿り、せかいを毯のように縮小した地球儀から、やがてぽたり、ぽたりと水滴が落ち始めた。万葉はようやく女の義務ではなく、その日々の営みがもたらす、きわどく切ない波のようなものを感じることができた。その長い長い時間、せかいを巡る知識は止まらず、曜司の唇からつたって、万葉の真っ白な、空洞たる脳に流れこみ続けた。

その日、営みの持つ真の意味と、毛毬のように丸いせかいの形を、万葉は初めて、そして同時に憶えたのだった。いつになく張り切った曜司がなかなか解放しようとしないので、営みと地球談義を終えて応接間を出たときには、とっぷりと日が暮れていった。夜空は藍色をしていた。曜司はなにごともなかったかのように軽い足取りでまた書斎に戻っていった。恵比寿柱の陰にはまた、年増女中の真砂が隠れて、からだを半分はみださせていた。万葉は一人ふらふらと裏庭に出て、ちいさな滝で水を飲んだ。それから立ち上がった。

夢歩きするように呆然と裏庭をさまよい、迷いながらどこまでも歩き、夜空を見上げるとそこには、ただ満天の星が輝いていた。いま初めて、万葉は夫という一人の男のものになってしまったように感じて、悲しいような、ようやく女としての落ち着き場所をみつけたような、相反する感情に震えた。そしてまた、見上げる夜空も万葉を怯えさせた。高い高い天井のように、まっすぐにそこにあるとばかり思っていた空が、じつはとほうもない空洞であったことが怖ろしかった。

やがて裏庭はつき、万葉は木戸から外に出た。夜の坂道は、ところどころにつめたく四角いコンクリのビルに変わっていく途中の工事現場があり、だんだんの上から下まで、ちょうちんと屋内の電気で、ひな壇に光を灯したように輝いていた。

ひな壇を見下ろしながら、万葉は薄く微笑んだ。なにも知らなかった子供のころのことを思い出した。それは、せかいはだんだんでできとる、と思っていたころのことであった。

だんだんの、上と下。下にいる誰もが、もっと上を上を目指す。戦後のこの国そのものであるかのような、この、だんだん。もっとがんばれば、もっといい暮らしが。よりよい未来が。子供たちのためにも。さぁ、もっとだんだんの、上へ上へ。

だがしかし、と万葉は怖気立ちながら思った。せかいはその実、だんだんになりどこまでも上があるわけではない。海と、港町と、山間の村、そして山脈の奥しか知らなかったころの万葉には思いもかけないことだった。せかいは、毬のようにまるい。上も下もない。まるいのだから。だとしたら、だとしたら。

「それなら」

と、万葉は思わず口に出してつぶやいた。

「それなら、上に上に行くつもりで走っても、わしらは丸くておおきな毛毬の上にいて、ぐるりと回ってもとの場所に戻ってしまうだけではないの？　せかいはほんとうにそんなむなしい形でできとるの？　あぁ、おかあちゃんに会いたい！　だんだんで子供をたくさん育てとるおかあちゃんなら、どう言いなさるだろうか！」

嫁いでからずっと、互いに遠慮して会っていなかった、育ての親と弟妹たちのことを万葉はなつかしく思い出した。赤朽葉の大屋敷のある、このだんだんのいちばん上からは、遠く紅緑村のすべてが見下ろせた。山間の大工場と、宿舎。村の農村地域と、むかしはたたら場と隣接していたという広い川。港町がつらなり、そうしてその向こうは日本海。

上から見るとなるほど、水平線はまぁるくしなっている。海が証明している。たしかにせかいはまるいぞよと。みんなで走っても走っても、いつの日か夢に見たように、だんだんを職工や、背広姿のサラリーマンや、戦後の男たちが明るい未来を信じて力いっぱいのぼっていっても、その道は結局ぐるりと回って、もとの場所に戻ってしまうのではないか。遠い昔にすべり落ちて死んでしまった、黒菱みどりの、おんなおとこの兄じゃを詰めた、四角い箱。あのかなしい箱と同じ場所に、結局はみんなして戻って、わしら日本人は、その実どこにもたどりつけないのではないか。

千里眼奥様の万葉は、幻視したまるくて虚しいせかいにおびえて、いつまでもそこに立ち尽くしていた。海の女に負けないほどの、塩辛い涙があふれた。

これは一九六三年、まだ明るい戦後の、男の力の時代の、秋のことだった。

泣いている万葉に気づいて、恵比寿様そっくりの姑《しゅうとめ》、タツが庭から出てきて、

「どうしたのぅ。万葉や」

と声をかけた。万葉がしゃくりあげながら、応接間で地球儀を見たこと、せかいがまるいのを知らなかったことを告げると、タツはびっくりしたように、

「地球ってなぁに？　えぇ、せかいがまるい？　あんたはおかしな夢を見たんだよぅ」

そう叫ぶと、真面目な顔をして、背伸びして万葉のおでこに太った手のひらを当て、熱を測り始めた。

5　水晶体

しかし、万葉が赤朽葉の跡取り息子、泪を身籠っていたこの年の秋からつぎの年にかけて、紅緑村全体に奇妙な影がさし始めていた。

このころから、紅緑村では、繁栄の陰に隠れていたものが少しずつ表出し始めた。もともと重工業の中心地のひとつである熊本県で、チッソ工場から流れ出る廃液が原因と見られる公害病、水俣病《みなまたびょう》が社会問題になっていた。また三重県では、石油コンビナートから吐き出される煙による四日市ぜんそくが、富山県では鉱業所が排出した未処理廃水によるイタイイタイ病が問題視されていた。

山陰地方の、山と海にはさまれたちいさな紅緑村でも、すこし遅れてこの問題が表面化し始めた。製鉄所からの黒煙は人々の食卓をざらざらに汚し、白い洗濯物も灰色に染めてしまう。それでも職工たちは、自分たちの労働が国を支えている、未来につながっていると自負し、煙に手を合わせて感謝することもしばしばだった。だが――このすこし後になって豊寿が、隣家での出来事として万葉に教えたところによると――子供がベランダで飼い始めたカナリヤが、黒煙を吸って歌わなくなりあっけなく死んでしまうと、その子の父親は顔色を変え、煙に手を合わせなくなったという。

「俺たちは製鉄さんで食わしてもらっとって、なんも言えた義理じゃないけど、俺たちの子供は大丈夫だろか。この紅緑村で黒煙吸いながら大きくなって、大丈夫だろか」

実際に、優秀な職工が四十歳を過ぎたころに、肺を痛めて一線から退く、という事例も多くあった。また、空の色が黒くなるにしたがって、碑野川もどろどろと濁り始め、錦港の海も暗い色に染まった。

それらはじつのところ、少しずつ少しずつ進んできたことなのだが、高見の上から紅緑のちいさな平野を見下ろしている万葉には、ほんの一月、二月のあいだに急速に広がった、近代という病原菌のように思われた。

風に乗ってくる黒煙に、漁港に住む人々、〝下の黒〟たちがますます、〝上の赤〟を嫌い始めた。力道山似のみどりの婿は公害問題の解決に身を乗り出し、同時に造船だけでは平和な時代を乗り切れぬと、建設業にも乗り出した。婿をもらってますます金ぴかになった出目金は、一度だけ、上に嫁いだ万葉に電話をしてきた。電話というもので話すのも、誰かからかかってきたのも初めてのことだったので、万葉は緊張しながら「もしもし。みどり……？」とささやいた。

開口一番、出目金は言った。

「こないだ、力道山、死んだだが。知っちょるか？」

この年、あれほどテレビの前で人々を熱狂させた力道山は、三十代の若さで酔客に刺されて死んでしまったのだった。それは夜の町での、あまりにあっけない死であった。万葉はうなずいた。

「あぁ、ニュースで聞いた。……もしかして、それが言いたくてかけてきたんか。いじめっ子」

「そうじゃ、ひろわれっ子。いやぁ、もちろん黒菱としちゃ、あんたんとこの黒煙やらのことで交渉したいけど、そんなの、万葉に言ったってしょうがないでしょうが。それとも、あんた、なにかわかるの」

「いや、わからん。じつは、地球が丸いのもこないだ知ったばっかりじゃ」

「やっぱり、あほんだらじゃなぁ、あんた。でもまぁ、うちも婿に任せっきりじゃけどな。それよりも力道山じゃ。なぁ、万葉。なぁ、ひろわれっ子。あんた。わしは驚いたがな。あんなに強くてでっかい男でも、かんたんに死ぬんじゃなぁ」

「そうじゃなぁ」

万葉はうなずいた。

「プロレスに、ナイフは出てこんからなぁ」

「まったくじゃ、万葉。そういや海の向こうで、ケネディ大統領も死んだなぁ。あれはピストルじゃったな。物騒な時代になったもんだ。まったく、よぅ」

出目金はすごい剣幕でわぁわぁしゃべると、電話を切った。

電話の前で、万葉はしばしたたずんでいた。時代は高度経済成長の最中で、人々は繁栄の夢を見続けていたが、紅緑村にはかすかな影がかかり始めているように思ったのだった。未来は本当に、いまよりもさらに豊かに、幸福に輝いているのだろうかと、未来視の万葉はひとり不安を感じていた。

そして、この若奥様が赤朽葉本家で迎えるさいしょのお正月。女中たちが忙しく立ち働き、屋敷中が色めき立つ中、分家の人たちがお年始の挨拶にやってきた。康幸の嫁であるタツこそが、その実、本家の女帝であることは、こういった行事のときにこそあらわとなった。都会に出て、あやしげな儲け話をもって帰ってきた分家の息子が、タツの前に出るととたんに腰を抜かし、声を出せなくなって父親に引きずられるようにして大広間を出て行った。駆け回り大騒ぎをする分家の子供たちも、タツが一言、甲高くうめくとぴたりと静かになった。タツはちいさな、まるまると太ったからだを揺らして、腰を抜かした分家の男や、貝のように口を閉ざす子供たちを笑った。赤朽葉の人々は誰もがタツを恐れて神経を張りつめているようだった。しかし万葉は、姑のタツを慕いこそすれ、恐ろしさはよくわからぬままであった。

その万葉はというと、からだの調子から、どうもお目出度《めでた》らしいとわかっていた。康幸もタツも嫁を働かせないようにして、若夫婦の席にとにかくじっとさせていた。分家の男たちはつぎつぎにやってきては、「本家の跡取りか。男かのぅ、女かのぅ」とうれしそうにうわさしあった。

天上界のような本家の中こそ相変わらずだったが、一歩外に出ると、公害やらなにやらで、以前よりも村の空気は重たく感じられた。その年の万葉は、しだいに大きくなるお腹を撫でながら、高見のいちばん上にある大屋敷でただじいっとして過ごした。ときどき豊寿がやってきては、康幸と、白衣を着た高炉の技師たちとなにごとか交渉し、また帰っていった。そして、大きくなってくる万葉のお腹に、「あんた、見るたびふくらんでくるなぁ」とつぶやき、手に届かないものを眺めるような、ほうけたような顔をしてみせるのだった。

若奥様の万葉が千里眼であることは、このころから製鉄所の人々にも知られるようになった。きっかけは豊寿を襲った、不思議な事故であった。

夏痩せする高炉を修理しようと、豊寿たち溶鉱炉班の職工、技師、経営者などが工場に集まり、作業をしていたときのことだ。季節は夏の初めで、みんな大汗をかきながら、大声で怒鳴りあい、高炉を動かしていた。そのとき炉から熔けた鉄が流れ出し、水と接触してちいさな爆発が起こった。まず経営陣が逃げ出し、ついで技師も走って逃げた。職工たちだけが逃げずに高炉を守ったが、そのとき飛び散った火の粉か鉄が、豊寿の右目に当たった。

豊寿はすこし熱いと思ったが、怪我には気づかずに必死で作業を続けた。べつの職工が、豊寿の顔になにかが流れているのに気づいていた。豊寿自身、視界がふいに変わったことに気づいていた。立っている場所は同じなのに、右側の視界がせまくなり、右頰に温かいものがとろけて下に流れ落ちていく感じがした。

それは豊寿の右目だった。どろどろ、どろりと溶け出て、水晶体が銀色に輝きながら床に落下していく。「豊寿兄さん！」と若い職工が叫んでそれを思わず両手で受け止めた。手のひらの上でべつの生き物のようにうごめく、豊寿の溶けた目ん玉。豊寿はというと「こらぁ、持ち場を離れるなぁ！」と相手を叱咤《しった》したという。

「だけど、兄さん、目が！　溶けとるよぅ！」

「高炉のほうが大事じゃ。まだ左目がある。これ以上爆発させたらいかん」

「だけど」

「……命に代えても、守るんじゃ。俺は女とは心中できんが、高炉とならできる。あぁ、俺はこいつと心中するぞ」

若い職工は、流れ出た豊寿の銀色の目ん玉を床にべしゃりと投げ捨てて、豊寿といっしょに、叫び声を上げながら作業を続けた。床が踏み荒らされて、豊寿の目ん玉はやがてどこにあったかわからなくなってしまった。

そのあと豊寿は、兄さん、兄さんと男泣きに泣いている職工たちに担がれて、村の病院に運ばれた。

「万の字に、右目に気をつけろって言われとっただが。そういえば、言われとっただが。すっかり忘れとった……」

うわごとのように、豊寿は、万の字、万の字と繰り返した。職工たちは顔を見合わせて、

「若奥様にか……？」

「あぁ。俺は迷信はぜったい信じんけど、だけど、あの万の字はただもんじゃねぇなぁ」

もともと豊寿は、陰日なたない働きぶりと、溶鉱炉への熱い思いから、現場の職工たちには、老いにも若きにも豊さん、豊さんと慕われていた。だがこの日からは、工場ではとくべつな存在となった。

男らしい男の時代が、輝く過去を惜しむように振り返り、振り返りしつつ、それでもゆっくりと紅緑村から去ろうとしていた。この地方都市はいつも都会からすこし遅れて戦後の繁栄を追ってきたが、寂れていくものに限っては必ず、都会よりも地方に先に、やってくるのであった。高度経済成長の夢を見続けて力強く生きてきた紅緑村の職工たちは、浮かれ続ける都市部の人々よりすこしはやくに、その繁栄の永遠性を信じ続けることが困難になり始めていた。だからこそ、この時期に溶鉱炉を守って隻眼となった若者、穂積豊寿の不幸と情熱は、彼ら、紅緑村の労働者の心を捉えたのだった。以降、溶鉱炉の英雄、豊寿は職工たちの心のよりどころとなり、経営陣との交渉や労働争議のたびに、職工を代表するようになる。

不幸な事故で隻眼となった豊寿を、万葉が初めて見たのは、もう臨月に近いという夏の日だった。つぶれた右目はすでに皮膚と同化するかのように閉じられて、睫毛《まつげ》もなにも消えて一本の目立たない皺のようになっていた。左目はすこし悲しげだった。坂の途中で出会って、じっとこちらを見上げている一ツ目男に、万葉は思わず、あぁ、と声を上げた。ゆっくりと近づいて、その顔をみつめる。

傷ついた顔を見るうちに、親しみのような温かい気持ちがこみ上げてきた。――それが、豊寿が得た人望の、秘密の一端だったのだろう。

さきに豊寿が声をかけた。

「あんたに、気をつけろって言われとったのになぁ」

「……痛かったですか」

「いや、それが、ぜんぜんだがな。ちょっと熱いと感じただけじゃ。気づかんで作業を続けとっただけじゃから、英雄でもなんでもないんだが。俺はまぬけじゃ」

「あぁ……」

万葉はうつむいた。豊寿が握りしめている紙に目を落としていると、豊寿が、気になるのかというようにその紙を万葉に差し出した。

おそらくそれは労働争議かなにかの資料だったのだろうが、万葉には読むことはできない。これまで文字を読めないことを人に隠すことはなかった万葉だが、なぜだか豊寿の前では、そんな自分を恥ずかしく感じて、読めんのよ、とは言わずに、黙って受け取った。

豊寿はそのことには気づかず、不思議そうな顔で万葉に問うた。

「……万の字、あんた、なんで、俺がこうなることを知っとったんだ？」

万葉は受け取った紙をいじくりながら、言葉少なに、自分の千里眼のことと、ずっと昔に、もっと年取った豊寿を未来視した夏があったことを話した。

豊寿はあきらかに半信半疑の顔をしていた。もともとそういった不思議を信じるような男ではないのだ。しかし、万葉を気遣うように言葉少なに声をかけた。

「そうか。そのときも、夏だったんかぁ」

「ええ。わしはまだ十歳で。だけど、まさかそんなに未来のことだとは思わんで。だから、あのとき中年だったあんたが、まさか自分と同い年の子供で、同じだんだんに住んどるとは思いませんでしたわ」

豊寿は笑った。

「そら、おかしな縁じゃな」

「ええ、ほんとに」

片方だけになった瞳を細めて、万葉をみつめた。その日はめずらしく風のない、暑い午後だった。夏の日射しが二人をじりじりと照らしていた。青々と茂る葉が、日射しを照り返して眩しかった。

「万の字。あんただけが、知っとった。俺がこうなることを予《あらかじ》め知っとった。おかしな感じじゃ。こんなことはこれまでなかった。俺は、あんたが特別な人じゃという気がする。子供のころ、おっ死んだおふくろを連れて行ったのも、山の人たちじゃった。あんたも、山の娘だ。なんだかおかしな感じじゃ……」

声がしだいにちいさくなっていった。じりじりと夏の日射しが二人を焦がした。

やがて豊寿は、一転して明るい声で問うた。試しに、万葉の話を信じてみる気になったようだった。

「なぁ。あんたが見た、中年になった俺は、なにをしとった？」

「ええと、それが……気持ちよさそうに空を飛んでおりました。こんなふうにしてふわふわと。

わしを見下ろして、目が合って。それで、またふわふわと」

「なんじゃ、それは」

豊寿は、わっはっは、と笑った。隻眼となった左目に涙が浮かび、それを隠すように万葉にゆっくりと背を向けた。

日射しがゆっくりと翳《かげ》り、風に木々の葉がさわさわと揺れた。


さて、その赤朽葉万葉が最初のお産をしたのは、この年、豊寿の右目が流れ出して製鉄所の床に落ちて消えた一九六四年の、夏の終わりのことだった。

万葉のお腹は、姑のタツがおどろくほどにまぁるくふくらんだ。それはまるで巨大な水風船のようで、万葉が赤い大屋敷の廊下を歩くたびにびしゃり、びしゃりと羊水《ようすい》の揺れる水音が大屋敷に響き渡った。大屋敷の外、工場の辺りまで、山おろしに乗って、水音のような、風のざわめきのようなものが聞こえてくることもあったという。そのたびに職工たちは屋敷のほうを振り仰いで、そういえばそろそろ、千里眼奥様の出産が近いと思い出すのだった。

「あんた、こんなにお腹がふくらんで。なぁにが入っているのかねぇ」

誰も逆らえぬ本家の女帝であるタツが、おろおろ、おろおろと万葉の後をついてまわった。そのたびに、タツの後に金魚のフンのように、分家の男たち、女たちもついて回った。びしゃり、びしゃり。水音は臨月に近づいた二月ほどのあいだ、屋敷のあちこちから聞こえてきた。びしゃり、びしゃり。

びしゃびしゃり。

胎児ははげしい水音とともに、ある朝、羊水が滝のように流れ出る中、万葉のほとから生まれ出てきた。なんという出産、なんという誕生、と万葉は後々までこの、さいしょの子供を産んだ日のことを、悪夢にうなされるようにして思い出した。というのは万葉は、大量の羊水とともに体内にあった――お腹が巨大にふくらんだのは水分が多かったためで、胎児自体は二千八百グラムと、格別大柄というわけではなかったのだ――この胎児を産み落とすときにおそろしい未来視をしたのである。

それは時間にして五時間ほどもかかる長い、悪夢のような未来視であった。その朝、夜明けとともに産気づいた万葉は目を覚まし、夫を起こして、「あなた、生まれます」と言った。あわてた曜司が母親を呼びに行き、長い廊下を走るうちに、もう羊水が流れ出始めて、若夫婦の寝室は血が混じるなまぐさい洪水となった。そうしてタツが駆けつけて、その姿を見ておとこ払いをし、女中たちを招集したときには、万葉の長くておそろしい未来視は始まっていた。

それは産み落とす我が子の生涯の、暗く寂しい走馬灯であった。希望に満ち溢れているはずの出産は、真っ赤な産道を通ってこれから生まれてくる我が子の視界を幻視することから始まった。万葉はあわててタツに向かい、叫んだ。

「おかあさん、たいへん、逆子です!」

「えぇ、どうしてわかるの」

「視えたの!」

タツは、この嫁が視えたというならそうだろう、と信じた。それで村から呼んだ助産婦に、そのまま伝えた。

「逆子？　まだ出てきてないのにどうしてわかるんです、奥様」

「うちの嫁は千里眼なのよぅ！」

「……まぁ、様子を見てみますけんど」

逆子の子供が産道から飛び出して、ぐったりと横たわる母を見、それから己のからだを点検するように見下ろす幻が続いた。ちいさな性器が視えて、万葉は思わずタツの手を握りしめた。

「おかあさん、男の子です！」

「あら、跡取りだねぇ。それにしても、なんでもよく視えるねぇ、万葉」

「おかあさん似だわ。よぅ似とる」

これから産む子に、幻の中で自分がそう言ったのが視えたので、万葉は思わずそのままタツに伝えた。だがそのうち、なにも伝えられないぐらい幻に強く囚われた。万葉の子はまたたくまに大きくなり歩きだした。学校に通い、勉強に励み、恋をした。恋をした相手はとなりの席に座る少年で、つまりこの子は生まれ持っての同性愛者であったが、家族も友も、誰もそれを知らぬままだった。息子はどんどん大きくなる。その心には憂《うれ》いがある。老けいく己がときおり、息子の視界を横切った。息子の、己を見る目は優しい。母として慕われているらしく、万葉は温かい思いになった。少しずつ幻の速度はゆるみ、ゆっくりになる。声まで聴こえてくる。

「おふくろ」と呼ぶ声は低く、いつのまにか声変わりをしたようだ。そのあいだも万葉自身は、その息子を現実にはまだ産んでおらず、非常に難産となった、はじめてのお産のまっただなかであった。大量の羊水で桃色の海になった寝室で、脂汗を流し、ぜぇはぁ言いながら姑に手を握られていた。外の廊下をうろうろと落ち着きなく歩く、夫の長い手足のシルエットが朝もやの中に浮かんでいた。いきんで、いきんで、と助産婦が力づける。「あやっ、ほんとに逆子だ……」と助産婦がつぶやく。女中たちが湯を沸かしては沸かしては持ってくる。息子はすこし注意散漫な男であるように、幻を視ながら万葉は思う。心の底から、そのひとりの男を心配する。道を渡るとき、左右を見ない。賞味期限を見ずに、心ここにあらずのまま食べ物を口にする。まじめな男らしく、いつも教科書や参考書を片手に勉強している。途中で視界が微妙に変わる。眼鏡をかけたらしい。勉強ばかりするから、と思いつつ万葉は、文字の読めない自分の息子が、優秀な学生であることにすこし安堵した。高校生になり、大学生になった。息子は勉学には生真面目に、しかし日常では注意散漫に過ごし、そうしてときおり、恋をした。そのたび黙って思いを呑みこんだ。やがて、遠い国から伝染性の病がやってくると、同性愛者への差別意識がとつぜんの津波のように高まっていった。閉鎖された地方都市を、互いを監視しあうようなひややかな視線が、氷の風のように幾度も通り抜けた。

息子は、悪くないのに隠れて生きた。社会への反発や、個人への憎しみが噴出することもあり、万葉はそれを黒い波のようにざばりとかぶって、咳きこんだ。息子は怒り、猛りながら生きた。

そうして、ある地点でそれはぷつりと途切れた。

息子は山に登っていた。前を歩く男を愛していた。息子の視界が一度だけ揺れた。すべてが終わった。

万葉は、息子が死ぬことを知った。

まだ生まれてもいないのに。

とつぜん死んだ。

それを知った万葉は、絶望し、大粒の涙をこぼした。羊水の海で、のたうちながらぽろぽろ、ぽろぽろと、どういう理由でかとつぜん夭逝《ようせい》してしまうわが子のために泣いた。「生まれましたよ」と誰かの声がして、つづいて「おぎゃあ。おぎゃあ」と、息子の泣き声が響き渡った。万葉は気を失った。そうしてつぎに気づいたときにはその日の夜更けで、枕元で書物を読んでいた夫に、タツが、息子に泪と名づけたと知らされた。

「あんたが、あんまり、泣くからさ」

「あぁ……」

「どうしてそんなに泣くことがある？　立派な跡取り息子を産んでくれたって、親父もママも大喜びさ。ママに似てるって、親父が笑ってたよ」

「そうですか……」

万葉は起き上がろうとして、力が入らないのであきらめた。おそろしい幻の残滓は万葉を捉えて離さなかった。曜司はそんなことは知らず、

「ゆっくり休むといい。ゆっくり」

「……たくさん産まなくては」

と、万葉はつぶやいた。曜司がおどろいたように聞き返した。

「えぇ？　たくさん産む？　どうしてだい」

万葉は黙ってしゃくりあげた。曜司はしばらくのあいだ、背を向けて丸くなった妻の背中を、なだめるようにして撫でていた。

この日、生まれた長男の泪が、わたしの伯父に当たる人である。タツが選んだそれは常用漢字ではなかったため、役所には波太と届けられたが、屋敷ではタツの名付けた通りの字が使われた。

この人は眉目秀麗《びもくしゅうれい》で成績もよく、本家のぼんとして分家にも慕われたが、残念なことに、祖母の幻視した通りに二十歳をすこし過ぎたころにやはり夭逝した。

祖母はこのあと三人の子を産んだ。「産むときは、かたぁく目をつぶっとった。視たくない。あんなかなしいものは二度と視たくないと思ったんよ」と晩年語ったが、ほんとうになにも視なかったのかは、本人しか知らないことだ。

この初の出産の後、万葉にはひとつの変化が訪れた。なにがあってもけして笑わなくなった。愛する息子の運命は、山の娘のこころを回復できぬほど深く傷つけた。未来視の力はこのときに初めて、万葉自身に、思わぬ形で刃をふるったのであった。

この二年後、本家の嫁である万葉は再び身籠り、問題となる二人目の子を産むことになる。だがその話の前に、まずは泪の幼年時代と、年増女中の真砂が起こした珍事件、そしてこの国に急速にあふれ始めた、黒ずんだ、膿《うみ》のような目をした新しい若者たちの話をしなくてはならない。

泪の幼年時代は、万葉の記憶にはあまり残っていないようだ。五時間かかった初産の逆子出産のあいだに、そのだいたいのことを泪の目から視てしまい、そちらの幻のほうが、現実に存在した息子よりもずっと記憶に刻みついているのだろう。分家に残る年寄りたちにわたしが聞いたところによると、泪はとてもよい子で、声を荒立てることも、周囲に波風立てることもほとんどなかったという。真面目で、勉強もよくでき、あんな男が跡取りになれば安泰だ、父親の曜司よりもしっかりしている、よい嫁をもらって早く継いでほしい、などと評判もよかったという。

ただ一つ心配なことがあって、それは注意力散漫な部分であった、と年寄りたちは口をそろえて言った。小学校のとき、なんと三回も車に轢かれたのだという。「運が悪いということもあるだろうが、それにしても、轢かれすぎじゃないかね？　三回も、轢かれるもんかね。同じ子供がさぁ？」

泪は七歳のとき、考え事をしながら歩いていて、だんだんの坂道の途中でオート三輪に轢かれ、ぽーんと空を飛んだ。幸いにして、通りがかった豊寿に抱きとめられて事なきを得た。あのまま道路に叩きつけられていたら危なかった、と豊寿は泪を抱きかかえたまま地面に下ろさず本家に連れてきて、興奮し、冷汗を拭きながら訴えた。「ぼんが、土の地面を全部アスファルトにしてくれたからのぅ。俺たちは助かるが、あれに叩きつけられとったら、一発でアウトじゃ。なぁ、ぼっちゃん」泪は泣き虫で、よく泣いた。そのときも、車にはねられたことと、見知らぬ隻眼の男に抱きかかえられて連れ去られた（と、どうやら思ったらしい）ことにショックを受けて、黙って涙を流していた。だがしかし、母親とその男が親しげに話すのを見て、ようやく泣き止んだ。

「おじさん、どこの人？」

「俺か。俺はだんだんの職工じゃ。あとな、あんたのおかあさんの友達じゃ。な？」

「なんだ。おかあさんの友達」

「これからは車に気をつけろよ。つぎ轢かれても、おっちゃんはそばにおらんぞ」

「うん」

だが、泪が二度目に轢かれたのはそのつぎの週だった。小学校を出て、村の舗装道路を歩いていたら、信号もなし、なんにもないその道で、なぜかまたもや、轢かれた。このときは病院に担ぎこまれた。不思議と怪我はなかったが、轢いたほうは、赤朽葉本家の跡取りだと知って青くなり、へなへなとその場に倒れてしまった。農家の若い嫁だった。夫と舅が本家まできて、土間に額をこすりつけて、もうよい、もうよいと言っても三時間もそのまま帰らず、康幸もタツも難儀した。

三回目はもうすぐ小学校を卒業するというときで、こんどは原因がはっきりしていた。赤信号に気づかずふらふらと横断して、急ブレーキをかけたダンプカーのさきっちょが、頭にごんと当たったのだ。このときも運転手と運送会社の役員がきて、土間で気も狂わんばかりにあやまるので、本家は難儀した。

卒業式では答辞を読まされるほど出来のいい息子なのに、なぜ車には轢かれるのか。曜司はそのたび心配して病院に駆けつけたり、大騒ぎをしたが、万葉のほうは遠い目をしたままで、あまりなにも言わなかった。そのことを分家の人々も不思議がったが、おそらく万葉には、息子が二十歳を過ぎるまではなにがあっても生きていることがわかっていたからだろう。泪は車に轢かれるたびに泣いた。そして母親のもとにいって、膝にすがりついて「こわかった」と言った。万葉は「おかあさんがいるからだいじょうぶですよ」と答えた。それはとてもやさしく、慈しみのある声であった。万葉はほかの子とちがってこの泪にいつも、畏《おそ》れを感じているかのようなていねいな態度だった、と分家の人々は後に語った。わが子とはいえ、跡取りとなる息子だったからだろう、と彼らは考えていたが、おそらくそれだけではなく、万葉は幻視した未来にとらわれていたのだろう。失いつつある大事なものを、人は畏れる。

幼年時代の泪は眉目秀麗でよく車に轢かれた以外、人々の記憶にあまり残っていない。誰もが、優秀でおとなしい性質の赤朽葉泪に、家督を継ぐべき強い男になることを期待しながら、静かに見守っているだけであった。未来に起こる彼の夭逝を知るものは千里眼奥様一人だけであったし、奥様はもちろん誰にもそれを言わず一人で二十数年を耐えた。

おとなしい泪が人々の驚きの視線を集めるのは、交通事故に遭うそのときだけであった。それは、泪が物心つき始めたころに、人々の目を奪う、わけのわからない第二子が生まれ、人々の好奇の視線や心配する気持ちはすべてその子に注がれたためでもあった。物静かで、車とだけ相性の悪い、跡取りの泪。泣き虫だった彼も中学に入るころには人前で泣かなくなったというので、それ以後はおそらく、誰にも言わず一人で泣いていたのだろう。泪のことはいまではあまり、誰も覚えていない。

時間を巻き戻して、泪が生まれた一九六四年。真っ赤な天上界はあいかわらずだったが、下の紅緑村には戦後の繁栄の象徴、オリンピックの風が吹き荒れていた。この国で初めて開催された、東京オリンピックに村中が沸き、高度経済成長の波にも乗って、家庭へのカラーテレビの普及が進んだ。男子柔道の無差別級の試合で白人選手が優勝すると、茶の間は暗い空気に包まれた。だが女子バレーボールは連戦連勝し、選手たちは「東洋の魔女」と呼ばれて一大ブームとなった。

一方で若者たちには、なぜだか退廃の空気が濃くなっていった。紅緑村の若者たちのあいだで流行りだしたのは、エレキギターやモンキーダンス、アイビールックと呼ばれる派手なファッションであった。海の向こうからやってきたビートルズに彼らは熱狂し、戦後の産業と経済を支えてきた村の大人たちはそれに眉をひそめた。同じ土地に住み、同じ家に暮らしてさえいるのに、若者と大人たちのあいだに溝ができていた。いつのまにか、彼らは同じ未来を夢見なくなっていたのだ。

新日米安保条約締結をきっかけに、一度燃え広がった新しい若者たちの反乱は、ベトナム戦争への反戦運動となってまた、野火のようにまず東京など都市圏を、そして微妙な時間差を以て地方都市の大学生などにも広がっていった。若者たちはみな、黒ずんだ肌をしてやせ細り、顔を合わせれば猛々しく議論をした。その苛立ちは彼ら若い大学生たちだけのもので、ほんのすこし年齢や立場がちがえばもう共有できない、不思議な、青春の暗い奈落であった。

豊寿などは、年もそうちがわないはずの彼らが起こす数々の闘争にとまどい、「あいつらはいったいなにをしたいんかのう。なんの答えを探しとるんかのぅ。なぁ、万の字」と万葉に聞いた。万葉はうまく答えられなかったので、ううむぅ、とうめくだけであった。膿《う》んだ若者たちはさいしょはテレビニュースの中に見かける、遠い都会の人々だったが、この紅緑村にもやがて現れて、産業道路をジグザグと、デモと称して走り回った。「闘争勝利ッ！　闘争勝利だが！」錦港に、若者たちの甲高い声が響き始めた。捕れたての魚のトロ箱を積んだトラックが、市場になかなかたどりつけなくなり、魚が傷んで往生した。

若さを病み、未来を摑もうとするがゆえに、いまの現実を否定する――。

それは確かに、新しい世代の、青春の憂鬱であった。豊寿たちはこの国の、戦後の経済を信じて邁進したが、彼らはというと、政治に黒い怒りを燃やしたのだ。それはまったくのところ、べつべつの国に生まれたのかと疑うほど、べつべつの青春であった。

このころ鳥取大学の学生を率いて活動していたのは、白いベレー帽が目印の、一人の血気盛んな男子学生であった。名を多田肇《はじめ》といい、ひょろりと痩せて顔色の悪い、二十歳の男であった。これは万葉を拾って育てた、あの若夫婦のもとに生まれた最初の子供であり、だんだんの職工である若夫婦が、長男だけでもとがんばって、学費を捻出《ねんしゅつ》し大学に入れたのだった。肇は成績こそよかったが、時代の波に自ら身を投じ、「大学なんて、授業料でのうのうと暮らしとる権力者しかおらんだが。あほらしくて通っとられん」と家で教科書を床に投げた。怒った父に庭に投げ飛ばされると、痩せたからだを震わせて「……親父にはわからん」とつぶやいた。そしてそのまま家を飛び出し、女子学生のアパートに転がりこんだ。デカダンな雰囲気をまとい、駅前のジャズ喫茶でぶくぷく茶一杯頼んで、朝から晩まで政治と哲学の話をした。

この肇は見た目こそ美貌とは程遠かったが、不思議と女にもてて、夜が更けるころにはまたべつの女のアパートに転がりこむこともしばしばであった。「闘争勝利ッ！　闘争勝利だが！」と叫びながらジグザグデモをするたび、機動隊とこぜりあいになって、主謀者の肇は紅緑警察のやっかいになった。最初こそ両親が身元を引き受けに行ったが、そのうちなかなか出してもらえなくなった。

若夫婦は赤朽葉本家の人となった万葉にはけして迷惑をかけようとしなかったが、夫のほうと職場で仲がよい豊寿が事態を知り、こっそり万葉に教えた。万葉は夫の曜司と姑のタツの目を盗んで、夜の闇にまぎれて紅緑警察まで肇を迎えに行った。赤朽葉本家の威光で留置場から自由になることを肇は拒《こば》んだが、万葉はそのおおきくて頑丈なからだをここぞとばかりに使い、「姉さんの言うことが、聞けんというだか」と無理やり義弟を引きずり出して、だんだんの若夫婦のもとに連れて帰った。肇は、この年の近い義姉《あね》に幼いころから世話になっており、なかなか頭が上がらなかった。しかし留置場で汚れたベレー帽をかぶりなおすと、ちいさな声で言った。

「姉さんは、ブルジョワだ。俺は社会矛盾と闘っとるんだ。姉さんはいま、いったいなにと闘っとるんだ？」

ベレー帽には血が染みついていた。瞳は、赤朽葉製鉄の黒煙よりもなお暗くよどんでいた。あのちっちゃな、きかん坊だった弟が、いまはこんな悲しい目をしとる、と万葉は怖気立った。いまは団地となったただんだんの宿舎に送り届けると、若夫婦の夫が出てきた。疲れきったような顔であった。ちいさな弟妹たちはもう寝静まっているらしく、コンクリでできた宿舎の中は、静かだった。

「すまんかったな、万葉」

と言われて、万葉は黙ってなんども首を振った。

玄関が閉まるとき、肇の低い声が聞こえた。「俺は国家と家族を否定する」若夫婦の妻が「……もう、勝手にしんさい」とつぶやいた。閉まった玄関のドアをみつめながら、万葉はぞくりと背中が冷えた。

この時代の大人にとっては、国家も家族も己を支えるぜったいのものであった。しかし未来は、ちがうかもしれないという予感があった。これもまた未来視であったのだろうか。国家を信ぜず、家族をつくろうとしない、そんな時代がやってくるような不吉な予感に、万葉は震えた。

コンクリの団地はどこも冷え冷えとしていた。震えながら、万葉はだんだんの上に帰っていった。

そうやって、インテリの学生たちは黒い野火を燃やし続けていた。しかしその一方で、農村地区から出て貧しさにあえぐ、発展する経済に取り残された若者たちもまた多くいた。子供を殺して寺に隠し、身代金を騙し取った吉展《よしのぶ》ちゃん誘拐事件、貧しい若者が警備員など四人を銃殺した永山事件、いまだ犯人の捕まらぬ三億円事件などが連続して起こったのも、このころのことだった。せかいはちりぢりに分裂し始めた。怒《いか》れるインテリ。富める近代産業の労働者。貧しいままの農村。オリンピック開催のためどんどん新しいビルが建てられ、変わりゆく都市と、不思議と変わらぬ地方都市。

万葉たちを取り巻く社会はめまぐるしく変化した。坂を転がり落ちるようにどこかに向かっていくこのせかいにただしがみつき、振り落とされぬように生きていくしかなかった。

だが、この時期の赤朽葉本家での話題といえば、なんといっても泪が誕生したことと、第二子の女の子も生まれたこと、その二つのおめでたのあいだに、年増女中の真砂が、大屋敷でなんどか、いわゆるストリーキングをしたことだった。

真砂は、若いころの写真を見るとなかなかの美女であった。小柄でほっそりと柳腰、黒目がちの瞳はくっきりとし、睫毛も長くて人形のようによい顔立ちをしていた。黒髪を結い上げ、女中の着るシンプルな服装——着物に腰だけをおおうちいさなエプロン姿をしていたが、たっぷりとした胸と尻、半開きの唇はなかなかに艶《つや》っぽく写っていた。だがその写真はじつのところ真砂が二十二、三歳のころのもので、万葉が嫁入りしたときにはもう、真砂は三十をすこし過ぎていた。万葉の記憶にあるのは、大屋敷のところどころを歩いていてふと視線を感じ、顔を上げると、そこに必ずいる真砂の、恵比寿柱に隠れてこちらをこっそり覗いている……つもりの、姿がほとんどであった。隠れているつもりらしいのだが、半分ほど柱からはみでていて、じいっとねめつけるその視線はおどろくほどねばっこかった。万葉が嫁入りしてから二年ほどはただそれだけで、万葉は、あの柱の陰にいる人、とだけ思っていた。もっともおぼこ娘の彼女以外はみな、真砂が曜司のコレであることは知っていたので、豊寿など、万葉と話をしていて、彼女の視線につられて振り返り、恵比寿柱からはみだしてねめつけている曜司のコレをみつけると、泡食ってしどろもどろになったものだった。真砂は年よりすこし老けていたように思うと、祖母は後年になって思い出し思い出し、語っていた。波がきて崩れ去った後の高い砂の城のような、ぐずぐずっとした感じが漂っていたという。真砂が赤朽葉本家に奉公にきたのは十七歳のころで、そのころぼんの曜司は十三、四歳だったはずだ。真砂が花が満開になるように美しくなり、ぼんに手を出すか出されるかして青春を過ごしたのはどちらにしろ過去のことで、万葉が現れたころにはもう、散りかけで色の変わった花びらが数枚、ガクにむりやりしがみついているような時期であったのだ。

真砂は、一九六五年の秋から冬にかけて、ぐうっと冷えるひときわ寒い年だったにもかかわらず、五回もストリーキングをした。一度目は朝。若夫婦が子供といっしょに朝げをとる和室の、外の廊下を、真っ裸ですまして通り過ぎたのだ。万葉はびっくりして味噌汁を壊れた水道管のように噴いた。肝心のぼんは、ししゃもの頭を取るのに夢中で——頭は苦いといって食べたがらなかったのだ——廊下を通り過ぎた異変に気づかなかった。その直前まで万葉は、ししゃもの頭を引っ張る夫を眺めながら、遠い昔に未来視した夫の死、首が飛んで死ぬるところを思い出して悲しくなり、食欲をなくしつつあったのだが、廊下をゆっくり通り過ぎた裸の年増女中を見たら、なぜだか俄然、食欲がわいた。ごはんをおかわりしながら、いまのはいったいなんだろうと考えた。だが万葉にはわからなかった。幻でないのは確かだった。女の裸はかわいそうなほど衰えて、服を着ておればまだ見られるのに、というほどせつない様子だったという。腹の肉はたるんで、豊かな胸もフランスパンふたつといった垂れ下がり方で、顔はというと能面のごとく無表情であった。

真砂が二度目のストリーキングをしたのは、昼。来客のある大広間の、開け放した障子の先で、遠く裏庭の向こうを裸の女が踊りながら右から左へ行き過ぎて、客も、相手をしていた康幸も度肝を抜かれた。そのときは遠目であり、変わり者と評判の若奥様が踊っていたのだろうと客も舅も誤解した。だが万葉は、確かに変わり者ではありますが、裸で踊っていたのはぜったいにわしではありませんと、めずらしく目に涙をためて強く訴えた。そこまで言うならほんとうだろう、この嫁は変わり者だが正直なのだ、しかしではいったい誰だ、と本家の一同で思っていると、そのうち真砂は裸で応接間のソファに座っていたり、庭のメタセコイアの木にのぼって、しかも下りられなくなり、庭師に梯子をかけてもらってなんとか下りてきたりし始めた。

最後に、若夫婦の寝室の布団にもぐって泣いていたところでみんなお手上げとなり、真砂は分家のひとつに引き取られていった。なんといっても跡取り息子のお手つきの女中であり、追放できなくもないが、それではあんまり人間の情がない、とタツが判断したためらしい。

しかし、少々奇天烈であった真砂の捨て身の情愛の表現はぼんを刺激したらしく、分家に引き取られた真砂のもとに、曜司は再び通っていくようになった。このころは、かわいらしい新妻であった万葉が泪の出産を経てすこし様変わりし、以前はなかったかすかな翳を持っていたので、そのせいもあったのかもしれない。万葉はちょうど、二人目の子供を産もうとしていたときであった。この嫁のそばには婿の代わりに姑がつきそって、ことのほか重いつわりを日々、なだめていた。

裸で走りぬけた年増女に知らないうちに夫をかすめとられる中、万葉は毛むくじゃらの第二子を一九六六年、なんとか産み落とした。これが長女、赤朽葉毛毬《けまり》である。

6　鞄と孤独

この一九六六年は、この国に六十年に一度だけやってくる「丙午《ひのえうま》」と呼ばれる年であった。十二支でいえば午年に当たるのだが、十干《じっかん》では丙であり、そのふたつが重なるのである。午と丙、その両方が激しい火の属性をもつために、この年に生まれた女の子供はたいへんな暴れ馬になり、性格もべらぼうにきつく、なにより男を食いつくすといわれる年であった。なぜだか、そんなときを選んだかのように万葉は、女の子供を産み落とした。

この年は、相次ぐ公害問題でついに、国会に「公害対策基本法」が提出されようとしていた頃でもあった。繁栄の一方で現れた暗い一面が、社会にクローズアップされ始めた。赤朽葉製鉄も公害問題を問うデモ隊に囲まれることがあった。康幸は黒煙を減らすため、ヨーロッパ製の新しい機械を研究し始めていたが、そう一朝一夕には進まなかった。一方で、職工たちが賃上げ要求のストライキを決行するなど、騒々しい時代だった。労働組合と会社のあいだに入るのはいつも豊寿だった。彼は職工の生活をよりよくすることには積極的だったが、溶鉱炉を止めたくなさに、ストライキをなんとか回避しようと毎回、画策していた。いちど止めようがなく、溶鉱炉が止められたときには、夜、黒々とした鉄の摩天楼を見上げ、なにも言わずに涙を流していた。

泣いている豊寿を尻目に、大屋敷からころころと転がるように出てきた女の恵比寿様のようなタツが、看板やら拡声器を抱えて血気盛んな若い職工たちを、甲高い声で一喝した。

「鉄の男が、火を止めるとは、なにごとよぅ！」

声は竜巻のように回転して職工たちの鼓膜を破らんばかりに、工場の敷地中に響いた。男たちはプラカードを取り落とし、拡声器は壊れておかしな音を立て始め、このまるまると太った女の、怒りに燃えるちいさな目に、空までが曇って、おびえたようにびゅうびゅうと風が鳴った。

労働争議は立ち消えとなり、つぎの朝からまた、溶鉱炉にたたらの火がもどることとなった。

「豊さん、泣かんでよ。明日からまた動くんだから」

工場の隅で一人、涙を流す豊寿を万葉はなぐさめた。豊寿は唇を噛んだ。

「一日でも、止めたくなかったんよ。切ないもんじゃなぁ、これは。あぁ、おふくろの葬式ぐらいじゃわ」

「豊さん……」

万葉が思わず握りしめた、豊寿の手はつめたく汗ばんでいた。そのまましばらくじいっとしていたが、豊寿はやがて自分から万葉の手を離し、立ち上がった。

「それにしても、大奥様はすごい人じゃな。わしにできんかったことが、かんたんにできる」

そうつぶやくと、豊寿はおおきく肩を落とした。隻眼となった瞳からはまだ涙が流れていた。人気のない工場は静まり返って、やがて歩きだした豊寿の乾いた足音だけが響いた。

このころの万葉は、第二子をみごもってからというものなぜか髪が抜け落ち、眉も薄くなり、どんどんからだの毛がなくなってきてこまっていた。泪をみごもっていたときは丸々としたお腹にたっぷりの羊水が詰まり、じゃぶじゃぶと水音がすごかったものだが、こんどはお腹はそこまでふくらみはしなかった。子供は腹の中で、うはははは、と奇妙な産声のようなものを上げ続けていた。

獣の子供でもいるようなおそろしさを万葉は感じ続けていた。腹がふくらむにつれ、さらに髪が抜け、日に日に自分が青白くなっていくのがわかった。これはどうしたことだろうと思っていると、ある夜また産気づいた。このころは曜司が寝室にいなかったので、万葉は自分で廊下まで這い出て、

「おかあさぁん――!」

大声で頼みのタツを呼んだ。なんどもなんども呼ぶと、やがて暗い大屋敷の、裏庭のずっと向こう、坂道になった廊下のずっと先から、転がるように女の恵比寿様が走ってくるのが見えた。タツの後から女中たちが、あっちのふすまを開け、こっちの障子を蹴破り、一人また一人と増えて、女たちの大行進になり、ついに大屋敷のもっとも奥にある若夫婦の寝室にたどりついた。万葉は七転八倒していた。またもや難産だった。タツが不思議に思うほど、万葉はしっかと目を閉じたままで五時間ほどのお産をやり過ごした。「あんた、どうして目を閉じておるのぅ?」とタツが聞くと、万葉はこう答えた。

「子供が、親に見られたくないもんを、見ないようにです」

知りすぎていると、負い目になるけんね、と晩年、祖母はわたしに話すときに付け加えた。

タツはまた女中たちにお湯を沸かさせ、助産婦が到着すると、

「こんどは、逆子かどうかはわかりません。嫁は目を閉じておりますからねぇ」

真面目な顔でそう言って、あとはずっと万葉の手を握りしめていた。

うはははは。うはははは。

おかしな産声を上げながらようやく出てきた子供の頭を、みんなでかたずを呑んで見ている

と、子供はとつぜんぼぅんと弾んで飛び出して、畳の上で毬のように、ワンバウンド、ツーバウンド、スリーバウンドしてようやくすこし落ち着いたというように止まった。そして大きな口を開けて、

「うははははは」

と、笑いだした。股はつるりとして、女の赤子であった。やけに毛深くて、猛々しい顔をしていた。こんどは万葉に似た彫りの深い顔立ちだった。万葉と赤朽葉の男とのあいだに生まれた子供はどの子も総じて容姿端麗で迫力のある顔立ちであった。血筋がだいぶちがうゆえに、一種のハーフであったのかもしれない。この女の子供は全身に細かい毛が生えていて、黒っぽかった。からだを丸くしてぼんぼんと弾んでいるので、タツがおかしそうに笑った。

「元気な子だねぇ。それに、毛むくじゃらだよぅ」

「完全に生まれましたか、おかあさん」

「ああ。完全に生まれとるよ」

万葉はようやく目を開けた。灯りの眩しさにくらんだ目が慣れてきて、目を見開いて自分の産んだ二人目の子供をじっとみつめた。

毛むくじゃらで眼光鋭い赤子に一目睨まれて、万葉は「ぎゃっ」と叫んで気を失った。そのあいだにタツが上機嫌で、この子に毛毬と名前をつけた。ようやく曜司が帰ってきて、うれしそうに「こんどは女の子か」とつぶやいた。

この毛毬のように毛むくじゃらだった赤子の体毛は、生後十日ほどですべて抜け落ちて、浅

黒い肌はつるりと玉のように輝いた。万葉の髪も眉も少しずつまた生えそろった。

これが、赤朽葉毛毬の誕生である。

毛毬は万葉が産んだたくさんの子のうちもっとも見た目の美しい、だがもっとも手ごわい子供であった。この毛毬が、万葉の孫娘であるわたしの、母である。今度もまた常用漢字ではなかったため、村役場には曜司が悩んだ末に万里と届けたが、大屋敷の中ではあくまで毛毬という名で呼ばれた。このあと生まれる子供がそれぞれ、鞄と孤独である。名付け親はもちろんすべて曾祖母《そうそぼ》の赤朽葉タツであり、この大奥様の奇妙な名づけには、その夫も、息子も、嫁も誰も逆らえなかったのだ。ただ一人タツの名づけに命を懸けて逆らう女が出現するのだが、それはもう少し先の話だ。


この年から始まる、最後の神話の時代の残り数年間は、子供の誕生と近しい者たちの死が交互にやってきて、赤朽葉本家の、山間に巨人の指でぐっと押しこまれたかのようなかしいだ大屋敷をさまざまに揺さぶった。しかしさらなる弟妹たちの誕生の話の続きをする前に、一九六八年、毛毬二歳の秋に万葉が視た幻の話からしなくてはならない。

赤朽葉毛毬は、暴れ馬であった。まだ立てもしないうちから甘い泣き声を上げ、心配してやってきた兄の泪を引き寄せると、思い切り腕に噛みついて離れなかった。泪はその日一日、自分の腕にぶらぶらぶらさがる妹に黙って耐え、夜になって毛毬が眠るとようやく離れたので、病院に行って噛まれたところを治療した。

毛毬は近づくものすべてに噛みつくか、蹴っ飛ばすかした。母親にだけは絶対服従していたが、母の目の届かぬところにくると、父の曜司といえども、背を向けたところで尻を噛まれたり、耳を蹴飛ばされて鼓膜が破れかけたりした。

この毛毬は鉄でできたものをことのほか愛した。幼いころから金槌や手斧などで手遊びしたり、釘をいじったり、時には人に投げつけたりし、女中たちは一時の油断もならぬとこの女の子供を警戒した。さすが、丙午の女よとタツは感心していたが、康幸は毛毬をおそれてあまり近づかず、おとなしい泪をかわいがることにのみ心を砕いていた。

その康幸が六年後に死ぬことを、ある秋の日に万葉は未来視して知った。

いまになって考えてみると、赤朽葉にかかわる人々の中では珍しいことだが、康幸はごくふつうの病死であった。

その日、万葉は応接間で来客の相手をする康幸に呼ばれて、「はい、はい」と毛毬を抱いたままで顔を出した。中央の官庁からやってきたという背広姿のお役人が三人、座っていた。タツに出されたぶくぶく茶を飲みながら、入ってきた万葉をきょとんとして見上げた。

「ほぅ、めずらしい顔つきの奥様ですねぇ」

「この嫁が、つい最近まで地球を知りませんでね」

康幸はあんなにおびえたくせに、時がすこし経つと、この話が大のお気に入りになっていた。万葉はこれが気に入らなかったので、不満そうに、

「つい最近ではありません。五年も前です、おとうさん」

「ほら、ほら、つい最近だ。わしの妻も変わり者だが、この嫁はそれ以上でね」

もういいぞ、というように康幸が片手で、万葉を追っ払う。万葉はふくれっ面をして、毛毬を抱いて廊下を戻った。そうしてその途中でとつぜん、死んだ、未来の康幸に会ったのだ。

広い大屋敷の廊下の途中に、障子を開け放された広い和室があり、鏡台がひとつぽつねんと置かれていた。部屋の中には鏡台しかなかったが、そのくもった鏡に、部屋にはないものが映っていた。幻視しているのがわかったので、万葉は足を止めた。

暗い目をした万葉は、死者にも慣れていた。これ以上はないという体験をしたあとであったので、どんな未来視にも、回復せぬそのこころは傷つくということがなかった。

そうっと部屋に入って、落ち着いて、鏡台の前に座った。

鏡に映っているのは、布団に寝かされた静かな死者であった。辺りには誰もおらず、一人きりにされた死者はしかし、肩まで布団をかけられて顔には白い布をかぶされ、誰なのかわからなかった。首はくっついているようなので、曜司ではないだろう、と思いながら万葉はそっと手を伸ばした。万葉の浅黒い腕はなんの抵抗もなく鏡の中に入っていき、死者の顔にかかる布をそっとはいだ。

康幸の死に顔であった。万葉はあっと叫んだ。ついさっきまで元気に話していた相手である。

思わず手を引っこめると、死者がぎょろりと目を開けて、こちらを見た。

「なんだ。地球を知らない嫁か」死んだ康幸は、地の底から響くような声でつぶやいた。

万葉がうなずくと、表情がかたまって動かぬまま、不思議そうな声色《こわいろ》になり、

「おまえ、どうして鏡の中にいる?」

「おとうさんこそ」

「あぁ……。これがおまえの千里眼か。毛毯がその大きさということは、おまえは過去にいるのだな。過去からわしをみつけたのだ。いいぞ、いいぞ、万葉。地球を知らない嫁」

「おとうさん……?」

万葉は、死者が機嫌よくなったのですこし恐れる気持ちを解いて、鏡に近づいた。

「そっちは、未来ですか」

「七四年の夏だ。わしは死ぬんじゃ。春からずっとふせって、家人に大いに迷惑をかけた。おい万葉、おまえがいるそこは、石油ショックの前だな」

「はぁ?」

万葉は聞き返した。死者はあわてたように、かたまった死の表情のままで早口になった。

「曜司に伝えろ。わしは七四年に死ぬ。あいつに赤朽葉を継いでもらわなきゃいかん。きちんとつなげて、泪の代に渡さなくてはならん。心構えがあったほうがよいだろう。必ず曜司に伝えろ。わしが死ぬと」

「おとうさん……」

「わしが死ぬすこし前に、石油ショックがくると言え。あぁ、こう言ってもわからんな。遠く、アラブの国が石油を売らなくなって、そのせいで世界中で物資が不足する。あおりを食って製

鉄業も、おそろしい鉄冷えの時代が始まる。たいへんな時期に、わしは死ぬ。いまから用意をしておけ。よいな。わかったな」

「はい、はい、伝えますけど……」

万葉がなんどもうなずくと、康幸は目を見開いたままでじいっと万葉をみつめた。

万葉はこの舅にいろいろと負い目があったので、目を伏せて思わず、つぶやいた。

「おとうさん、わし……。わし、不足な嫁でしたねぇ。あいすみません……」

返事がないのでそっと目を上げると、康幸は自分で布を拾って、自分の顔にかけていた。地の底から響くような声で一声、

「万葉、気にするな」

言うと、ぷいと顔をそむけ、また完全に死んだ。鏡台は少しずつ未来の夏から離れて、やがてなにも映さなくなったと思ったら、なんと鏡台までがかき消えた。部屋にはまったくなにもなかった。万葉は転がるように廊下に出ると、曜司を捜した。あんまり万葉があわてて夫を呼ぶので、女中の一人が気を利かせて、分家に囲われている真砂のところに、曜司を呼びに行った。すわ、二号さんのことで嫁に狂われるのかと戦々恐々として曜司は戻ってきただろうが、万葉の語ることを聞いて顔色を変え、なんども、石油ショックとはなんだ、と繰り返した。万葉は、石油が、鉄が冷えて、としどろもどろでなんとか伝えたが、曜司はそれきり頭を抱えてしまい、そのあと三日三晩、書斎にこもったまま出てこなくなった。

夜中に覗くと、曜司は書物を読み、あちこちに電話をし、経営について頭を悩ませているよ

うであった。覗いている万葉に気づくと笑顔で書斎に招きいれ、自分の膝に妻をちょこんと乗せた。髪をいじって遊びながら、

「俺は、会社のことは親父にまかせっきりでいたからね。まだまだ生きていると思っていたもんだから。だけど、あと六年しかないんだね」

「えぇ、えぇ」

「俺ももう三十だ。高等遊民も、潮時だな」

さして残念そうでもない声色でつぶやくと、また書物をめくり、頭を抱えだした。

そうしてこのころから曜司は、分家の二号さんに通うことがぴたりとなくなったのだが、今度は真砂は、裸で走ったり踊ったりはしなかった。というのは真砂もまた曜司の子をみごもっているところであったのだ。

この子は毛毬と鞄のあいだに、三人目の子供として生まれて無事に認知され、とある理由で、本家の人々に怖れられる存在となった。だがそれはもう少し先の話だ。


このころ、紅緑村の下界はというと、さまざまな原因による公害が本格的に問題になり始めていた。曜司の意見でつくられたコンクリの団地も、光化学スモッグでいつもかすんで、だんだんの上からではその姿がよく見えないほどになっていた。上から見下ろすと、まるで灰色の雲の上にいるかのように、曇った空気が不気味に光っていた。団地の上のほうの部屋は、雲に隠れる摩天楼のようにかすんでいた。職工のどの家でも、昼間から電灯をつけなくては暗くて

生活できぬといわれるほどに雲に覆われ、昔、夜になるとひな壇のぼんぼりのように輝くちょうちんと電灯を、景気の良さよと憧れて見上げられていたころとは雲泥の差であった。子供たちには喘息が流行り始め、職工の父親も気管支を患うことが多くなった。先に退職した、年配の職工たちが病に倒れると、「職工は稼ぐけど、長生きできん」と噂された。

戦中、戦後と望まれて続けてきた、大量消費のための大量生産体制は、労働災害も多く生んだ。紅緑村もそうであった。熟練の手仕事であった職人の時代には考えられぬ、大型機械による巻きこまれ、挟まれ事故が起こると、被害者のからだは粉々になって、遺族にも確認できぬほどぢりぢりかぺったんこの姿で死んでしまう。

その一方で社会は、攻撃的で前衛的な若者の文化に興味を移しつつあった。ものを生産している実務の現場は汗まみれ、油染みの飛び散るままで、華やぐ近代に忘れ去られていくようでもあった。

徒手空拳で闘い続けて、気づけば周りの景色が灰色に変わっている――。

とはいえ景気は相変わらずよく、人々は皆、このまま大きく世の中が変わることはないだろうと信じていた。この前後、トヨタ自動車工業の自動車生産が三百万台を突破した。自動車生産高は世界第三位の勢いであった。鉄鋼、セメント、繊維業などもそれに次ぐ勢いを保っていた。国民総生産が世界二位にまで浮上し、大阪で万博が開かれる、オリンピックのつぎは万博じゃと皆、顔を輝かせていた。繁栄を約束せんとするように、赤朽葉製鉄所からも日々、黒煙がもくもくと吹き上げて空を黒く染めていた。

女中真砂が女の子供を産んだのは、そんな繁栄の最後の最後、牡丹雪《ぼたんゆき》が舞い散る寒い冬の朝のことだった。

分家のほうが騒がしいと思ったら、曜司がそわそわして出て行った。誰も万葉にはなにも言わず大屋敷からも出さなかったが、万葉は裏庭のいちばん高いあすなろの木に登って、遠く、分家の赤い屋敷のあるほうを、目を細めて見下ろした。視力がいいのか、それとも幻視しているのか、万葉は遠くの景色をよぅく見ることができた。

虚ろな目をした女が一人、布団に寝かされておったよ、と万葉は後で語った。その目はなぁんも映しておらんで、かたわらにいる助産婦が女のあかんぼうを抱いて、見せておるのに、ちらとも見ようとせん。

女の子供を産んだ真砂はもう踊らず、走らず、ただいつまでも天井を見上げていた。真砂は頑強に、タツに子供の名をつけられることを拒んだ。裸婦やら舞踊やらと名づけられるのを恐れたのだと、女中たちが後に噂した。真砂は誰も知らないあいだに、産後のひだちも悪いというのにだんだんの下の役所まで歩いていき、生まれた子供に百夜《ももよ》と名づけた。百の夜をともにして産んだ子であるぞよと本妻の万葉にあてつけた名だろうと、製鉄所の職員、職工やその妻たち、あの日万葉の嫁入りを手伝ってエーコラ、ヨイコラと花嫁駕籠を押しただんだんの人々は憤《いきどお》り、この日から真砂は、妾《めかけ》の心得がなっておらんと忌み嫌われるようになってしまった。

だが真砂はもともとそういったことを気に病むたちではなかった——気に病むようなら裸踊り

もせぬだろう――し、万葉のほうも、そのじつ曜司と好きあって嫁にきたのとはすこぅしちがう、奇妙な縁での夫婦であったので、世間で思うほどには嫉妬に落ちこんだりはせぬようだった。少なくとも、愛する息子、泪を産んだ後ほどには面変わりしなかったようだ。だが、万葉をよく知る人が予想したよりは、ほんのすこし、これ以降は元気をなくした。

その朝、あすなろの木に登って生まれてきた子供を遠く見下ろしている万葉を気遣ってか、豊寿が訪ねてきた。激しさを増す牡丹雪に大通りの坂道は隠されて、その奥からゆっくりと、雲を縫うようにして豊寿が上がってくるのが、万葉には遠く見えていた。

坂の途中で、めずらしいことに豊寿は一度、止まった。咳きこんでいるのだと万葉は気づいた。それからまた豊寿はゆっくりと歩きだした。裏庭の木戸を開けて入ってきて、万葉が気に入りの庭のどこかにいるのだろうと、きょろきょろ捜し始めた。万葉はおかしくなって、豊さんと声をかけた。驚いたように豊寿が振り仰ぐ。あすなろの木の枝から、万葉は季節はずれの赤い木の葉のように、豊寿に向かって飛び降りた。

「豊さん、受け止めて」

「おぉ!」

豊寿は両手をいっぱいにひろげ、残った左目を大きく見開いて、ひらりと落ちてきた万葉を抱きとめた。それから、しばらくじっとそうしていた。

豊寿は背中に回したごつごつとした腕に一瞬、力をこめた後、ゆっくりと手を離した。

万葉は寒い、冬枯れの庭に、豊寿と二人で、長いあいだ立っていた。

「豊さん、ずいぶんゆっくり上ってきたねぇ」

そう言うと、豊寿は不思議そうに聞いた。

「あんた、見えとっただか？」

「あぁ、よう見えとった」

「目がいいなぁ、あんたはほんとに」

「わざわざ坂を歩かんでも、飛んでくればいいのに。だって、あんたは飛行人間なんじゃけん」

「ははは、まだそれを憶えとるのか」

豊寿は腹を抱えて笑った。

それから、ポケットからおおきな蜜柑《みかん》を一つ出した。万葉に渡して、

「もらいもんじゃ。一つやる」

「ありがと」

「さいきん、どうじゃ」

「どうって……子供が二人いると、たいへんじゃな。女中さんたちがおるから楽といえば楽じゃけど。多田の家におるときは弟妹が山ほどおって、面倒見とったから、いまはちょっと、わしは、贅沢でなまっちょるのかもしれんなぁ」

万葉はそれだけ言うと、立ったままで蜜柑をむきはじめた。口に入れると蜜柑は甘かった。

庭に冬枯れの風がびゅうと吹くと、木々に積もった水気の多い雪が地面に重たい音を立てて落ちた。

万葉は豊寿に出逢った朝のことを思い出していた。山の娘が、と快活な笑い声を上げた豊寿。若い、翳りのない眩しい笑顔に、二つそろっていた目。希望に燃え、自負をもったあの若者。あれから何年が過ぎたのだろうか。

「豊さんは、所帯をもたんの？」

万葉はふとそう聞いた。豊寿を心配する思いもあり、変化することへの不安もあった。

「……そうじゃなぁ」

「もう、わしもあんたも、二十五じゃきに。ええ年じゃ」

「俺は片目になっちまったから、嫁もこんじゃろう」

「そんなん、関係ないわ。よぅ働いとるもの。あんた自分でも、昔、男はそれがいちばんじゃって言っとったのに」

豊寿は片方だけになった目を細めて、笑った。二人ならんで庭を歩いて、おおきな廊下の縁側に座った。吐く息が白い。冬枯れの庭には、万葉がぽいと投げた蜜柑の皮だけが鮮やかな色彩で輝いていた。

豊寿は暗い目をして、足元の雪をみつめていた。

「俺は、なんだかなぁ、おふくろの死に様が頭から離れんのじゃと思う。あんなふうに死なれたら、かなわんわ。だけど、丈夫な女となら所帯を持っても悪くないかもなぁ」

「丈夫な女？　妙なことを言う人じゃなぁ」

そう言いながらも万葉はふと、昔、うつくしい振袖男の兄じゃをなくした出目金の、婿取りのことを思い出した。

丈夫な男を選んだ、出目金。万葉たちにとって戦後は、丈夫な男と、丈夫な女が、死に物狂いで崖を這い上がっていく、その死に物狂いの汗と油にまみれた、そういうものであった気がした。

そうしていまこのとき、気持ちの弱い女が一人、自分の夫の子供を産み落とした。だんだんは黒煙に覆われ、豊寿は片目をなくして、こうやって万葉の隣にただ座っている。五年の後には石油ショックがやってきて、その混乱のうちに、頼りの強い男、康幸は病で死んでしまうのだ。

時の流れを万葉は思った。百の夜が明け、千の日が暮れた。

そしてちょうどそのころ、分家の人々がのちに語ったところによると、虚ろな目で天井を見上げていた女中真砂が、ようやくわが子を腕に抱いたという。タツやら、分家の女たちやら、助産婦が息を呑んで見守る中、真砂はわが子の顔にとつぜん唾を吐きかけ、

「似ておらん！　ぼんにも、大奥様にも、似ておらん！　わしは赤朽葉らしい子供を産みたかったに！　わしに似てどうするだが！」

大きな声で叫んで、おいおいと泣き伏した。

真砂は二日後に自分で役所に行き子供の名前を届け、また戻ってきたところで無理がたたって、寝込んでしまった。そして二度と踊ることなく、寝たり起きたりしながら百夜を育てたが、百夜が大人になるのを待たずに、十一年ほど後に病にて他界した。戒名《かいみょう》は阿弥陀裸黎明踊女。

こんな名前つけられたら化けて出るでと、古参の女中たちが噂した。

この真砂の話になると、晩年の祖母はすこぅし元気をなくしたものだった。なぜかと聞くとかなしそうに「男欲しさに裸で踊るほど、わしは、情が濃くないけんねぇ。なんだかずっと負い目があるんよ。そういう、強《こわ》い女の人にはねぇ」と、しゅんとしてつぶやいていた。

百夜は真砂の死後、タツの命によって本家で引き取って、泪、毛毬、鞄、孤独といっしょに育てられた。控えめだが水気の多い感じの子供だったと、後に鞄が語った。

「おとなしいけど、くせもんよ。いつもしんねりむっつり黙っとったけど、毛毬ねえちゃんの男を片端から寝取っとったけんね。寝取りの血筋よ。女親から、女の子供に、遺伝するからね。あぁ、こわ」

寝取りの血筋、と腹違いの妹に言われるほどの、百の寝取りの夜から生まれた百夜と、泪の夭折によって本家の跡取り娘となった丙午の毛毬との闘いの火蓋は、この十三年の後にきって落とされるのだが、それはそれこそもっと先の話である。寝取りの百夜誕生と前後して、ビートルズが来日公演をし、万博が終わり、よどんだ、暗く激しい目をした若者たちによる浅間山荘事件が世を震え上がらせ、そうこうするうちに幻の鏡台を触媒に未来の死者が告げた、せかいのおわり、石油ショックの年がやってきて、紅緑村を恐慌の嵐が襲ったのだった。

7 いまじん

真っ赤な天上界は相変わらずであったが、下の紅緑村では近代の波が人々の生活と文化を否応なく変化させていた。

七〇年代になって紅緑村にあふれた若者たちは、やけにシラケたポーズを取りたがる世代であった。おそらくほかの時代の若者たちと本質がそう変わるということではなかったが、熱い思いや夢などを声高には語らず、胸に秘めて、さめているふりをすることを覚えた世代であった。村のあちこちで、けだるい様子の若者たちが輪になって、なにをするでもなくだらけている横を、背広姿の大人たちが忙しそうに通り過ぎていた。

石油ショックがやってきたのは一九七三年の秋。原因がこの国からずっと遠い、中東の政情勢であったので、ほとんどの人々にとっては寝耳に水だった。昨日と同じ今日のつもりでいたら、とつぜん原油価格が約二十パーセント高に変わったのである。

人々は物資が不足することを恐れて、買いに走った。年寄りたちの脳裏には、終戦後の配給や闇米の記憶がまたよみがえってきた。

生活物資の心配をするだけでは足りなかったのが、各製造業の現場であった。物価が上がり、製鉄業では〝鉄冷え〟といわれる状態が始まった。これまでの景気がよすぎたのだという者もいた。

紅緑村では、年が明けると頼みの康幸が病に倒れた。豊寿たち職工も駆けつけたが、太平楽に過ごしているように見えた跡取りの曜司がことのほか冷静で、康幸の枕元であれこれと報告しながら、鉄冷えの時代をなんとか乗り切った。赤朽葉製鉄という、紅緑村の経済を支える巨大な軍艦は、艦長を息子に替え、近代の大海原をゆったりと航海し続けた。

このすこし前、祖母はというと、三人目の子供、鞄を産み落としていた。石油ショックがくるとそれどころではなくなるだろうと、六九年の夏に曜司が万葉を玉造温泉に連れ出したのだった。二人が連れだって旅行に行ったのは、これが最初で最後のことであった。このとき、万葉の臨月のお腹はなぜか四角く張り出していて、どうして今回は角ばっているのだろうと夫婦して首をかしげていたが、生まれた子供はこれまででいちばん普通の女の赤子であった。温泉宿で産気づいた万葉は、今度もしっかりと目をつぶってたいへんな難産をひとりで乗り切り、あわてふためく曜司は生まれた子供を四角い旅行鞄に入れて、妻を連れ、タツの指示を仰ぐために急いで紅緑村に戻った。タツは上機嫌で子供を抱き、鞄と名づけた。大奥様のこの独特の名づけには、それが人の名前にふさわしくなかろうが、常用漢字、人名漢字でなかろうが、本家の誰も逆らえなかった。曜司が熟慮の末、村役場には花盤の字で届け出た。

この次女は、顔立ちこそ毛毬によく似ていたが、毛毬よりもずっと普通の様子だった。そのせいか毛毬よりもずっと長生きした。

この後、祖母は七五年に男の末子を産み落として、気が済んだかのようにそれきり子供を産まなくなった。万葉はすこし離れたところからいつも、長男の泪を見ていた。七四年から七五年のあいだには、康幸の死と、製鉄所の大型改革があった。康幸は万葉が未来視したとおりに七四年の夏、病にて息を引き取った。過去とうまくつながるようにと、通夜のときに万葉は鏡台を探し出してきて、部屋の目立つところにでんと置いた。いったい若奥様はなにをしているのだろうと分家の人々も興味しんしんで万葉を見ていたが、万葉はなんのために鏡台を置いたのかはなにも言わなかった。タツもなにも聞かないので、分家の人々は気になりながらも、聞くに聞けず、千里眼奥様が固唾《かたず》を呑んで康幸のなきがらをみつめるのを、遠巻きにして見守っていた。

製鉄所の大型改革は、康幸の死を境にして曜司の手で粛々と進められた。鉄冷えによって、かつては憧れの職業であった職工は、過去の栄光に変わり始めていた。三交代制で汗と油にまみれて働くよりも、冷房の効いたオフィスでスマートに働くほうが利口な選択だ、と思われるようになってきたのだ。職工の息子たちも、父と同じ仕事に就こうとはしなかった。職工はオフィスで働くホワイトカラーではなく、しかし伝統を引き継ぐ職人でもなかった。高度経済成長の中で生まれた、ひとときの花形、徒花《あだばな》職業であった。その輝きはうたかたの日々に消え、彼らは、背広ではなく作業服を着て、薄暗い工場で機械に使われる、人間でできた古くさい歯車のように思われ始めていた。

鉄冷えがそれを後押しし、若者がなかなか入社しないために、職工の平均年齢が上がっていった。生産高を縮小したため、余剰人員ができた。

「目で見て、肌で感じんと、溶鉱炉のことはわからん」

溶鉱炉の現場に携わる豊寿は、職工を代表してそう主張したが、曜司とのあいだで意見が分かれた。精神論は古いものになり、いちいち口を出す職工は煩《うるさ》がられるばかりだった。経営者側としてはそれより、技師が企画した枠内で流れ作業を効率よくやってくれる、考えぬ歯車のような若い職員を歓迎していたのだ。

「豊さん、人を減らすぞ。もっと機械の判断に頼ってくれ。溶鉱炉はさいきんではきちんとリモートコントロールされとるんだ。技師がついとる」

「ちがう。若社長はわかっておらん。溶鉱炉は生きとるのに」

二人がすれ違う中、曜司は労働密度を高めて人員を減らし、公害問題にも対応する新型の機械を導入した。新しい環境に適応できぬ年配の職工から順に、つぎつぎと解雇された。工場は機械の立てるつめたい音を響かせるだけで、人の掛け声などはどんどん聞こえなくなっていった。

工場内も冷房が効いて、夏痩せの原因だった湿気もコントロールされた。季節に関係なくいつも同じ温度と湿度を保つ。手の空いた職工たちは運転免許を取らされ配送作業のほうに回された。曜司は新しい時代の、この国の働く男に必要なのは、フットワーク、スキル、ライセンスの三つであると説いた。

「豊さん、頭を固くせずに身軽に、仕事の内容を変えていくことも大事だ。それに、免許もだ。

ここで仕事ができなくなっても、運転免許があればつぎの仕事は探せるし、機械に強くなれば仕事の幅も広がる。わかるか」

「わからんわ。俺には若社長の言っとることがわからん。こんなリモートコントロールなんてもんを信じることはできん。こんなもんには、俺は触りたくもねぇ」

「……それなら勝手にしろ。職工風情《ふぜい》が口を出すな。なにもわかっとらんくせに」

曜司がつめたい声でそう言い、話を打ち切った。父の生前から、息子である己よりも父と親密に話し合っていた豊寿への、ほのかだが根深い、男の嫉妬もあったのかもしれない。若社長の口から出た、職工風情、というあまりの言葉に、豊寿も顔色を変えて黙った。

この日を境に、二人の男は万葉のとりなしをもってしても、互いにけして口を利こうとしなくなった。ともに頑固な、昭和の男であった。

製鉄所から上がる黒煙は、すこし減った。生産高を抑え、ゆっくりと、時代とともに変化することで生き残ろうとしていたのだ。

この時期、万葉は大屋敷に一人でいることが多かった。子供を三人抱えて忙しかったが、夫は生業の危機であると会社にこもり、大屋敷に帰ってくることがまれであった。産気づいて初めて、万葉は四人目の子供がお腹にいることに気づいた。今度はあまり腹がふくらまず、この末子は生まれてからも遠慮がちな性格であったためか、胎児のときもお腹におりますよとあまり主張することがなかったのだ。すわ、出産、と気づいたのはその年の大晦日。嫁いできたころ、万葉が地球儀をみつけて猫がじゃれるように遊んだ、あの応接間でのことだった。そこにカラーテレビが置かれているために、万葉はその部屋で、子供や女中たちとともに、年越しそばの相談などしながら、紅白歌合戦を見ていたのだ。

「おかあさぁんー!」

固く目を閉じたままで呼ぶと、また転がるようにしてタツがやってきた。万葉が真っ青になってがたがた震えていると、タツは女中たちの尻を叩いて湯を沸かさせ、助産婦を呼んで、落ち着いて出産をさせた。

時代は核家族化が進み、新しい夫婦たちはぴかぴかの団地の2LDKか、郊外の住宅地の一戸建てをほしがっていた。夫たちは会社人間となり、母と子が、ぴかぴかの家に二人きり、三人きりで残され始めた。曜司もまた、モーレツに働く男となって、以降はあまり、いつのまにか翳のある様子になった妻や、子供たちのほうを振り返ることがなくなった。

遠い昔、ぶくぶく茶屋で出会って、一杯の茶をご馳走してくれたときの夫のことを、目を閉じて孤独を産みながら万葉はなつかしく思い出したという。酒を飲むでもなく、女を買うでもなく、女学生のようにお茶を飲みながら、小難しい洋書をただのんびりと読んでいた曜司。長い髪と、長すぎて影法師のようだった腕。メニューを読み上げた、細い声。そして幻の中でぽぅんと飛んだその首。

それらはもうとうに失われ、いま遠く会社にいて帰ってこぬのは、万葉の見知らぬ男であるかのような、ビジネスマンの曜司であった。現場に足を向けることなく、空調の効いたオフィスで背広を着込んだ社員たちと、朝も夜も会議を続ける。はじき出された数値に一喜一憂し、つぎの改革を練り上げる。公害で健康を害した人々が裁判に訴え、曜司は弁護士との打ち合わせにも時間を取られ始めていた。そんな中で、孤独な万葉から、泣きもせずに生まれてきたその控えめな子供は、男だった。

タツはこの子供に孤独と名づけた。

その名をつけられる呪縛を思い、万葉はやんわりとタツに問うた。嫁いできて初めて、遠慮がちにではあるがこの姑に意見をしたのだった。するとタツは悲しげに首を振り、

「名前が運命を決めるのではないよ。この子の運命は孤独としか名づけられないものなんだよぅ。この名になるのは、決まっておるの」

とつぶやいて、ちいさな目でじぃっと万葉を見た。

万葉もそれ以上はなにも言わなかった。自分は腹から孤独を産んだのだ、と怖れながら思ったのだった。この子の名は、曜司が悩んだ末に村役場には二郎と届けた。しかし真っ赤な大屋敷では、その名で呼ぶ者は誰もいなかった。

孤独は、泪に似ていた。兄弟の中では控えめなほうだが、しっとりとした美しい顔立ちをして、黙って母親を見上げていた。ようやく目を開けて赤子を見た万葉は、思わず、励ますように赤子を抱きしめたという。

タツがとつぜんの出産を会社に連絡させると、夜遅くになって曜司が戻ってきた。その顔がまだ若かったので、万葉は、この人はまだまだ死なん、と安堵した。曜司は赤子の枕元ですこし寝て、朝になるとまた会社に戻った。万葉出産の報は朝になって分家たちにも伝えられた。

坂の下の、分家のほうから女の吼《ほ》えるような声が聞こえたが、万葉は、たぶん真砂が吼えておったんだと思うけどねぇ、と後に語ったけれども自信なげだった。それとも、犬を飼っておったのかも、などと首をかしげて言うので、真偽のほどはいまではわからない。ともかく、一九七五年の正月、紅緑村の神話時代の最後の年に転がりこむようにして、物静かな、寂しい男が一人生まれ落ちた。

そうして急速に、古い神々への人質として、赤朽葉本家の女帝タツが貰い受けた捨て子の嫁、赤朽葉万葉の神話時代は終わりを告げる。近代が、昔ながらの山間の土地、神話と不思議の国であった鳥取県西部、伯耆国《ほうきのくに》と、隣接する島根県東部、出雲国に風が葦《あし》を薙《な》ぎ倒すようにやってきて、変えてしまった。いまではこのあたりの土地に、不思議や神話を求めてぞくぞくとやってくる観光客にも、あの独特の、出雲国風土記《ふどき》そのままであるかのような古代の息吹はもう見えないことだろう。国の終わりは、七〇年代にひっそりとやってきて、やがて鳥取県も島根県も、日本の都道府県の一つであるただの地方都市に移行したように思える。不思議が残るとすれば、このあともひっそりと千里眼として生きた、赤朽葉万葉一人であろう。もしかすると紅緑村のところどころに、そのような老人がいまも生きているのかもしれないが、少なくともその気配はわたしには感じられない。

この最後の神話の年、万葉は古い友人と連れ立って、山に登った。本来ならもうとうにこの時代を語ることをわたしは終えているはずだが、最後に一つだけ、夢とも現《うつつ》ともつかぬ、万葉の思い出話を書き記して終わろうと思う。

万葉の友人、出目金こと黒菱みどりは、力道山似の婿に黒菱造船のすべてを任せて、自分は太平楽に着飾って暮らしていた。みどりは子供を三人産み、そこで打ち止めにして「あんまりいても争いになるけんね」と言って後は、紅緑の商工会議所で週に三回、フラメンコを習って過ごした。金と黒の衣装に身を包んで、カスタネットで情熱の音色を鳴らす。万葉はみどりに誘われるたび逃げ回ったが、ある日、「今日はフラメンコのことじゃないんよ」と言って、みどりが神妙な顔をして迎えにきた。

「どうしたんよ」

「山に、登らん?」

みどりはやけにすっきりとした顔をして、万葉の手を引いた。なんでも、地図をつくるためにお国の人が撮ったこのあたりの航空地図を見ていたら、気になるものがあったのだという。

「気になるもの?」

「白黒の写真じゃから、よぅわからんけど。なんだかな、四角いな、箱がたくさんあるように見えたんよ。目の迷いかもしれん。わしがあんまり、いつまでも兄じゃのことばかり考えとるから」

「四角い、箱」

「憶えとるか、ひろわれっ子。あの夜のこと。あの明け方のこと」

出目金が目玉をぎょろりとむいてこちらを振り返ったので、子供を部屋に置いたまま、着物に草履という格好で歩きだした万葉は、なんどもうなずいた。

「忘れるもんかえ」

「わしもじゃ。二人でひろったなぁ、兄じゃのからだ。ばらばらになっとったなぁ。わしはこうやって、まだあたたかい首を抱いたんじゃ。金のかんざし、黒い髪。それから腕をひっぱったんじゃ。なぁ、足は重くて、二人で抱えたなぁ。なぁ、万葉」

「そうじゃ。四角い箱に、あんたのきれいな兄じゃを詰めて、それから精も根も尽き果てて、二人で寝ちょったんじゃなぁ」

　万葉はあの夜、気づくと箱がどこへともなく消えて、代わりに自分の膝の上に、鉄砲薔薇が一輪、飾られていたことを思い出した。

　いまではもう誰も、自死した家族が出ても、トコネン草を焚かない。紫の煙が天にむかう紐のように細く、まっすぐにのぼっているところを見ることもない。彼らはまだ山にいるのだろうか。それともどこか遠くに去ってしまったのだろうか。まさしく黒い風のように。万葉の親たちは。〝辺境の人〟たちは。

　出目金がこっちじゃ、というほうに、万葉は草履のままでどんどん登っていった。季節は秋のことで、夜ともなれば山はおそろしく冷える。このまま走っていっても、無事に戻ってこられるかわからなかったが、なぜだか、二人の、もう若くない女には衝動が生まれて、足が止まらなかった。

「もう、帰れなくても、いいんじゃ」

万葉は思った。育ての母は、女にできるご恩返しは、たくさん子供を産むことじゃと言った。万葉はもう四人の子を産み、妾腹の子も入れれば曜司には五人の子供がいることになる。石油ショックのことも先に告げ、そのかいあって赤朽葉製鉄は倒れることなく今日も動き続けている。千里眼奥様の役目はもう終わっておるのでは、と万葉は思った。心残りは、本当の親たち。〝辺境の人〟たちをめぐる解けることのない謎であった。

出目金は黙って、山を指差して歩いていた。いつしか二人は、子供のころでさえしなかったというのに手をつないで、歌いながら山を登った。けものみちを。竹やぶの奥を。出目金は耳慣れない英語の歌を、万葉に歌って聞かせた。

Imagine there's no countries
It isn't hard to do
Nothing to kill or die for
And no religion too
Imagine all the people
Living life in peace. . .

You may say I'm a dreamer

But I'm not the only one
I hope someday you'll join us
And the world will be as one

Imagine no possessions
I wonder if you can
No need for greed or hunger
A brotherhood of man
Imagine all the people
Sharing all the world. . . .

You may say I'm a dreamer
But I'm not the only one
I hope someday you'll join us
And the world will live as one

想像してごらん　国境なんてないんだと
むつかしくないだろ

殺したり死んだりする理由もないんだ
宗教もないんだ
想像してごらん
みんな平和に暮らしているのを……

僕のことを夢追い人だと思うかもしれない
でも僕ひとりじゃないんだ
君もいつの日か夢追い人になってくれ
そうすれば　世界はひとつになる

想像してごらん　財産なんてないんだと
君にできるかな
欲ばったり飢えたりする必要もないんだ
みんな兄弟なんだから
想像してごらん
みんなで世界を共有しているのを……
僕のことを夢追い人だと思うかもしれない

でも僕ひとりじゃないんだ
君もいつの日か夢追い人になってくれ
そうすれば　世界はひとつになる

出目金が目玉をぎょろつかせて、あんまり一生懸命にその歌を歌うので、万葉はおかしくなって、「なんじゃ、その歌は」と聞いた。

「ジョン、じゃ」

「……流行歌か」

「うちの造船所の、若いのが歌っておってな。写真を見せてもらったら、これを歌っとるうらなりの男が……」

「なんじゃ」

「兄じゃに似とる気がしてな。ぐにゃっとしとるんじゃ。なぁ、うちの兄じゃも、ぐにゃっとしとっただろう」

遠い昔に、振袖の裾をまくっていたきれいなおんなおとこのことを、万葉は思い出した。うなずいて、そうじゃなぁとつぶやいた。

そうして三日三晩かけて山を歩き、夜の闇の中でもなぜだか迷うことなく二人は突き進んだ。明け方になると疲れて渓谷ですこしまどろんだが、朝日とともにどちらからともなくまた起き上がり、山のおくへ、おくへ歩き続けた。川をみつけると浴びるように水を飲み、木の実をもいでは食べ、二人は進んだ。山の人たちのように、地図もないのにまっすぐに突き進んだ。

三日目の夜が更け、二人は渓谷でまどろんだ。すると、明け方になって出目金が、万葉を乱暴に揺り起こした。

「ひろわれっ子！　ひろわれっ子！」

「……なんじゃ、いじめっ子」

「ここじゃった。ここじゃった。兄じゃがおるのは」

ゆっくりと目を開けると、薄紫色の朝日に照らされた渓谷には、朝露に濡れる、何十、何百という四角い木の箱が散らばっていたという。谷間には季節はずれの鉄砲薔薇が咲き誇り、そのそこここに、箱はあった。打ちつけられた釘は女の手では開けられなかったが、ひとつだけ釘がゆるんで開く箱があった。女二人で力を合わせて開けてみると、そこには古い絣の着物を着た、美しい女が死蠟化して詰めこまれていた。閉じた瞳は睫毛が長く、首には荒縄が巻かれたままで、腿と脛を折られて正方形の箱にぴっちりと収まっていた。寛永五年、と箱の内側に墨で黒々と書かれていた。

いまも生きているかのようなその姿に、万葉も出目金も腰を抜かした。ここでは死体は腐らず骨にならず、ずぅっとこのままなのか。そう思ったときに朝のつめたい風が吹き、女が詰められた箱にぶつかったかと思うと、女の皮膚も目もなにもかも粉塵となって舞い上がり、ぽっかりあいた洞穴《ほらあな》のような目と見事な黒髪だけを残して古びた死骸に成り果てた。

出目金が腰を抜かしたままで、叫んだ。

「兄じゃ！」

渓谷に響いた出目金の声は、ただむなしく山彦《やまびこ》となってもどってきた。出目金はなおも叫んだ。

「兄じゃ！　兄じゃ！」

「おとうさーん！　おかあさーん！」

万葉も叫んだ。捨て子の寂しさがこの年になって、渓谷の朝靄《あさもや》の中、とつぜん胸にせまってきた。

「おとうさーん！　おかあさーん！」

「兄じゃ！　わしじゃ、ここにおるでぇ！」

塩辛い涙が流れた。二人は抱きあって、いつまでも叫んだ。

「おとうさーん！」

「兄じゃ！」

答える声はなく、ただ無数の箱だけがあった。風に鉄砲薔薇がそよそよと揺れ、朝靄が濃くなって、やがて渓谷の不吉な箱も、薔薇の野原も、紫色の朝靄の中にどことも知れず薄まって消えてしまった。

万葉と出目金は泣きながら、手をつないで、歩いて山を降りた。英語の歌を不器用に、声を合わせて歌った。

「いまじん、おーる、ざ、ぴーぷるー」

「ぴーぷるー」

出目金の声に、万葉の声がときどき、すこし遅れた。手をつないで、行進するように、もはや若くなくなり片方は嫁としての、もう片方は跡取り娘としての役目を終えた、古びた二人の女は、岩清水を飲み、木の実をもいで食べ、足を血まめで赤く染めて、泣きながら歩き続けた。

「どこに行ったんじゃろうなぁ」

万葉が誰に問うでもなくつぶやいた。

「わしを置いていった、あの、風のような人たちは。どこに行ったんじゃろうなぁ」

「もっと、山の奥深くかもしれんな」

出目金が涙を拭いて、つぶやいた。

「世の中は、せまくなっちょるから。山の中だって、秘密の暗がりじゃなくなっとるだろう。でも、中国山脈は魔境じゃから。もっともっと奥にいけば、航空写真にもうつらん、わしら里の人間には到達できん、ほんとうの山奥、古代の伯耆《ほうき》の森がまだあるけん。きっと、そういう、ほんとうの奥の奥に行ったんよ。——変わらないために」

「そしたら、もう、ほんとに会えんのじゃなぁ」

「あんたはもう、里の子じゃ。タツさんとこに帰ろう」

「あぁ」

「わしの兄じゃの魂も、あの谷で静かに、風と薔薇に囲まれとる。わしは兄じゃを産むつもりで三人も子を産んだが、一人とてうつくしい兄じゃには似んかった。でも、いいんじゃ。兄じゃは風と薔薇の男になった。いまじん、おーる、ざ、ぴーぷるー」

「ぴーぷるー」

ふたりはまたびしょびしょ泣き出して、行進して、三日の後に里に戻った。

とつぜん風のように姿を消したきり長きのあいだ帰らずにいた赤朽葉製鉄と黒菱造船の若奥様たちを捜して、村の人々は右往左往していたが、二人で山道に迷ったというと事なきを得た。二人はそれぞれ、女の恵比寿様のような姑と、力道山似の婿のもとに戻って、これ以降は山の話も箱の話もせず、それぞれの子供をきちんと一人前に育てた。万葉はときどき幻を視、みどりは毎週フラメンコを踊った。

一九七五年――、赤朽葉万葉、黒菱みどり、二人とももう大年増、三十二歳の秋のことであった。

これにて、紅緑村の最後の神話の時代、一九五三年から七五年まで、二十三年間の、千里眼と製鉄と風の男と、女たちの出産の話を終える。

そしてわたし、万葉の不肖の孫娘で、毛毬の娘である赤朽葉瞳子《とうこ》が生まれるのはこの十四年後、一九八九年の冬のことである。

第二部　巨と虚の時代
一九七九年～一九九八年　赤朽葉毛毬

一　悪食の恋

赤朽葉毛毬《あかくちばけまり》は猛女であり鉄の女であったが、ただ一つ勝てないものがあった。それはなにかというと死者であった。毛毬は戦いに明け暮れて生きた激しい女であったが、そこここで不思議と死者に足を取られた。その一人目が、一九七九年、毛毬十二歳の夏に落ちぶれ死んだ、女中真砂《まさご》その人であった。

だんだんの途中の分家に引き取られて離れに居を構えていた真砂とその娘、百夜《ももよ》はしんねりむっつりとして、なにが楽しいのかわからぬ静かで薄暗い様子で日々を過ごしていたが、ただひとつ発奮する事柄があり、それはなにかというと本家の長女、毛毬に関することであった。このころ真砂は四十半ばを過ぎ、ひっつめた黒髪にちらほら白いものも交じって身なりにかまわない様子であった。ぶつぶつと繰り言をつぶやきながら娘の手を引き、だんだんの坂道までときどき出てきては、だまって景色を眺めていた。百夜は毛毬より二つ年下の十歳で、母によく似た、陰気な顔をした子供であった。のばした髪を三つ編みにして胸に垂らしていた。青白い、子供にしては血色の悪すぎる顔を真横にかしげて、百夜は夕方近くになると母といっしょにだんだんの坂道を眺めていた。日暮れ時になると必ず通る、毛毬の勇姿を見るためであった。

本家の毛毬はこの春、村立紅緑《べにみどり》中学に入学したばかりであった。時代は不良文化の真っ盛りで、丙午《ひのえうま》に毛むくじゃらで生まれた、血気盛んな毛毬は、一年坊主のくせにさっそく先輩たちをのし、無免許で乗ったバイクやチャリンコで、仲間とともにぱらりらぱらりらと村道を駆け抜けていた。母親譲りのがっしりとおおきなからだに、くっきりした瞳と通った鼻筋をして、なかなか迫力のあるうつくしい少女であった。つややかな黒髪をポニーテールにして、真っ赤なリボンを結んでだんだんの坂道を駆け上がる毛毬のバイクを、陰気な顔をした、妾腹の妹、百夜はあきずにいつまでも見送っていた。

真砂はそのたび、娘の肩を揺すって「おまえの姉ちゃんだよ。姉ちゃんは赤朽葉の本家で大事に育てられとるのに。不憫《ふびん》だねぇ、百夜は分家の離れで、母ちゃんと二人きりで。おまえはほんとうに不憫な子だ」とつぶやいた。呪縛のように百夜をおおう、母の言葉。毛毬にはそれは聞こえず、エンジンを吹かすと風がすべてをかき消した。

「母ちゃんは、おまえを産むために、百回も千回も寝取ったんよ。百の夜を、千の夜を……。それなのに、不憫だねぇ」

この真砂は、娘よりもすこしはやく生まれた本家の毛毬をことのほか憎み、だんだんの坂道に幽鬼《ゆうき》のように立ち尽くしては、いつも毛毬をにらみつけた。毛毬はときどきそれを見て、「あのおばはんは、なんで一人で立っとるの。いっつも一人で」

と分家の息子などに聞いた。息子たちは言葉を濁《にご》したが、その実、毛毬が「一人で」と言うのに奇妙な違和感を覚えていた。真砂は一人ではなく、必ず百夜を連れているのに、と。そしてその謎は、真砂の狂い死にとその後の家族会議のときにあきらかになり、赤朽葉家の人たちを驚かせた。

真砂が死んだのは毛毬が中学一年の、夏のことであった。いつものようにぱらりらと無免許運転のバイクを乗り回して、坂道を駆け上がってきた毛毬の前に、真砂がとつぜん真っ裸でひらりと躍り出た。十年以上ぶりの、真砂の裸踊りであった。肝っ玉のすわった不良少女もこのときはさすがにまだ子供であり、おどろいて、真砂をさけてハンドル操作を誤り、バイクごとぽぅんと宙を飛んだ。

「毛毬さん！」

不良仲間の野太い悲鳴がとどろく中、空中で一回転した毛毬のバイクは、無事に坂道に着地してワンバウンドし、ことなきを得た。

それを見た真砂は、地面にはいつくばっておいおい泣き出した。このころはもう、真砂の精神は黄泉《よみ》の国に半分旅立っていたのだろう。分家から飛び出してきた百夜が、陰気な顔に涙をたらして、裸の母を引きずっていった。百夜の顔は羞恥《しゅうち》に赤黒く染まっていた。「ごめんなさい、毛毬姉さん」と、蚊の鳴くような声でつぶやいたが、このときも毛毬は百夜を一顧《いっこ》だにしなかった。その大きな黒い瞳で、ただ真砂だけをみつめていた。「死ねばいいと思ったのに……」と、ふりむいて一言、毒を吐いた裸の中年女を、毛毬はけっと鼻で笑った。

「しゃばすぎるぜ。裸は、惚れた男にとっときな。おばさん」

このときは仲間の前でもあり、毛毬は強がっていたのだが、着地の衝撃でじつはむちうちになっていた。しばし首の回りに間の抜けたギプスを巻くこととなった。ポニテが自慢の、洒落者の中坊にとっては辛いことであったが、そんなことでのんきに文句は言えなかった。というのはその日から分家の離れで寝ついた真砂が、本家への恨み言をぶつぶつつぶやきながら、高熱を発してとうとうそのまま息をひきとったのだ。

分家でひっそりと行われた葬式に、本家から出向いたのは大奥様のタツ一人だった。そうして真っ赤な夕日が空一面を覆う、その日の夕刻、タツは百夜の手を引いて本家に帰ってきた。

本家の門をくぐるとき、百夜はうつむいて、にやぁり、と笑った。

あいつは、けけけ、とちいさな笑い声を立てた、と憶えているのは百夜より一つ年下の妹、鞄《かばん》である。鞄はぞうっとして、お化けみたいな子供がやってきた、と思ったという。このお化けみたいな妾腹の娘を、曜司《ようじ》は本妻の万葉《まんよう》に遠慮してかちらりとも見なかったが、タツは万葉を呼んで、有無を言わせぬ口調で命じた。

「あんたが、育てるのよぅ」

「……はい」

万葉は相変わらずの、どこか寂しげな遠い目をしてうなずいた。そして百夜から目を離し、そのとき廊下を通り過ぎた長男、泪《なみだ》の後ろ姿をじっとみつめた。泪がふりかえって母に気づき、目を細めて微笑んだ。みつめあう母と息子の、時が、やさしく止まった。この大屋敷ではこういった風景が毎日のように繰り返されていた。本家の人々は暴れ馬のような長女、毛毬に目を奪われていたが、若奥様、万葉の目はいつも静かに、ただ泪を追った。泪は受験生になり、戦前は旧制中学であった鳥取県でもいちばんの進学校を目指して学習塾に通い始めたところだった。詰襟が漆黒に輝いていた。万葉は泪をみつめ続けた。

本家の人々が大広間に集められ、子供たちが並んで座らされた。毛毬だけ、「集会があるからヨ」とわけのわからないことを言って帰りが遅れていた。心ここにあらずの様子のまま、万葉が百夜の手を引いて大広間に入ってきた。曜司はすこしそわそわとしていた。

万葉がおだやかな声で、今日からいっしょに暮らすことになった兄弟だと告げた。泪はなにも言わずにうなずいたが、愛する母のこころを思って、知らんぷりしている父の曜司を強くにらんだ。鞄は、うつむいてにやにやしている陰気な少女に、おびえていた。

「本家の一員になったことが、心底、うれしそうだったたねぇ。もしかして母親を呪い殺したんじゃないかって思ったんだよ。ま、そんなわけないけどさ」

と、大人になってから鞄は語った。

「ともかく百夜は、毛毬姉さんが好きでねぇ。姉妹なのにおかしいけど、ファンだったんだねぇ。いつもだんだんで見てたし、裸の母親をよりによって毛毬姉さんに見られて、恥ずかしがってたしね。それが結局、同じ屋根の下で暮らすことになって、きっと、あの日は、うれしかったのさ」

ところが、百夜の喜びに水をさすものがあった。それが誰であろう、赤朽葉毛毬その人であった。集会とやらで本家の家族会議に遅刻した型破りなこの娘は、むちうちのギプスのほかに、どこでなにがあったのか体中が疵《きず》だらけ、顔には油性マジックで落書きまでされた手ひどい姿でもどってくると、一言「勝ったぜ」とつぶやいた。そして、大広間のすみっこで小さくなっているいちばん下の弟、孤独《こどく》をつっついて「当然だけどな」と自慢をした。孤独はますます縮こまった。

このとき、弟はまだ幼稚園児であり、なおかつ内気で、家からあまり出ない家族一のインドア派の子供であった。ことのほか姉の毛毬を怖れていたが、毛毬のほうはこの、静かでこわがりの弟をとても愛していた。弟をしばらくつっつき回したり、くすぐったりして逃げ回られた後、毛毬は傷だらけのセーラー服姿ですたすたと歩いて、なんの躊躇もなく百夜の前まで進んだ。

この娘の気性の激しさを知る家族が、なにが起こるのかと固唾《かたず》を呑んだ。父の曜司が、さすがに知らんぷりをするのをやめて腰を浮かした。真砂の死によってちょっとばかり面倒なことにはなったが、やはり血を分けた百夜がそれなりにかわいかったのだろう。

ところが毛毬は百夜を見ることなく、そのまま進んだ。顔を上げた百夜は陰気な表情をすこしゆるめて、この子にこんな声が出せるのかとおどろくほど甘い声で、一言つぶやいた。

「毛毬、姉さん……」

呼ばれた毛毬は、声が聞こえたのかわからぬほど無反応だった。そして家族一同がおどろいたことに、百夜のすわる籐《とう》椅子に尻を向けて、どしんと腰かけた。

百夜は追われた猫のように飛び上がって籐椅子から逃げ、みじめに、床にころりと転がった。そして唖然として、いままで自分がいた籐椅子に、落ち着いて腰かけた、疵だらけの、本家の娘を見上げた。

「誰か、なにか言った？」

毛毬が不思議そうに、母に聞いた。本家の一同はぞっと怖気立ち、二人の少女を見比べた。籐椅子にふんぞり返る毛毬は喧嘩でぼろぼろの姿だが大柄で女王然としており、また輝くばかりの美貌であった。床に転がった百夜は陰気な青白い顔をした、痩せっぽちの汚い野良猫みたいな風貌であった。天と、地。光と、影。百夜は血が滲《にじ》むほど唇を噛んで、姉を見上げた。本家の人々は怖気立ってその様子を見ていた。万葉が「ほら」と指さしても、毛毬の視線は宙をさまよった。

赤朽葉毛毬の目には、異母妹、百夜が見えなかったのだ。

いったいそれはいつからのことか。毛毬が子供のころの記憶を紐解いても、誰にもわからぬことであった。万葉も首をかしげ、鞄も「どうだったかねぇ……」と不思議そうである。毛毬の目には異母妹の百夜が映ることはなく、真砂の生前は、真砂が一人で立っていると思いこんでいたようだという。光の中にいた毛毬には、影にいる、百夜の姿など見えなかったのかもしれない。もしくは、幼いころに真砂になにやらいやがらせをされて、心に壁を作ってしまったのかもしれない。本家の人々は恐れおののいてそんな仮説を立ててみたが、ほんとうのところはずっとわからないままだった。毛毬は籐椅子に座って無邪気に「なんの話だヨ？」と首をかしげていた。

百夜は黙って、眩《まぶ》しい、本家の丙午の娘を見上げていた。やがてその目に怪しい光が宿った。姉への思慕は百夜の中でねじれ、ゆがんだ。真砂の恨みは百夜を触媒として、この後、毛毬を追い続けることとなる。

ともあれこれが、腹違いの赤朽葉毛毬と百夜、宿命の二人の初めての邂逅《かいこう》であった。


このころ赤朽葉製鉄は、石油ショックやそれによる鉄冷え、公害問題などさまざまな時代の流れと闘いながらも、大海原を航海する巨大戦艦のように、紅緑村の天上界に君臨し続けていた。だんだんの上にあるこの大屋敷は相変わらず絢爛豪華であったが、下の世界には、進む近代化によって生活の変化が絶え間なく訪れていた。

その昔のこと、万葉や夫の曜司が若き日々を過ごした紅緑村では、駅前が花形の街であった。駅を出たところからずっと続くアーケード街は、朝は野菜や魚の市が出て、昼は買い物客でにぎわった。アーケードを出たあたりにレストランなどが集まって、洋食や中華や、なんでもそこで食べることができた。デパートも五階建てのものが建っていて、一番上の階でお子様ランチを食べたり、屋上から景色を眺めたりするのが子供たちの憧れであった。

しかし、鉄冷えの時代を境にして、駅前の一等地はおそろしいほど急速に寂れていった。若い夫婦たちは町中やだんだんにつくられた団地を出て、郊外の新興住宅地に、ローンで庭付きの一軒家を買い始めたのだった。かつて、三種の神器が揃う団地暮らしは庶民の憧れだったが、土地つきのマイホームを夢見る若い夫婦にとっては、団地は古くて貧乏臭いものであった。郊外であれば製鉄所からの公害被害の心配も少なく、通勤もマイカーがあれば楽々であった。

そして郊外のマイカー族が増えるにつれ、駅前はあっというまに寂れていった。映像を早送りするように、一瞬で、町は灰色に。市も出ず、アーケード街の店はつぎつぎに閉店した。息子たちが跡を継がずに、背広を着た会社員になっていったのだ。まだ会社員の終身雇用、定年後の年金生活の安泰が信じられていたころのことだった。一生かけて払うマイホームのローンにも、大きな不安を感じることはなかった。そうしてマイカー族は、郊外にある、ゆったりと駐車場を広くとった大型量販店を利用し始めた。都会に本店のある企業の支店が、地方に続々と増え始めた。全国どこにいっても同じ店があり、同じような人々がやってきては同じ製品を買う、そういう時代の始まりであった。地方都市の消費者が使った金が、都市の企業に湯水のように流れ始めた。

このようにして、マイカー族が郊外に消え、駅前は寂れ放題に寂れた。残ったのは、灰色の廃墟。天上界である赤朽葉本家は相変わらずの日々であったが、下の紅緑村では怒濤のように時が流れ変化を余儀なくされていたのだ。

そしてこの時期、本家の丙午の娘、赤朽葉毛毬十三歳は、その怒濤の只中で青春を送っていた。

廃墟も同然の駅前、元繁華街は時間帯によってはほぼ無人の体たらくであったが、そこにとり残された貧しき灰色の人間たちも、じつはいた。それは十代の、学生たちであった。

彼らが通うべき中学も、高校も、駅前のかつての繁華街に近い場所にあった。バスや自転車で通学する彼らにとっては、大人たちが利用する郊外の店まで行くのは一苦労であった。そういうわけで、学生たちはうようよいるが、彼らはろくにお金を落とさないので、店はまったく潤《うるお》わない、奇妙な廃墟の如きアーケード街ができあがった。やがて八〇年前後から、薄暗いアーケード街は不良少年たちの巣窟《そうくつ》となった。大人も、まじめな学生も、こわがってけして立ち入らない。洞穴《ほらあな》のように暗い、彼らの闘争劇のための舞台。大人は誰もいない、常識も社会通念も通じない古い町。実のところ、親が知らないうちに、中学生になった毛毬が足を踏み入れ、悪い仲間と出会ったのがこのアーケード街であった。

「毛毬ちゃん、ディスコに行こうよ。明日どうなったってかまやしない。いまが、楽しければさ。今夜は〈ミス・シカゴ〉で踊り明かそうよ」

中学一年の夏休み、毛毬には一人の親友ができていた。同じクラスになった穂積蝶子《ほづみちょうこ》という少女で、これはいまだに独身を通す赤朽葉製鉄の職工、穂積豊寿《とよひさ》の姪に当たった。製鉄一家で鳴らす穂積家の、しかも女の子供であったがなかなか眉目秀麗《びもくしゅうれい》、成績もたいへんによかった。蝶子自身は知らぬことであったが、このころ、彼女の父親は独身で働き続ける兄、豊寿に頭を下げにきていた。

「蝶子はわしという鳶《とび》が生んだ鷹じゃ。大学までいかしてやりたい。兄貴、もしそうなったら手を貸してくれんか」

豊寿は蝶子名義の預金通帳を一つ作り、姪のための学資貯金を始めた。だがしかし、それは少女たちのあずかり知らぬことであった。

穂積蝶子、通称チョーコは、教室では毛毬のとなりの席に座っていた。ポニーテールに、裾《すそ》を引きずるセーラー服のスカート、真っ赤なリボンで気合いを入れる不良少女の毛毬をクラスメートは怖れて近づかなかったが、チョーコは怖れることなく、毛毬にちょっかいをかけ続けた。ポニテを引っ張り、話しかけ、放課後は遊びに誘った。チョーコは女の子に流行りのボブカットに、垂れ目ぎみの大きな瞳をした、華奢《きやしや》でかわいらしい少女であり、ぺったんこに潰した鞄に男性アイドル歌手のステッカーを貼った軟派な雰囲気もあって、不良少年たちに絶大な人気となった。いわば校内のアイドルであった。

このチョーコは、夏休みをきっかけに、毛毬が結成した一年生の女子のみによる気合の入った暴走族〈製鉄天使《アイアンエンジエル》〉のマスコットを張ることとなり、以降はずっと、ぱらりらと村を駆け抜ける毛毬のバイクの後ろにちょこんと乗っかって海沿いの国道を飛ばした。それでも、チョーコの成績が落ちることはなかった。裏と表の二つの顔がある、不思議な少女であった。

そのチョーコが、宵町横丁のディスコ〈ミス・シカゴ〉に毛毬を誘いにきたのは、夏休みのことであった。毛毬が赤朽葉本家の裏庭の、毒々しい真っ赤な花々を見ながら縁側で西瓜《すいか》をむさぼり食べていたら、聞き覚えのない女の声が「毛毬姉さんに、お客さま」と陰気な抑揚で告げた。……おそらく、百夜であろう。毛毬は新しい女中かと思って気にもせずに「はいよ」と立ち上がると、西瓜を裏庭に投げた。玄関から「毛毬ちゃあん」と明るい声が聞こえた。

「だぁれ、あの女の人」

姿が見えない女の、陰気な声もした。毛毯は面倒くさそうに、

「チョーコだろ」

「チョーコって誰」

「親友さ」

「……親友。それって、なぁに」

「誰よりも大切な友達のこと」

陰気な声は、寂しげに小さく「……そう」とつぶやいて、それきり追ってこなくなった。

この夏休み、ディスコ〈ミス・シカゴ〉に出かけるのは、もう何度目になるだろうか。毛毯は不良文化に足を踏み入れたばかりで、それが大人の世界だと思っていた。恋のようなもの、友情のようなもの、闘争のようなもの——つまりは刺激に、満ちていた。本当の大人たちがいくら止めても無駄であった。

玄関に出ると、ハマカジと呼ばれるこのころ流行っていた若者ファッションでキメたチョーコが、くわえ煙草で毛毯を待っていた。玄関の前を、なにやらぼそぼそと話しながら、万葉と豊寿が通りかかった。姪っ子の喫煙をみつけて豊寿が目をつり上げる前に、万葉が長くてがっしりとした腕をのばして、チョーコがくわえたメンソールの煙草をつまむと、ふっと握りしめた。

ぎょっとして、垂れ目を見開いているチョーコの顔の前で、手のひらを開く。

煙草は消えていた。

「すっごーい。おばちゃん、どうやったの。いまのってなぁに?」

チョーコが興奮して騒いだので、怒ろうとしていた豊寿は勢いをそがれ、黙った。

万葉はほっと胸をなでおろした。このところ、フラメンコの腕を上げた友人の黒菱みどりが、手品教室にも凝《こ》っていたのだ。いやじゃというのにむりやり憶えさせられた、ちょっとした手品であったが、たまには役にたつもんじゃと万葉は内心おどろいていた。

「女の子が、煙草なんて吸ったらあかんだが。子供を産むとき、しまったと思うよぅ」

「……ちぇっ。わかったよ。もう、おじさんも睨んでるしさ」

チョーコはつまらなそうに言った。だが万葉たちが立ち去るとぺろりと舌を出し、二本目の煙草に火をつけた。

喫煙はこの当時の子供の、反抗の精神であり、純粋さを裏返した行為であった。咳きこみ、煙に涙を滲ませながらも、チョーコはくわえ煙草でもごもごと、

「行こうよ、踊らなきゃ」

「おぅ」

毛毬はポニーテールに真っ赤なジャージ姿で、うなずいた。そのまま、だんだんの坂道を下ると、途中の宿舎の一つに入っていった。

その昔、ちいさな庭付きの平屋の宿舎が建ち並んで、夜にもなるとちょうちんの灯りが眩しかっただんだんも、いまではコンクリートの団地が建ち並んで様相が変わっていた。ひところ

は人気があったこの辺りの団地も住む人が減って、ひびの入ったコンクリートは灰色に沈んでいた。チョーコの家も団地の下のほうにあったが、毛毬が頻繁に出入りしているのは多田《ただ》の子孫が住む団地の一角であった。

「ちぃす」

毛毬がなれた様子で声をかけると、団地のバイク置き場にしゃがんでいた黒い塊《かたまり》が、顔を上げた。長い髪に華奢な体つきをした、二十歳《はたち》過ぎぐらいの男であった。

これは多田忍《しのぶ》といい、現役時代は中国地方を統一した暴走族〈赤白椿王《あかしろつばきおう》〉の初代頭であったが、二十歳を前に引退し、いまは宵町横丁の雑居ビル一階で、赤朽葉製鉄製の鉄を使った武器専門店〈赤白椿姫〉を経営していた。紅緑村の不良仲間にとっては尊敬に値する兄貴分であった。

チョーコは忍にーさんは素敵だときゃあきゃあ言ったが、毛毬はこの男を怖れていたので、いつも敬語を使った。

「よぅ、毛毬。母ちゃん元気か」

「元気っす。さっきも、火のついた煙草を素手で握りつぶしてました」

「ははは。それはまた、すげぇなぁ」

多田忍は一介の、だんだんの住民であったが、その父母はあの、捨て子の万葉を拾って育てた多田夫婦であった。末っ子の忍は、ただの、万葉が天上界に嫁に行く直前まで世話をしたかわいい弟でもあり、万葉が若奥様になった後は遠慮してお互いにあまり会おうとしなかったが、それでも、心優しい夫婦と子供たちと、万葉のこころはいまも強く家族としてつながっていた。

忍は、その万葉の娘である毛毬を、ある理由からこれまた一目置いていた。不良が人を測るのは、ただ二つのものさしによってである。喧嘩に強いこと。男らしいこと。丙午の毛毬は女だてらにめっぽう喧嘩に強く、また仲間思いの心優しい面もあった。赤朽葉製鉄の娘であるためか、鉄製の武器との相性もよく、増える一方の女の不良どもとの戦いでも、喧嘩では負け知らずであった。

もともと、毛毬と同学年の女たちは大半が、丙午の生まれである。誰一人としておとなしい性質の者はおらず、触れなば暴れん、といった風情《ふぜい》の剛の者たちであった。それが毛毬の周りに集まり始めていた。他校でも他県でも、じつは同じ時期に、同じ年に生まれた剛の女たちが一斉に決起して、それが後に少女暴走族、レディースの全国的ブームに繋がるのだが、それはもう少し先、彼女たちが高校デビューした後のことだ。ともかくこの年、中一の丙午たちは体内から湧き起こる衝動に身を投じ、それぞれの町に女離れした太い雄叫びを轟《とどろ》かせていた。そして紅緑村にいる女たちの中でもっとも強いと多田忍が感心していたのが、万葉の娘、毛毬であったのだ。

「バイク、修理できてるぜ」

「ありがとっす、にーさん」

「武器屋のほうにも、遊びにこいよ」

「うっす」

毛毬は頭を下げた。チョーコが楽しそうにくすくす笑って毛毬をつついた。忍にびびる毛毬の様子がおかしかったのだ。

チョーコを後ろに乗っけてバイクを走らせ、二人はだんだんの坂道を駆け下りていった。

「楽しいね、毛毬ちゃん」

「そうか?」

「うん」

ぴったりと背中にくっついて笑い声を上げるチョーコに、毛毬もつられて、すこし笑った。

「いまが、楽しければ、明日死んだって、わたし、かまやしないよ。だって、青春なんだもん」

穂積蝶子は、学校では優等生として鳴らし、男どもにはかわいこちゃんで通し、放課後や夏休みはこうして、暴走族のマスコットとして交通違反のスピードで夜の国道を駆け抜けていた。要領がよくて、そのくせ刹那的で、図太く百まで生きそうな、しかし意外ところっと死んでしまいそうな、不思議な少女であった。

毛毬はチョーコを乗せて、紅緑村を駆け抜けた。

「楽しいね、毛毬ちゃん」

「チョーコといっしょだからだヨ」

「またそんな、殺し文句」

二人は宵町横丁でバイクを降りて、街に一軒だけのディスコに入った。

いかした兄さんたちがステップを踏んでいた。若い二人は腹を減らしていたので、食べ放題の焼きそばやえびちりを、冷えて乾いているのも気にせずにむさぼり食べた。それから、チョーコが煙草に火をつけて、一服した。激しい音楽と光の洪水に、我慢できなくなった。暗いフロアに滑り出し、汗みどろになって二人は踊った。満腹で動いたせいで、横っ腹が痛くなってきた。

「いてて、腹、痛い」

「わたしも。毛毬ちゃん」

「なんだよ、二人ともかよ」

「あははは。わたしたちって、ばっかみたい」

踊りながら、二人で笑った。〈ミス・シカゴ〉は毛毬のような硬派の不良ではなく、どちらかというと軟派な少年少女のたまり場であった。ここには暴走族どうしの抗争もなく、派手な夜ではあるけれど、いまにも喧嘩が始まるといった切迫感はなかった。かわいいチョーコには、いかれた〈ミス・シカゴ〉がよく似合った。

踊り明かして外に出ると、軟派な男子高校生が何人もぞろぞろついてきた。チョーコの肩に手をかけて、強引にドライブに誘う。毛毬の鉄拳が唸《うな》ると、高校生たちはみぞおちを押さえ、地面にはいつくばって嘔吐《おうと》した。

「〈製鉄天使〉のマスコットに、気軽に声、かけるんじゃねぇよ。鏡見てから出直しな。イモ兄ちゃんたち」

チョーコが楽しそうに、甲高い笑い声を立てた。バイクに乗って、また宵町横丁から国道を抜け、だんだんの坂道を上がっていく。チョーコはいつまでも、発作のように笑っていた。

「あぁ、楽しい。死んだって、かまやしない」

「なに言ってんだよ。百まで生きようぜ、チョーコ。二人で遊び続けるんだ」

「てへ。青春だね、毛毬ちゃん」

ぱらりらとバイクを揺らし、エンジンを吹かして、二人はだんだんを上がっていた。


娘がその時代らしい青春を謳歌《おうか》していたこのころ、母の万葉はというと、子供たちを育てながら、大奥様のタツから本家のしきたりについて学び、若奥様として日々を忙しく過ごしていた。

万葉は時を追うごとに苦悩の色を深める瞳で、長男の泪を目で追いかけ続けていた。さいきんでは寝室もべつとなり、日があるあいだはめったに本家に姿のない曜司が、それでも妻の様子をよく見ているとみえ、つぶやいたことがあった。

「おまえの目は、泪に片恋する女のようだなぁ」

「……そうですか」

「そんな目では」

なにか言葉を呑みこんで黙ったのだが、おそらく、俺を見たことがないね、と言いかけたのだろう。万葉は首をかしげて、夫を見やった。夫も遠い目をして、万葉をぼんやりとみつめた。夫婦には、夫婦にしかわからない空洞が生まれていた。信頼しあってはいたが、真ん中にぽっかりと、なにか空しいものが空き始めていた。

そんな中、万葉は息子、泪の姿を胸を焦がしてみつめていたが、一方で、娘の毛毬についてはあれこれとおもしろいらしく、ときにおどろき、ときに不思議そうに、その妹である鞄にもらしていたという。不良少女となって暴れているさまを多少、心配してはいたのだろうが、それよりも万葉が不思議がっていたのが、じつのところ、毛毬の男の趣味であった。

このころから万葉はずっと、首をひねってはつぶやいていたという。

「あの子の悪食《あくじき》も、ほんと、直らんねぇ」

生まれつき美しく生まれた女の、ある種の負の宿命であったのか。毛毬の男選びは、いつも迷いない、見事な悪食であった。ことのほか醜《みにく》い男を好み、生涯にわたって、ゆがんだ顔やきび面、ひし形の顎に豆粒のような目など、女たちが忌み嫌う醜い男にばかり惚れた。

毛毬のこの悪食は物心ついたころからで、製鉄工場の事故などで顔に火傷《やけど》を負ったり、ひきつれたりしている職工たちにやたらとなついた。中学生となり、自分では大人になったつもりのこのころから毛毬は男といちゃいちゃつきあうようになったのだが、その最初の男、野島武《のじまたけし》がまた、ことのほか醜い、しかしなかなか見所はある少年であった。

野島武は不良であり、紅緑中学の総番であった。

毛毬が中学生だったこの八〇年前後という時代は、〝フィクションに浄化された〝強い男〟が紅緑村の若者たちを席巻したころであった。かつて、その親たちの世代が必死になって目指した、男らしい男、富らしい富はつぎにやってきたこの時の若者によって、目指すべきポーズ、フィクションに変えられて奇妙な形で文化の中に生き残った。中学にも高校にも、必ず「もっとも強い者」とみんなで決めた、総番と呼ばれる男子学生が一人はいた。その少年たちは本当に無敵だったわけではなく、仲間たちが互いに、無意識に、そういう物語をつくりあげていったのだ。共犯意識。身近な物語を生き抜く、乾いた少年たち。

実際にそういった風潮が始まったのは、この国の総番とも言える首相、田中角栄がロッキード事件で失脚し始めたあたりからのことだった。ニュースでも新聞でも、巨の男が大木が切り落とされるように倒れていくのを毎日のように実況中継していた。村の大人たちはあれこれ思うことがあっただろうが、子供たちはというと、自分たちだけの巨の物語作りに熱中し始めた。子供たちは互いの血を見て、涙を見て、友情らしききらきらしたものと一瞬、すれ違った。学校で総番を見上げ、家に帰れば漫画で、野球やボクシングを描いたスポ根や、不良たちの抗争の物語を読み続けた。

紅緑中学には灰色に染まる旧校舎と、生徒の増加に伴って急遽作られたピンクの新校舎、ふたつをつなぐ三階の渡り廊下と、体育館、それからちいさな校庭があった。旧校舎のガラスはどれもひびが入り、入学式が行われている体育館の外壁には、赤いスプレーで「夜露死苦！」「爆走天使」「特攻紅蓮隊《ぐれんたい》」などと奇妙な漢字が書かれていた。子供たちのつくるフィクションが現実世界に漏れ出し、このころには校内暴力が深刻な社会問題化し始めていた。強い男をめぐる物語はついに、社会にいやおうなく影響を与えだしたのだ。

春になると新三年生の中から総番を選び、紅緑中学の渡り廊下に、不良たちがやくざの襲名披露のようにずらり並んで、新しい王に忠誠を誓うしきたりであった。この春に選ばれた、野島武という新しい王は、去年までの総番であった少年とくらべるととても小柄で、その代わりひきしまった、いかにも敏捷そうなからだつきをしていた。去年の総番が相撲取りなら、野島はボクサーのような少年だった。目つきも鋭い。総番選びの、真夜中の血しぶき飛び散る闘争劇を勝ち残り、バイクでのチキンレースでも、崖下に広がる暗い時化《しけ》の日本海に落ちる寸前までブレーキをかける気配もなく、涼しい顔で死に向かって一直線に駆け抜けた。その姿は、少年たちはもちろん、彼氏の腕にぶらさがりながら見ていた不良少女たちの脳裏にも強く焼きついていた。少女たちはうつくしい少年が好きだったので、野島武に異性として憧れを持つことはまったくなかったが、そのことのほか醜い顔も手伝ってか、野島にはやくも奇妙な畏敬《いけい》の念を抱いていた。今年の王は、当たりじゃ、と噂しあった。

そして、毛毬が最初に愛したのが、ことのほか醜く、抜きん出て勇敢な少年、野島武その人であった。

武は、不幸な生い立ちをしていた。武が不良となったのは中学に入学するころ、病で妻をなくして以来酒びたりの父が、宵町横丁で知り合った流れ者の女を招きいれて後妻とした辺りのことであった。飲み屋街である宵町横丁にはわけあり風の、都会から流れてきた男や女がちらほらといたが、この女もそのうちの一人であった。彼らの多くは借金をつくって大阪辺りから逃げてきた人々で、この日本海側の小さな村の飲み屋街には、なぜだか大阪弁を操る客引きやホステスがいつも一定数いるのだった。武は母の位牌一つ持って家を出て、尊敬する兄貴分である、元〈赤白椿王〉の頭、多田忍を頼った。血縁関係もなにもない忍であったが、夜半、母の位牌を抱いて玄関先に立ったリーゼントに革ジャンの少年に、ぐっとこみ上げるものがあった。忍は無茶を承知で武の身元を引き受け、それ以降、野島武は多田忍のもとで溶かした鉄を叩いて武器をつくったり、外で喧嘩に明け暮れる毎日を送っていた。夜になると武器屋の二階の三畳間で眠りについた。

毛毬は、武に惚れた。目が合った瞬間びりびりと震えた。しかしそのことを知ると親友のチョーコはけらけらと笑った。

「男に惚れるなんて。毛毬ちゃん、つまんない女だね」

「そ、そうかよ」

「わたしは男なんかに惚れないよ。惚れさせてやるの。それで、あっかんべー、ってやるんだ」

十三歳の二人は、べー、とやりあいながら小一時間ほど笑い転げた。そしてそのあと、毛毬は〈赤白椿姫〉に通いつめて武と知り合い、二人は晴れて付き合いだすようになった。

ことのほか醜い顔を持つ野島武と、輝くばかりの美貌である毛毬とは不似合いなアベックになるかと思われたが、いざ並んでみると校内の中学生たちにとっては意外なことに、そして不良仲間にとっては自明の理であったが、なかなか似合いの二人であった。

手負いの獣のような、血に飢えた、フィクションの空気とでもいうものを二人は背負っていた。それはこの時代を生きる少年少女たちの宿命であり、時代に選ばれた誰かが演じねばなら

ぬ、青春の焦燥であった。毛毬と武が並ぶと、その空気はたちまち増幅された。武の保護者、忍にーさんは苦笑して、

「俺が身元を引き受けたからには、女なんかとちゃらちゃらさせねぇ、と思ったけど、相手が毛毬じゃしょうがねぇ。せいぜい二人で、最強を目指しな。中国地方は広いぜよ」

とからかった。

このころ、この忍にーさんの入れ知恵で、毛毬にはひとつの壮大な夢ができていた。まだ十三歳である自分が率いる少女暴走族〈製鉄天使〉を、まず県内一の族に育て、そののち、中国地方を統一したいという見果てぬ夢であった。中国山脈の麓《ふもと》に生まれ育った毛毬にとっては、実感として把握できる世界とはすなわち、中国地方のことであった。世界一を目指す、という概念の、あまりの壮大さに毛毬はしびれた。彼氏の武に、熱く夢を語った。

「最強になりたいよ、武。わたしたちの名を山脈に轟かすんだ」

ところで二つ年上の武のほうは、硬派で鳴らす総番であったが、心の奥深くに、柔らかくてロマンチックな場所をひっそり隠し持っていた。武は美しいものが好きだった。鋭利なフォルムをした武器。野に咲く赤い花。女の長く艶《つや》めく黒髪。毛毬の口から出てくる言葉は、激しく、女らしさには欠けた、不良文化の只中にいる人間のものであったが、武はだまって、毛毬の顔の、彫りの深い、彫刻のような美しさにみとれていた。毛毬の言葉は言葉でなく、音楽であった。醜い少年が畏怖《いふ》の念をもってこの年下の、気性の荒い少女のかんばせをみつめ続けているうちに、きらめく夏が終わり、秋がきた。朽葉が赤く染まり天から舞い落ちてきた。

武が抗争に明け暮れているあいだ、毛毬はますます増える〈製鉄天使〉の仲間を率いて、国道をひた走った。バイクの後ろには相変わらず、マスコットの穂積蝶子を乗せていた。チョーコはいつも笑っていた。

「もっとスピード出して。もっとだよぅ、毛毬ちゃん。この世に帰ってこられなくなるぐらいに」

チョーコのうわずった声は、爆音にかき消されることなく毛毬の耳に届いた。

硬派の毛毬は、照れ屋でもあって、家族にはあまり己《おのれ》の恋の話などしなかった。仲間にも照れて話せず、こっそり親友のチョーコに語るのが関の山であった。ただ、不良として名を成しつつあった中二の秋、兄の泪をつかまえてすこしだけ、恋について語ったことがあった。

このころ泪は高校生で、県内一の進学校に通い、詰襟の制服姿でいつも教科書や参考書を小脇にしていた。端整な顔立ちに、学生帽姿の兄は、毛毬とはあまりになにもかもがちがった。この兄と妹は、長らく、大屋敷の中で行き違ってもあまり会話らしいものもせずにいた。まだ小学生の鞄が屈託なく泪の背中によじ登ったりするのを、毛毬はうらやましく思っていた。

ところがある日の放課後のこと、毛毬が武といちゃいちゃとアーケード街を抜け、駅前を歩いていると、ばったりと兄に出会った。泪は詰襟の上着を脱いで、上だけTシャツ一枚となり、髪もくしゃくしゃで、めずらしく教科書も持たずに歩いていた。大屋敷にいるときとずいぶん雰囲気がちがうと思ったら、泪も一人ではなく、友人連れであった。同じく上着を脱いで、だらだらとした調子で歩く男子高校生であった。なかなかに整った顔立ちをした、いかにも女子学生が黄色い声を上げそうな長身の少年であった。

毛毬と目が合うと、泪はおどろいたように足を止めた。それからにこりと笑いかけてきたので、毛毬はほっとして、声をかけた。

「兄貴ぃ」

「よぅ、毛毬。なんだ、デートか」

「うん」

一見して不良少女とわかる、赤いリボンのポニテに、裾を引きずるセーラー服のスカート、鉄板入りの薄い学生鞄を片手にした毛毬は、しかもリーゼントにボンタンでキメた武と腕を組んでいた。優等生の兄は自分のような不良をいやがるかもしれない、と毛毬は思ったのだが、泪は屈託なく、友人に「妹だよ」と紹介した。

「なかなか、かわいいじゃないか」

「ありがとう。ぼくもそう思うよ」

泪と友人は、手を振って去っていった。それ以降も町のあちこちで、毛毬はこの日の友人と二人連れの泪をよくみかけた。

「あれは三城《さんじょう》くんといってね。同じ大学に行こうって約束して、いっしょに勉強してるんだ」

と泪は語った。ともあれこの、街で偶然に会った日から、毛毬は泪に遠慮せずに、大屋敷の中でも話しかけることができるようになったのだ。

「兄貴、恋してる?」

その秋。朝げの時間にとつぜん毛毬が問うと、となりで鞄が蜆汁《しじみじる》を噴いた。万葉があきれて、鞄の顔やブラウスをふきんで拭いた。

食事を終えて立ち上がった泪は、毛毬とともに部屋を出て歩き出しながら、

「……してるよ」

「てへ。わたしも」

兄と仲良く話しながら廊下を歩く毛毬の後を、見えない女がひっそりとついてきた。誰もいないはずなのに、ひたひたと暗い足音だけが聞こえてきた。おそらく、これも異母妹の百夜であろう。百夜は泪には興味を持つことなく、泪もまた、母に遠慮してかこの異母妹とは慎重に距離を取っていた。

「こないだの、あの男の子かい？」

「うん。武っていうんだ」

「ずいぶん澄んだ目をしてたね」

「……おっ、わかる？」

「あぁ。それにしても、すごい顔だね」

「そこも、いいのさ」

風が吹いて、赤い朽葉が数枚、庭の木からはらはらと地面に落ちた。

廊下を歩きながら、泪は妹に問いかけた。十六歳の少年とは思えぬ、存外、儚《はかな》い様子の、青白い顔であった。

「毛毬、君、考えたことあるかい？　この恋は、このさきどうなるのかって」

「どうって……。いや、ないけど」

「そっか。君にはまだ早いかもね。君にとっては始まったばっかりだ。恋のある、人生は」

兄貴は意外と、きざなところがあるぜよ、と毛毬は思った。話してみないとわからないもんだな、と考えていると、泪は足を止めた。

「恋をすると、未来を待たなくなるね。時間が止まればいいのに」

「なんのこと？」

「なんでもない。すべて、秘密さ」

泪は黙りこんだ。ふと視線を感じて毛毬がふりむくと、廊下のずっと先から、万葉がこちらをみつめていた。

母の視線が自分ではなく、兄だけに向かっていることに毛毬は気づいた。なぜそんな目で見ているのだろうか。この朝も、ほかのいくつもの日と同じように、大屋敷の中で毛毬は百夜に、泪は万葉にみつめられ続けていた。泪も振り返って、母ににっこりと微笑みかけた。

毛毬と泪が色恋について語り合ったのは、毛毬が中学二年であるこの日限りのことであった。この後も泪は恋について秘密にし続け、毛毬も秘密の気配がなんとはなしに気になったが、遠慮もあり、若すぎてすぐに忘れてしまったこともあり、これ以降はなにも聞かなかった。

兄と、あのころもっと話していればと後悔するのは、ずっと先の話である。

2　ヴァージン・ピンク

毛毬の中学時代はこのようにして、ぱらりらぱらりらとバイクで激走し、仲間と雄叫びを上げるうちにあっというまに過ぎ去っていった。冬は雪が積もって走れなくなったが、夏休みや、春休みになると毛毬と仲間の少女たちは軽々と中国山脈を越え、広島や岡山の高校のレディースたちを、まるで戦国武将のように山を駆け下りてはのしていった。

大人たちは知りはしないが、子供たちの噂のネットワークは強大であり、このころ中国地方では、毛毬の名を知らぬ中高生はモグリだといわれるほどの、伝説の不良少女と化していった。それと同時に、彼氏の武の喧嘩上等な武勇伝も、マスコットのチョーコのかわゆさも、その世界中に知られることとなった。放課後は紅緑村の国道を走りぬけ、休みともなれば山越えをして遠征し、毛毬の勢いはとどまるところを知らなかった。

ときおり毛毬は補導された。停学、自宅謹慎などは日常茶飯事であった。そのたびに曜司は怒り、万葉に娘の監督責任を問うた。万葉は夫に、そして姑のタツに頭を下げた。そうして紅緑警察に毛毬を迎えにいった。毛毬は、このころには腰までのびていた黒髪のポニーテールを逆立てて、警察でも暴れまわっていた。女の子という遠慮もあり柔道技をもつ警察官なども取

り押さえられずにいたが、万葉が、

「これっ！　ばか娘が！」

と一喝すると、とたんにぴたりと収まった。

毛毬は、物静かな大女である母に叱られると、いつも青菜に塩であった。万葉に頭を小突かれ、背中をどやされ、最後は耳を引っ張られて「いてて」と情けなくつぶやきながら紅緑警察を出て、歩き出す。

万葉には、娘の暴れるさまが不思議でならなかった。己がその年頃のころを思い出すと、だんだんの宿舎で、弟妹の世話をしていたぐらいであった。毛毬のこの、手負いの獣のような、内から湧き上がる衝動は、いったいなんであろうか。

全国的に、中高生の校内暴力や不良化が問題視されている時代のことであった。万葉は、同じくチョーコを迎えにきた穂積家の男に頭を下げ、それから思わずぼやいた。その男は相手が赤朽葉本家の若奥様でもあるので遠慮して、まったく奥様のおっしゃるとおりで、と頭を下げただけだったが、翌日、豊寿がぶらりとやってきて、本家の裏庭で、廊下を歩いていた万葉に手を振った。

「豊さん」

「昨日はまた、たいへんだったみたいだが」

「ほんとに、そうよ。ちょっと聞いてよ、豊さん」

万葉は縁側にぷくぷく茶を用意して、豊寿といっしょに座った。娘のことでは次第に、おもしろがっている場合ではないという心配と焦りを感じていた。豊寿も、本人に伝えたことはなかったが、己に子がいないこともあって姪をとても愛していたので、焦燥を浮かべた顔で、どっこいしょ、と座った。

「おかしなもんじゃなぁ、万の字。若いってことは」

「ほんとだねぇ、豊さんよ」

「覚えとるか、あんた。ほら、多田の肇《はじめ》のやつが、大騒ぎしとったころがあったが。あのころも俺《おい》は、あいつらはなにをしとるんかな、と思っとったのよ。年齢はそう変わらんかったけど、まったく理解できんかった」

「そんなことも、あったねぇ」

赤朽葉製鉄の公害問題と、野火のように広がった学生運動、そのただ中にあった時代のことを思い出して、万葉はうなずいた。

あのころ黒煙よりも暗い瞳をしていた多田肇はというと、大学を休学して、トランペット片手にアメリカ大陸を旅した後、戻って無事に大学を卒業、いまでは隣の島根県で水産研究所に勤め、妻子を養っていた。青春の焦燥が過ぎ去ると彼は奇妙に若返った。いまでは血色もよく、子煩悩な中年男となっていたが、トレードマークの白いベレー帽だけは健在であった。

万葉は五色豆《ごしきまめ》をつまんで、

「あのころの肇ちゃんは、激しかったねぇ」

「だけどな、あれとはまた、ちがうだが。なんなのやろうなぁ、まったく」

すこし昔の若者たちは、政治について悩み、社会をよりよくしようという思想に激しく燃え、暴れていた。だがそういった時代はいつのまにか去り、いまここにいるのは、真ん中に空洞を持った若者たちであった。

毛毬たちに思想はなく、その意識の中には社会もまた、なかった。毛毬たちは興味を持てない実際の社会を可視できず、代わりに、自分たちのフィクションの世界をつくって、実際の世界を上から塗りつぶした。不良文化は、若者たちの共同の幻想であった。そこには漠然とした天下統一や喧嘩上等の思想があったが、なんのために戦うのか、走るのか、中心部分は空洞であった。そしてだからこそ、若者は燃えたのだ。なにもなかったからこその熱狂であった。

そういったことはしかし、大人たちにとっては大いなる謎であった。事故で怪我でもしたらと思うとたまらず、万葉も豊寿も顔つきが険しくなり始めていた。そんな二人を尻目に、だんだんの坂道からは今日も、ぱらりらぱらりらと空虚な音が鳴り響いていた。

毛毬は中学三年のあいだに、広島と岡山を制圧した。丙午の女たちは一斉に決起してどこの町でも暴れていたが、赤朽葉毛毬に勝てる猛女は、少なくとも山脈のあちら側にはいなかった。島根と山口を課題に残しながら、毛毬の中学時代が終わろうとしていた。

そしてこのころ、見えない妹、百夜が同じ紅緑中学に入学していた。三つ編みに、学校指定通りのまじめな制服姿のこの妹はとても地味であり、毛毬の妹だと意識する者もあまり校内にはいなかった。

百夜は十三歳で最初の寝取りを決行した。というのは百夜にとって生きることは、母親譲りの寝取りをすることであったのだ。遠征に燃える毛毬の陰で、百夜は暗い光を発しながら野島武に接近した。

武は、男と男の約束には頑強な男らしさをみせたが、女にはだらしのないところがあった。ある夜、くわえ煙草であぜ道を歩く武のあとをどこまでも、黙ってついてくる女子中学生に気づいた。振り返ると、その女の目に、共犯意識に似た悪戯《いたずら》じみた光があった。なんだこいつは、と思いながら手を引っ張ってみると、女がにやぁりとした。そのまま、蝦蟇《がま》が野太く大合唱する、田植え前の乾いた田んぼにからまりあって落ちて、百夜の寝取りの犠牲となった。

その後も百夜は、忘れたころに、にやにやしながらついてきた。最初は遊びだったが、武はこの女の陰気な空気に、次第にからめとられていくようだった。からりと乾いて、あっけらかんとした毛毬にはない、いわば負の女らしさであった。

そんなしんねりむっつりの百夜とからまって夜の町を歩いているとき、一度、武器屋〈赤白椿姫〉から出てきた毛毬とばったり会った。しかし不思議なことに、飛び上がる武をよそに、毛毬は「よぅ、武」と片手を上げて、そのまま歩き去ってしまった。百夜が妹であることも、可視できぬ事情も知らないために、武はおどろき、また、すこし傷ついた。

毛毬が中学を卒業するころ、武は、高校三年になるに当たって、不良からの引退を考え始めていた。この独特の文化においては、少年少女は大人になるのが早かった。十八を過ぎたら引退し、大人になるのが常であった。いつまでもずるずると、若いつもりで走り続けるのは、しゃばいことだと軽蔑された。武は毛毬からすこし距離を置いた。年とともに、美しさへの憧れも、醜い武の心から遠のき始めていた。

このころ、妹の鞄はというと、テレビの歌番組に夢中の、ちょっと軟派な趣味の女の子だった。そろそろ中学入学をひかえて、子供なりに身なりにも気を遣い始めたころであった。テレビの中ではかわいらしいアイドルがつぎつぎデビューして、素敵な衣装で恋の歌を歌っていた。鞄は振り付けを憶えて、なんども練習をした。そして弟の孤独をつかまえては、ワンマンショーをやった。アイドルのスカウトキャラバンが、地方都市にもやってきては通過していった。鞄は家族に内緒で写真を撮り、アイドルコンテストに応募した。姉の毛毬ほどではないがぱっちりとした瞳を持つなかなかきれいな少女であったが、年若いせいもあってか、たいがい書類選考で落とされた。あきらめることなく、鞄は応募し続けた。たまに地方予選の参加資格を得ると、親に内緒で、大きな鞄を抱えて家出しては、予選会場で、万葉の手の者に捕獲された。

「おかあさんの、ばかっ。どうして邪魔するだが」

鞄もまた、姉ほどではないがなかなか気性が激しい娘で、会場の入り口で大きな鞄を振り回して暴れた。むりやり連れ戻された鞄に、万葉は落ち着いて諭した。

「まだあんたは小学生だが。もっと大人になったら、自分の責任で好きなことをやんなさい。いいね」

鞄は、涙を浮かべて母を睨んだ。自分の容姿が興味のすべてであったこのころの鞄は、姉ほど美しく生んでくれなかった母をちょっとばかり逆恨みしていた。わたしが毛毬姉さんみたいに美人に生まれとったら、ぜったい、アイドルを目指すのに。

鞄は、姉の毛毬よりも軟派な穂積蝶子のほうになついていた。チョーコちゃんはいかしてる、といつも言った。毛毬に向かっては「この、暴れ者の、熊五郎」などと生意気を言っては姉に「なにを！」とはたかれた。

いちばん上の泪は、高校三年になろうとしていた。受験生でもあり、学生帽に詰襟制服の襟もしっかり留めて、教科書片手に、憂《うれ》いのある瞳をして大屋敷の廊下を歩いていた。毛毬はきりりとした兄の様子にときおりみとれたが、町中でたまに行き合う兄の、友人とともに詰襟を脱ぎ、髪もくしゃくしゃで笑いながら歩く、ラフで楽しげな様子が忘れられなかった。どっちがほんとうの兄貴なんだろ、と毛毬は首をかしげた。妹と目が合うと必ず泪は、おっとりとした様子で微笑みかけてきた。存外、儚い、青白い顔であった。

このころの中高生は、校内暴力などで不良が荒れる半面、一般の生徒たちは受験戦争という名の過酷な闘いに身を置いてもいた。戦後の復興を担った紅緑村の、あの強い男たち、労働者たちは労働のむなしさを感じ始めていた。住宅ローンで買った郊外の一戸建てに安定を、つまりは永遠のようなものを夢見た。自分の子供こそは、学歴社会で勝ち上がり、もっと上の人間になってほしいと願った。

紅緑村の受験戦争においては、学習塾が主戦場となった。一般の生徒は中学二年生から三年生のあいだに続々と塾に通い始めた。となりの席の子は友達ではなく、ライバルなのだと教えられた。暗記し、模擬試験を受け、成績の上下によって毎回クラス分けがされた。子供は、数値で価値を決められた。駅前の雑居ビルにはいくつもの学習塾がオープンして、子供たちは兵士の行進のように夕方になるとビルに吸いこまれていった。

ある日のこと、ぱらりらと走っていた毛毬と仲間たちが、冗談半分で窓からぶらさがって学習塾を覗くと、見慣れた顔があった。いつもは念入りにブローしているボブカットをカチューシャで留めて、化粧っけのない顔でノートにペンを走らせる、マスコットのチョーコであった。

毛毬はびっくりして窓から手を離し、下に落下した。「毛毬さん！」仲間の上げた声に、チョーコが気づいて顔を上げた。そして小首をかしげてくすくすと笑った。

「毛毬ちゃん、わたしたちもう十五だよ。時間がたつのってはやくない？」

塾からの帰り道、毛毬のバイクに送られて受験戦士のチョーコは国道を駆け抜けながら、つぶやいた。

「まだ十五」

毛毬が叫び返すと、チョーコは怒鳴った。

「もう十五」

「……そうかよ」

「わたし、不良は中学までにするんだ。上手に生きてくって決めてるの。どこまでうまく渡っていけるか、自分を試したい気もしてる」

「うまく渡るって、どこを?」

「このくだらない、世間をだヨ。毛毬ちゃん」

穂積蝶子は紅緑中学でもトップの成績を誇る優等生で、学習塾に通う必要などなさそうな、もともとの出来の良さであった。そのせいもあり教師たちにも一目置かれていたが、チョーコの野望は教師たちの想像よりもっと大きかった。

「だから、そろそろサヨナラだよ。毛毬ちゃん」

「サヨナラ? なんでだよ。そりゃ、チョーコとわたしじゃ成績は雲泥の差だし、高校はべつべつになっちまうけどさ。いままでどおり遊べるよ。まだ十五だ」

「もう十五。わたしね、不良は今年で終わりって決めてるの。高校ではまじめになって、男にももてて、それで猛勉強してね。そんでもって最高学府行って、外交官になるんだ。大人になったら、不良は夜だけにする。上手に生きて、長生きするよ。だからそろそろ、サヨナラだよ」

チョーコの言葉は毛毬のこころに深く突き刺さった。だんだんの途中でチョーコを降ろし、「そんじゃね」と手を振って団地の階段を上がり、遠ざかっていく親友の後ろ姿をいつまでも見ていた。それから家に帰り、弟の孤独の部屋に転がりこむと、漫画を読んでいた弟に後ろからぎゅうっと抱きついた。孤独は熊に襲われた猟師のようにうち震えた。毛毬は落ちこんでいる姿をほかの家族にはけして見せなかったが、このころからなにかあると孤独の部屋に入り浸るようになった。

「孤独ちゃん、姉さんの相手してちょ」

「……いやだよ、いま、漫画読んでるから」

部屋の隅に丸まっている孤独を気にせず、毛毬は自分も本棚から漫画を取り出して、読み始めた。

それは花やレースが舞う、およそ毛毬には似つかわしくない、かわいらしい恋と友情の少女漫画であった。孤独は血なまぐさい物語よりもそちらのほうに重きを置いていた。小遣いをはたいて本棚を充実させるほどに、毛毬がやってきてそれを読んだ。「けっ、甘ったるい話だな」などと文句を言いながらも、ときどきくすんと鼻を鳴らしている。孤独と毛毬は同じ部屋にいながらも、どちらも黙って漫画を読むという、仲がいいのかそうでもないのかわからぬ様子だったが、家族はみな、あの二人は気が合うね、なんでだろう、と不思議がった。

毛毬の中学最後の年はこうして、すこしメランコリックに過ぎた。高校受験は、公立校の中でももっとも倍率が低く、どんなにベビーブームの年でも志望率が七割程度であるという、つまりは不良の巣窟を受けて、無事に合格した。仲間たちもほとんどが同じ高校に進学した。チョーコは泪が通っている元旧制中学である進学校に、トップに近い成績で余裕で合格し、卒業式の後の〈製鉄天使〉の集会で、マスコットを引退すると宣言した。

「みんな、サヨーナラ。わたしは不良は引退します。そんで東大行って、外交官になって、大人の女になったらね、夜だけワルの女豹《めひょう》になるの」

不良少女たちはおおいに笑い、チョーコを激励した。「がんばれよ、チョーコちゃん」「サヨナラ、元気でな」「女豹はむりだよ、女狸《めだぬき》だろ。きひひ」不良少女は誰も、見た目はこわいが、情の深い女たちでもあったので、チョーコを抱きしめて頬ずりし、別れを惜しんだ。毛毬一人がぶすっとして、チョーコに背を向けた。

「勝手にどこにでも行けよ。知らねぇよ、おまえなんか」

「毛毬ちゃん……」

改造セーラー服に包まれたその大柄な背中が震えているのに気づいて、チョーコは一度はのばした腕をひっこめた。

「サヨナラ、楽しかったよ。いっしょに走った時間、ぜんぶ、忘れないよ。だって、青春だったんだもん」

チョーコはゆっくりと〈製鉄天使〉に背を向けて、胸を張って歩き去った。桜の花びらが舞い散っていた。

振り返ろうとしない毛毬の足元に、ぽとりと涙の粒が落ちた。

それから〈製鉄天使〉はマスコットのいないまま、またいつものようにぱらりらと走り出した。二度とこない十五の春を、赤朽葉毛毬は、一人乗りになって軽くなったバイクとともに走り抜けた。国道には桜がはげしく舞い散っていた。

兄貴、言ってたっけな、と毛毬は、ふと泪の言葉を思い出した。時間が止まればいいのに、と泪がつぶやいていたときの、存外、儚かった青白い顔。時間が止まれば、大好きな親友とともにいつまでもぐるぐると走っていられただろう、と毛毬は思った。だけど過ぎ去るからこそ青春は美しいのだった。毛毬はその春休み、仲間とも走り、一人でも走り、とにかくからだの内から湧き出る衝動に任せて鳥取中を赤い風のように駆け抜け続けた。夜になると弟の部屋に転がりこんで、メランコリックな少女漫画を読んだ。

彼氏の武とも、そういえばいつのまにか疎遠になってきていた。毛毬は大雑把な性格であったせいか、はたまた抜きん出た美貌であったせいか、浮気や、相手の心変わりのことなど疑いもしなかった。

そうして高校入学の日がやってきた。母の万葉にとってはまことに頭の痛い、波瀾が予想できる入学式であった。

毛毬が入学した高校では、野島武が三年となり、中学のときと同じく総番を張っていた。不良と軟派の巣窟であるこの高校では、男の先輩は、総番の彼女が入ってくると、女の先輩は、生意気な女子中学生の親玉がやってくると、毛毬の入学に戦々恐々としていた。

毛毬は学生鞄に武器を仕込み、制服の背中は鉄板で防御し、指のあいだに剃刀を隠して、入学式に出向いた。校門で待ち構える女の先輩をのし、式の途中で爆竹を鳴らす男の先輩をシカトし、帰りに待ち伏せされると校庭で大立ち回りをやった。

女どもの戦いでもあって男の先輩たちはくわえ煙草で見ているばかりだったが、浅田飴の缶が吸殻でいっぱいになったころ、一人が武に言った。

「おまえの女、つええな。おい」

「……あぁ」

武は心ここにあらずでうなずいた。

高校三年になった武は、まだ中学二年である寝取りの百夜にいつのまにやら骨抜きにされていた。毛毬から心は遠く離れていた。毛毬と武をつなぐのは不良文化という共通の概念であったが、そこからも、武のこころはひそかに離れつつあった。

今年で十八歳になる武にとっては、もうそろそろ、大人の世界に羽ばたかねばならぬ時期であった。喧嘩上等で過ごした武はこのころ、ボクシング部に在籍する硬派の友人ができ、ボクシングにはまっていた。村に一つしかないジムに通い、プロテストを受ける夢を持っていた。しかしそれは現実的な夢であり、不良というフィクションの世界にはあまりなじまない価値観であった。毛毬にそのことは話していなかった。

毛毬の最初のローマンスはこうして、知らぬうちに、男のほうから終わりかけていたのだ。毛毬は高校生になってからも遠征を続け、一年の夏休みに島根を制圧した。機嫌は悪く、いつも荒れていた。危険な運転を続けたが、不思議と事故は起こさなかった。

卒業式の日にわかれた穂積蝶子とは、このころ一度だけ、町ですれちがったことがあるという。

ある日の帰り道、めずらしくバイクに乗らずに一人でぶらぶらと並木道を歩いていると、笑いさざめきながらやってくる女子学生の集団がいた。鈴が鳴るような笑い声が聞こえてきた。黒髪は清楚で、スカート丈もちょうど膝の辺り。いかにも真面目な、おかたい女たちだと毛毬は思った。向こうも毛毬に気づいて「やだ、不良だヨ」などとささやきあっていた。目を合わせないように、桜の巨木のほうに寄って、毛毬を避けて近づいてきた。けっ、と毛毬は軽蔑の声を上げた。

すれちがうときちらっと見ると、右から二人目にいる女子学生は、ぱっちりした垂れ目に、まっすぐな黒髪。小首をかしげて上品に微笑んでいる。穂積蝶子であった。清楚なブレザーと、化粧っけのないヴァージン・ピンクのほっぺたが眩しかった。

赤いリボンのポニーテールに、裾を引きずるセーラー服姿の毛毬とは、目も合わせずに、清楚になった穂積蝶子は遠ざかっていった。

「東大。外交官。夜だけ。女豹」

毛毬がでたらめなメロディで歌いながら、並木道を全速力で走り出すと、秀才の女子学生たちはびっくりしたように立ち止まった。「やだぁ、なにあれ」とささやきあいながらまた歩き出した。

毛毬は家に帰ると、縁側でアイドル歌手の振り付けを練習中の鞄に問うた。

「青春って、いつ終わるんだろ」

「おばさんみたいなこと言わないでよ、姉さん」

鞄はわりと辛口で答えた。毛毬はため息をついて学生鞄を裏庭に放り投げた。鉄板入りの革鞄は庭の砂利に落っこちてずっしりとした音を立てた。毛毬は妹に習いながら、アイドル歌手の振り付けをきまぐれに真似し始めた。

「ほら、こうして片手を差し出して、あなたに、と歌うの。その腕をくるりと頭の後ろに回して、会いたいの、と歌う。こっちの手はマイクを持ってるの。なんだ、うまいじゃない、姉さん」

よく似た姉妹で並んで踊る、それはなかなか絵になっていたと、裏庭からあっけに取られて見ていた万葉が後に語った。

「あの子も、かわいくしてると、普通の女の子だったねぇ。でも、そんな姿を見たのはあのとき限りなんだよ」

さて、このころ妹の鞄はというと、念願の中学生になったところだった。元来、軟派でちゃらちゃらとしていた鞄は、ランドセルやら黄色い帽子をかぶせられる小学生のファッションを憎んでいたので、セーラー服に革靴、白い靴下という新しい文化に狂喜乱舞していた。中学に入ったらおしゃれして、軟派な友達をたくさんつくって、男にちやほやされたい、と浮かれて入学式に向かった鞄を、奈落の底に突き落としたのが、姉の毛毬であった。

どう見ても毛毬とよく似た風貌を持つこの妹を、紅緑中学の不良たちがほうっておくはずはなかったのだった。今年の王に選ばれた総番の少年が、額の剃りこみを青々とさせて一年の教室まで挨拶にきた。廊下を歩けば、ちーすと声をかけられ、荷物を持とうとすれば見知らぬ不良が手伝ってくれる。だから鞄は、男にもてなかった。見ればかわいい女の子なのだが、周囲の環境がおそろしすぎた。

入学三日目になって、異母姉の百夜がひょいと教室に顔を出した。三つ編みヘアに指定どおりに着こなした制服姿の、地味な姉をみつけてほっと安堵したのもつかのま、百夜は鞄の手を引っ張って「姉さんが校内を案内したげる」と廊下に連れ出した。そして「あの体育館の裏で、毛毬姉さんはうんこ座りして煙草を吸っとったよ。わたし、見とったの」「そこに開いとる穴は、姉さんが蹴って、開けたんよ。わたし、見とったの」「ここの芝生はね……」大きな声で百夜がのたまうので、毛毬の妹だということがますます校内に知れ渡った。

不思議なことに、毛毬が可視しなかった百夜のことは不良たちも黙殺していたが、よく似た鞄のことは良かれと思って過干渉し続けた。うんざりしながら学校に通い、ときおり百夜に手を引かれて、毛毬の話を聞かされた。

「あんなに毛毬姉さんばっかり見ておったのかと、おどろいたね」

と後に鞄は、あきれて顔をひきつらせた。

「柱の陰から、渡り廊下の上から、机の下から、とにかく毎日、姉さんを見とったのよ。ファンだよ、あれは。おかしいねぇ、姉と妹なのに」

なれてくると百夜は、陰気な声で、鞄にあれこれと打ち明け話をした。「わたし、野島先輩と寝たんよ。百回は寝たんよ」「こ、殺されるよ、毛毬姉さんに……」「殺されないよ」その後、夏休みが終わると毛毬の彼氏が野島武から、べつの少年に代わった。同じく、ことのほか醜いかんばせをしたおそろしい不良少年で、県内では鬼の山中《やまなか》と呼ばれていた。その年の秋、校庭の木陰で百夜がぼそぼそと言った。「わたし、山中先輩と寝たんよ」「殺されるよ……」「殺されないよ。でも、百回は寝たんよ」

このころ、鞄は百夜がすっかり苦手になった。

「とにかく、陰気な人でねぇ。血はつながっとるはずなんだけど、得体のしれんところがあってね。そのくせ口を開けば、寝た寝ないの話ばかりで。まったく、毛毬姉さんと足して二で割ればよかったのに」

中学一年から二年にかけて、鞄は校内ではそんな苦労をしながらも、家に帰れば、めげずにアイドル歌手を目指して努力し続けていた。夜はテレビにかじりついて、このころ流行っていた歌番組を欠かさずに見た。カセットテープに録音し、幾度も聞いては歌を覚えた。振り付けは、ビデオで録画した映像を目を皿のようにしてみつめ、暗記した。アイドルコンテストにもかかさず応募し、燃えていた。

末っ子の孤独はというとまだまだ子供で、子供どうしのネットワークに夢中になっていた。毛毬や鞄もあずかり知らぬことだったが、このころはちょうど、ファミリーコンピュータが発売されて小学生たちが飛びついた時代であった。孤独も大喜びで、祖母のタツにねだって買ってもらい、毎日ゲームで遊んでは、学校で友達と情報交換をしあった。

タツはいまだに本家の大奥様で畏怖の対象であったが、長男の泪に厳しく、じっと監督している半面、このおとなしい末子のことはやたらとかわいがっていた。毛毬が不良文化に埋没し、鞄がアイドルを目指す中、末子の孤独はゲームの世界に入りこんで、外の荒涼とした現実を忘れた。どちらにしろそれは、フィクションの時代の子供らしい生き様であった。学校ではゲームのほかに、オカルトのブームがやってきていた。口裂け女、トイレの花子さん、コックリさんといった噂が、子供たちの口コミのネットワークであっというまに全国に広がっていった。教室では、ヒマラヤの雪男、ネス湖のネッシー、ナスカの地上絵の秘密、といった話題が興奮した子供たちによって繰り返されていた。テレビをつければ、未確認飛行物体や宇宙人の特集番組などをやっており、孤独は果敢にも、アイドル番組を見たがる鞄とチャンネル争いをしたあげく、「いい加減にしろ！」と庭に投げ飛ばされた。鞄はそのあと、弟を投げるとはと、タツにこってりと絞られた。

孤独はまだ小学生であったこのころ、ある諦念《ていねん》を持った。というのは子供にブームとなったものの一つに、ノストラダムスの大予言というものがあったのだ。中世に生きた予言者によると、一九九九年七の月に、世界は滅亡するのだという。隕石が落下するのでは。その昔、恐竜が絶滅したときのように氷河期がくるのでは。核戦争が始まるのでは。さまざまな仮説を興奮して話すうちに、その気になってきた。孤独は、そのとき自分は何歳になっているのかと、指折り数えてみた。二十四歳であった。そんなに若いときにすべてが終わってしまうのかと思うと、孤独はすべてにやる気をなくした。宿題もせずにだらだらしていたところ、父の曜司に注意された。孤独は「どうせ二十四で死ぬのに、宿題なんて」と言い返して、父に頬を張り飛ばされた。

ふてくされて、吹けもしない口笛をひゅうひゅうと鳴らしながら、孤独は小石を蹴ってだんだんを歩いた。「くだらないよ、なにもかも」小学生には早すぎる諦念であった。さめた、ちいさな横顔に、はらはらと赤黒い朽葉が落ちてきた。バイクでぱらりらと通りかかった毛毬が

「よう、孤独ちゃん」と弟の腰に片手を回して、そのまま坂道を激走し始めた。孤独はこわがりでもあったので、細い悲鳴を上げて祖母のタツを呼んだ。

そして泪は高校三年になっていた。成績優秀で、どこの国立大学にも入れると教師から太鼓判を押されていたが、赤朽葉本家の長男は鳥取を出ることは許されないだろうとも思われていた。いまだに紅緑村の天上界である本家の、つぎの跡取りである泪は、とくに文句も言わずに鳥取大学一本に絞って大学受験すると決めていた。

毛毬が夕げの折にそのことを聞くと、泪はほっこりと微笑んだ。

「友達もいっしょなんだ。だから、やはり地元がいいよ」

「ふぅん、そうなんだ……」

万葉が黙って、じっと、泪をみつめた。長年の苦しみが刻まれた、悲しげな黒い瞳であった。泪は母の顔を見て、にっこりと笑った。

3　少女A

なにごともなくその年が終わり、毛毬は高校二年になった。泪は鳥取大学に余裕を持って合格し、詰襟制服を脱いで開襟シャツにジーンズ姿で大学に通い始めた。

赤朽葉本家の長男でもあり、短大生の女の子たちにはよくもてたようで、このころから大屋敷に、泪くんはいますかとおしゃれな短大生たちがよく訪ねてくるようになった。泪は面倒がって出てこないので、主に毛毬がドスを利かせて相手をした。「兄貴になんか用かヨ、お姉さん」蜘蛛《くも》の子を散らすように短大生たちは逃げたが、しばらくするとこりずにまたやってきた。泪は大学では、ハイキングなどに興じるあまりちゃらちゃらしていないサークルに入って、休みの日は中国山脈のどこかを仲間とともにてくてく歩いていた。タツが、女中につくらせた弁当を泪に渡して、出かけていく後ろ姿を見送った。

「あの子も、ほんとに真面目だねぇ。浮いた噂一つないよ」

おそらく、息子の曜司がその年齢であったころと比べていたのだろう。タツはいまだに本家の大奥様として大屋敷内で君臨していたが、瑣末《さまつ》なことから順番に、若奥様の万葉に権限を譲り渡し始めていた。使用人への采配もいまではほとんど万葉が行っていた。忙しい万葉に代ってタツが、ときどき訪ねてくる黒菱《くろびし》みどりの相手をして、手品やら、落語やらをネタにして笑い転げていた。相変わらず金ぴか姿のみどりは、大奥様と腹を抱えて笑いあいながら、ときおり、廊下を行き過ぎる万葉を横目で見た。「なかなか、忙しそうだが」そう言うと、タツは「そうよぅ。わたしがおらんようになったら、あの子が大奥様だからねぇ」とうなずいた。とはいえタツは血色もよく、まるまると太って、当分はおらんようにもならないと見受けられた。

百夜は相変わらずの寝取り三昧であったが、高校受験を控えて万葉に呼ばれ、進路希望を聞かれると陰気な声で、手に職をつけたいんよと言った。大学まで行きたくないのかと問われて、むっつりと黙って首を振った。妾腹の遠慮があったかもしれんねと万葉は後にため息混じりに語るのだが、百夜は頑強に、地元の商業高校を志望した。忙しい曜司をつかまえて相談すると、おまえに任せると返事をされ、万葉はすこし悩んだ。しかし百夜は希望を変えず、結局、商業高校一本に絞って受験することとなった。

時代は、かすかに風向きを変えつつあった。六六年生まれ、丙午の女子高校生たちが不良化し、全国で暴れているこのころはレディースブームが巻き起こり、専門の雑誌も創刊されていた。地方の有名な不良として、中国地方代表の赤朽葉毛毬は毎号、雄叫びを上げて鉄パイプを振り上げる勇姿や、のぼりをはためかせてあぜ道を走る姿などが掲載されていた。レディースの頭数は増え、闘争も激化していたが、一方で学校の中は、そういったブームとは裏腹に、つぎの時代を迎えつつあったのだ。

一般の学生はさらなる受験戦争に身を置いていた。隣の席にいるのは友達ではなく、蹴落とすべきライバルであり、よい成績をとって学歴社会の勝者になることがもっとも大切なことだと考えられ続けていた。ローンで一戸建てを買った親たちは、子供の教育費にもお金をかけた。男子学生だけでなく、女子も勉強に力を注いだ。この少し後、男女雇用機会均等法が施行され、さらに数年後には政治の世界でも野党の女性議員が激増して、マドンナ旋風などと名づけられた。まだまだ手探りではあったが、女性も受験戦争を勝ち上がり、高学歴になれば、社会の中枢を担う勝者になれると考えられ始めていた。そんな時代の変化を感じるたびに、毛毬は、遠ざかっていった親友の穂積蝶子を思い出したという。

外交官になるため、最高学府を目指す、秀才のチョーコ。くだらない世間を、うまく渡ってみせると豪語した、かわいらしいチョーコ。思い出すだに、毛毬には、あのときのあの子の顔は勝ち誇っても希望に燃えてもいず、奇妙に醒めた、氷みたいな、さびしい瞳だった気がしてならなかった。

学歴社会の重圧に耐えかねるように、まじめな子供が壊れてしまう、そういった事件もこのころ頻発し始めた。物静かだった子供が、バットを振り回し獣のように親を襲った。とつぜんビルから飛び降りる者たちもいた。子供の社会に、行き場のない奇妙なストレスが蔓延《まんえん》した。それにつれ、学校もまた変貌し始めた。派手な校内暴力の時代は徐々に終わりを告げ、代わりに子供たちが、より弱い個体をみつけて攻撃する、陰湿ないじめの時代が到来していた。大人に牙をむく子供は減り、子供どうしが魂《たましい》を殺しあう暗黒のゲームが始まった。

このころ、末子の孤独がぴたりと学校に行かなくなった。タツが、出かけた振りをして裏庭からもどり、部屋に隠れている孤独に気づいて、叱った。ついで万葉も、息子を叱る。すると顔を真っ青にして孤独は声もなく泣き出した。

祖母にも、母にもなにも言わず、兄の泪が出てきても口を割らなかった。夜になって、血まみれでチェーンを振り回してもどってきた毛毬が、母から話を聞いて、孤独が籠城《ろうじよう》する部屋の襖《ふすま》を蹴り破いて侵入した。孤独はおびえて押入れに隠れたが、暗闇で猫のように二つの目を光らせて、姉を睨み上げていた。

「孤独ちゃん、おまえ、いじめられてんだろ」

毛毬はチェーンを放り出すと、押入れをそっと覗きこんだ。

「……うん」

「センコーは、知ってんのか」

「い、い、い、い」

孤独はしゃくりあげた。「い、いじめられるほうにも、原因があるって」とようやく言うと、血まみれの姿でこちらを見ている、大柄な姉に、ぎゅうっと抱きついた。毛むくじゃらの大きな犬に抱きつくような、不思議な安心感を感じた。

弟を抱きしめながら、毛毬はぎりりと歯軋《はぎし》りをした。

「そんなこと、あるもんか。それは大人のいいわけだ。そんなこと言うセンコーは、人間の屑だぜ」

「ほ、ほ、ほ、ほ、ほんとうか。姉ちゃん」

「ほんとうだ。姉さんは嘘はつかん。孤独、そんな大人は軽蔑しろ。ちっ、相変わらず、教師ってのはしゃばい年寄りだぜ」

毛毬から話を聞いたタツも、万葉も、初めは事態をうまく把握できなかった。万葉が子供のころも、黒菱みどりとその手下にいじめられていやな思いをしたが、紆余曲折を経て、いまではよい友である。それぐらいのことかと思う大人たちに、毛毬は「母さん、便器を舐められるか。教室で、みんなの前で下着を脱げるか。女の子も、いるんだぞ」と遠慮がちのちいさな声で言った。万葉は事態を理解した。孤独をことのほかかわいがっていたタツは、涙を流し、声を上げて泣いた。気丈な、そして天上界の女としか思えぬこの姑が、涙を流すのを見たのは、万葉にとっては生まれて初めてのことであった。大奥様のタツもさすがに年をとり、涙もろくなっていたのか。子供とも、嫁ともちがう、孫という宝を襲う悪意に、タツは深く傷ついた。

タツの涙を見たら、万葉はとつぜん強くなった。きりりと髪をまとめ、赤い着物に黒い帯で、小学校を訪ねていった。孤独の担任教師は大学出のまだ年若い女で、本家の若奥様の来訪に怯えを滲ませたが、校長、学年主任ともども出てきて、いじめの事実はないことと、子供たちの付き合いの問題であって教師は口出ししない方針であることを語った。万葉は保身の空気を感じ、毛毬によく似た、危険な目つきをしてみせた。

「あんたたち、便器を舐められますか。ここで下着を、脱げますか。子供だから平気だと思っとるのですか。自分が子供のころのこと、思い出してみるがいいだが。平気じゃ、なかったでしょう」

学校側はその後、それなりに努力をしたようだが、時代のうねりのように教室を襲う黒い波は、大人の理解を超えていた。

孤独は学校に行かなくなった。大屋敷の部屋にこもって、ゲームをして、漫画を読んで、夜になると声もなく泣いた。泣いているとどこからともなく姉の毛毬がきて、ごろりと横になって漫画を読んだ。このころのことを孤独は後に、

「大きな犬がそばにいて、それで落ち着くような、そんな感じだったね。毛毬姉さんがいると」

と言葉少なにだが、語った。

この年の終わりごろ、雪がちらつく裏庭を抜けて、一人の少年が孤独を訪ねてきた。「おーい……」と、梟《ふくろう》が鳴くような声で、ちいさく孤独を呼んだ。前の年までクラスメートだった、ゲーム好きの少年であった。同じ教室にいるときは、よくしゃべったものだった。また一人、また一人と同好の士が集まり始めた。

孤独は学校を失ったが、友達は失わなかった。夕方になると、孤独とよく似た、内気な目をした少年たちが集まっていっしょにゲームに興じ始めた。すると毛毬はぴたりと顔を出さなくなり、代わりにときおりふらりと廊下を近づいてきて、パチンコで儲けたらしい駄菓子を詰めた紙袋を、襖に開いた穴から、乱暴に孤独の部屋に投げこんだ。「うひゃっ」「いたい！」と少年たちは最初のころこそ驚いたが、次第になれて「まだかな。あのこわい姉ちゃんの、駄菓子爆弾」などと言い始めた。

壊れる子供たちの、孤独と焦燥の時代。そしてこのころ、もう一人、時代の黒い波にからめとられた者がいた。いまではすっかり疎遠になった、毛毬の親友、穂積蝶子であった。

武器屋〈赤白椿姫〉のオーナー、多田忍からの呼び出しを受けたのは、冬の終わりのことだった。毛毬は高校二年で、押しも押されもせぬレディース界の有名人であった。腰までのびたロングポニテをなびかせて、風のように中国地方を走り回っていた。毛毬のファンは多く、あの人のためなら死んでもいいぜと豪語する女たちは後を絶たなかった。

久しぶりの忍に──さんからの呼び出しに、その日、毛毬はそれなりにびびってもいた。忍は二年前に、元レディースで引退後は宵町横丁の団子屋で働いていた女を孕《はら》ませて、男らしく責任を取って所帯を持っていた。いまでは忍も子育てを手伝って、後ろ髪をのばした子供に赤いつなぎを着せ、武器屋の中で遊ばせていた。

その子供がどうも苦手であって、毛毬は武器屋から足が遠のいていた。呼び出しにびびりながら宵町横丁にバイクを走らせると、ビルの前でなぜか、別れた男、野島武がストイックな顔をして縄跳びをしていた。驚くほどのスピードで縄を回し、武はいつまでも飛び続けていた。もともと引き締まっていたからだがさらに締まり、彫刻のような奇妙な美しさであった。あきれて見ていると武は、醜い顔を上げて毛毬に気づき、飛びながら「久しぶりだな」と言った。

「な、なにしてんのさ」

「……縄跳びだ」

武は短く答えた。毛毬は、彼がプロボクサーを目指していることを知らなかったので、唖然としながらも「ま、がんばってや」とつぶやいて武器屋に入っていった。

鉄製の武器がそこかしこにぶらさがる〈赤白椿姫〉に入ると、さっそく、後ろ髪をのばした忍の子供が、毛毬によじ登り始めた。毛毬は「いてて」とつぶやきながら忍をさがした。

忍にーさんは奥のレジ前に座っていた。すこしふっくらと肉がついたが、相変わらず、目が合っただけでこっちの眼球が斬れそうな、獰猛《どうもう》な目つきをしていた。毛毬は背中が怖気立ち、ちいさく「ちーす。ご無沙汰っす」とつぶやいた。

「よぅ。久しぶりだな。武勇伝は聞いとるぜよ」

「いやぁ」

子供が、よだれをたらしてよじのぼってくる。引き剝がそうと四苦八苦していると、忍が気づいて、子供を自分の膝に乗せた。

「しかし、どうかしたんすか、にーさん。急に会いたいなんて、なにか問題でも」

「うむ……。さいきん、便利になったもんだな、毛毬。留守番電話とかよ」

「へっ、留守番電話？」

毛毬は聞き返した。

このころ、家庭用の電話機はダイヤル式の黒電話から、プッシュ式で留守番機能もついた新しい形に替わり始めていた。電電公社が民営化されNTTとなり、サービスが飛躍的に向上していく時代のことであった。この少し後、テレホンクラブの流行がやってきた。また、伝言ダイヤルという、特定の番号にかけてメッセージを吹きこむことによって見知らぬ人とコミュニケーションを取ったり、情報を交換できるサービスも人気を集めることとなる。伝言ダイヤルはダイヤルQ2に進化し、ポケットベルなどのサービスも広がりをみせる。パソコン通信のサービスはもう始まろうとしていた。そういった、同じ目的を持った見知らぬ人間と匿名のままつながることのできる、新しいツールが生まれ始めていた。その初めの一歩が、メッセージを録音する留守番電話サービスであったのかもしれない。

とはいえ、毛毬などはそういった新しい文化にはうとかった。首をかしげて「まぁ、便利にはなりましたねぇ」とつぶやいていると、忍は険しい顔をして続けた。

「こういうもんは、まず子供が飛びつくからな。ま、子供どうし、大人どうしで使う分には、まったくなんの問題もないわけだが」

「はぁ」

「さいきんこの辺りで、子供と大人をつなげちまったばかがいる」

「はぁ……」

「察しの悪いやつだな、毛毬。……つまり、売春だぜよ」

毛毬はくわえた煙草をぽとりと落とした。啞然として、忍を見る。忍は険しい顔で毛毬をみつめていた。

「はぁ、売春……？　まさか。それ、レディースの話じゃないでしょうね、にーさん。この辺りをしきってんのはわたしだし、うちらは売春とシンナーはご法度《はっと》。お堅いチームで通ってますから」

「おまえんとこは、走りと喧嘩だけ、たまに盗みでパクられる馬鹿がいるってのは、よくわかってる。あのな、毛毬。時代ってのはどんどん変わるんだ。驚くようなところから、あきれちまうやり方で追い越されてしまうもんだぜよ。いかにもワルなやつがいかにもな不良をやるって時代は、もうそろそろ終わりだぜ。武を見ろよ、あんな真面目になっちまって」

「……どういうことですか、にーさん」

「この店の武器を見にくるのも、去年辺りからかな、いかにも不良の学生じゃなくて、普通の、地味なガキが増えてきてるんだ。自室に引いた電話の留守番機能を使って売春してるのも、家庭が複雑な不良少女、なんて子じゃない」

「じゃ、いったい誰なんです」

忍は口元をゆがませた。

それから苦々しそうに、一つの高校の名を出した。毛毬はひゅっとのどを鳴らしてのけぞった。それは兄の泪が通っていた、元旧制中学である県内一の名門高校であった。

高校に入学したばかりのころ、並木道ですれちがった、秀才の女の子たちの姿が脳裏によみがえった。桜色のほっぺたに、染めたことのない眩しい黒い髪。毛毬の姿に、軽蔑と怖れを滲ませて目を伏せた、あのヴァージン・ピンクの少女たち。

「……まさか」

「留守番電話ってぇ新しいツールを通じて匿名性を得てだな、親爺どもとつながって、高い金を出させて売春してる。間違いない。こっちは身元もわかってる。宵町横丁は横のつながりが強いからな。さいきんは東南アジアからの出稼ぎも多いし、客は一定数しかいないから取り合いになってる。そんな中で、素人《しろうと》の女子高生に稼がせるほど、この街の大人は、甘くないぜよ」

「だけど……。それって、誰かしきってる大人がいるんじゃないすか。にーさん。あのミルク臭いヴァージン・ピンクたちに、そんな頭があるもんか。あいつらはおベンキョしか知らない、ガキっすよ」

「……毛毬」

「汚い大人が仕切って、ピンはねしてるんじゃないすか」

毛毬が吐き捨てるように言うと、忍は首を振った。むずがり始めた子供にお菓子を与えながら、

「それが、ちがうんだ。仕切ってるのもヴァージン・ピンクの一人なんだよ。それがこの話のこわいところだ。……おい、ここまで言えばわかるだろ。わざわざおまえを呼び出した理由がよ。〈製鉄天使〉の頭さんよ。……おい、おまえの責任じゃないが、それで逃げられるようなことでもないぜよ！」

声を荒らげた忍に、毛毬は唖然とした。毛毬はこの世界では勘のいいほうだったが、それにしても、まったくなんのことだかわからなかった。忍は苛立ったように、

「おまえの後ろに乗ってた、尻の青いガキだよ。いっつもふざけてけらけら笑ってた。だろ」

「……チョーコ？」

毛毬は目玉をむき出した。

すこしだけ、哀れむように毛毬を見てから、忍は続けた。

「あの学校で、まず最初にな、進化する電話機能のアブない使い方に、いち早く気づいたやつがいる。そいつが同級生をそそのかして、儲かる冒険に連れ出した。あちこちの土地のやつらに聞いて回ってみたが、そういう事象は全国的にゆっくり起こり始めてる。都会から先に、すこしずつ、地方都市にも広がってきてるってのが正確なところだ。過熱する受験戦争で鬱屈してる、おまえのいうヴァージン・ピンクたちが、どんどん勝手に堕《お》ちてきているのさ。親も知らない。友達も知らない。ただ、どこの土地でも、仕切ってるのはじつは大人だ。悪い大人に

だまされるお嬢ちゃんたち。儲けをピンはねされても気づかず、冒険にはしゃいでる。だけどな、この町だけは、ちがう。ほかの土地のやつらもじつのとこ、驚いてる。仕切ってるのもお嬢ちゃんだ。二年E組、国立文系コースの秀才、穂積蝶子。成績はトップクラスで、ルックスも最高。あの高校で偏差値が七十八っていえば、そうとうだぜ。で、こいつはおかしいってんで調べてみたら、なんと、いまでこそ名門でミルク臭いお嬢ちゃんたちにまぎれてるが、もとは〈製鉄天使〉のマスコットはってたスケだっていうじゃないか。そう言われりゃ、俺だって見覚えがある。毛毬、おまえのバイクの後ろにいつも乗ってた、あのかわゆいチョーコちゃんだ。それがいまじゃ、宵町の大人たちの上を飛び越えて、素人の、上玉のスケたちをぽんぽん流通させちまってる」

忍はじろりと毛毬を見た。

「わかるか、おい。宵町横丁には、宵町の大人だけの縄張りがある。チョーコに言っとけ。いますぐ手を引けってな」

忍は別人のようにおそろしい顔をして、ひたと毛毬を見た。

「チョーコが……」

毛毬はうめいた。

「信じられません。にーさん、あのチョーコは、そんなやつじゃ……」

「甘えるなよ、毛毬。現実を見ろ」

どやされて、言葉を呑みこんだ。

「中坊のころだってな、あのガキは女をうまく転がして世渡りしてきただけじゃないか。〈製鉄天使〉のバックがあるから、大威張りで、陰でそうとう好き勝手をやってたんだ。あいつはかわゆいだけじゃない。女郎蜘蛛みたいに小ずるいスケだったのさ」

忍は吐き捨てるように言うと、毛毬に背を向けた。毛毬は真っ青な顔をしてよろよろよろめき、〈赤白椿姫〉を出た。

武がまだ縄跳びを続けていた。汗が光って飛び散り、月光の雫《しずく》のようにアスファルトに落ちた。

夜空には三日月がうっすら浮かんでいた。毛毬はバイクにまたがって、静かに宵町を走った。生まれて初めて、エンジンを吹かさず、静かに、一人きりの葬列のように国道を走った。

子供たちが壊れ始めていた。子供が子供を喰い、大人の男が少女を喰った。毛毬は初めて、走ること、闘争することを、むなしい、と思った。涙が出てきて止まらなかった。

上へ。上へ。だんだんのもっと上へ。みんなでもっと幸せに。だんだんの坂道を音も立てずに走りぬけ、大屋敷にもどると、裏庭にひとり立ち尽くした。

滂沱《ぼうだ》の涙を流して立っていた大女の毛毬は、やがて夜空に向かって叫んだ。

「しゃばいぜよ！」

廊下を歩いていた万葉が、ぎゃっと叫んで飛び上がった。

「チョーコの、馬鹿野郎が！」

孤独が、念のために押入れに避難した。鞄は何度目かの家出を決行中で、この夜は大屋敷にいなかった。毛毬の声に驚いて、裏庭で一斉に、北の地からもどってきたばかりの渡り鳥が羽音も高らかに飛び立った。名残雪が、松の木からぽとりと落ちた。

月明かりが、立ち尽くす毛毬を薄ぼんやりと照らし続けていた。

このころ赤朽葉本家では本格的に、大奥様から若奥様に、さまざまな目に見えない力が譲渡されつつあった。

夫の康幸が病で亡くなった後も、タツは元気でかくしゃくとしており、長生きをした。白いからだはますます肥え太り、そのあまりに縁起のよさそうな様子に、製鉄所の職員たちも大奥様を見るのは眼福であると老いたタツを大事にしていた。恵比寿《えびす》様に、ますます似てきた。

一方、若奥様の万葉のほうは泪を産んで以来、翳《かげ》のある様子となっていたが、このころから、タツに吸い取られるかのように痩せて、ますます、その年齢よりも落ち着いて見えるようになってきた。その万葉のもとには、毛毬が恐れをこめてフラメンコババァと呼ぶところの通称出目金、黒菱みどりが相変わらず、よく茶を飲みにきた。頼みもしないのに万葉の子供たちを集めては、畳の上で足袋《たび》を鳴らして、黒いドレスでフラメンコを踊ってみせた。白塗りに紅をさしたその顔を、子供のころ毛毬はことのほか怖がっていたが、大きくなるにつれ、ババァの冷や水、お化けのフラメンコなどとばかにしては、万葉とみどりに順番に頭を叩かれた。

獰猛な娘、毛毬を大屋敷の人々は怖れていたが、みどりはさすがに年の功で、怖れもせずになにかと毛毬を叩き、毎日のように説教をした。

「おかあさんに心配させたらいかんだが。それに、そんなおかしな格好はやめなさいよ」

黒いフラメンコドレスに金のハイヒールを履いたみどりに注意をされると、さすがに毛毬も不服そうであった。

「どっちがおかしな格好だよ。ちぇっ……」

赤朽葉製鉄のほうは、規模の縮小と、分野を広範囲にする経営方針でなんとか難局を乗り切っていた。また、時代の高級志向と過熱する消費を見込んで、古いたたら職人たちを再雇用して高級な刃物類を〈赤朽葉印〉というブランドにして都市のデパートに卸《おろ》し始めた。一方で自動車部品やテレビのブラウン管などの製造にも手を伸ばして、多角的な経営に少しずつ移行していた。曜司が昔、ぷくぷく茶屋でお茶を飲みながら洋書に読みふけっていた高等遊民であったことなど、若い社員は誰も知らなかった。

製鉄所の変化につれて、溶鉱炉の英雄と呼ばれた穂積豊寿のほうは次第に威光を失いつつあった。オートメーション化されていく工場では、職工という概念自体が消えかけの灯火のように揺らいでいた。それでも豊寿は毎日、休むことなく働いた。いまだ独身であった。万葉の長男である泪のことを、その昔、オート三輪にはねられた小学生の泪をナイスキャッチで受け止めて以来、とくべつにかわいがっていた。ことあるごとに「こうやって受け止めてなぁ。あぁ、危なかった」などと昔話をして泪を恥ずかしがらせた。

泪は相変わらず、本家の人々にとっては地元の国立大学に通う秀才であり、跡取りとして期待されつつ、問題も起こさぬのであまり目立たないといった存在だった。すぐ下の毛毬の様子ばかり、大屋敷の人々は注目し続けていた。

百夜は商業高校に通い始めていた。そろばんや簿記を習って、手に職をつけ始めた。鞄は相変わらずの軟派な日々で、パーマをかけた茶髪をなびかせて友達とたわむれていた。受験生になっていたが、高校は軟派が志望する私立を狙っていた。私服で通えておしゃれ三昧なところに心惹かれていたのだ。

そして末の孤独は、自分の部屋の奥にこもり、核兵器を怖れていた。

後に孤独が語ったところによると、戦後の繁栄の陰で、米ソ二大陣営による冷戦が続いていた。核の均衡により、一時この緊張は緩和されたが、ソ連のアフガニスタン侵攻によって、核兵器保有国どうしによる東西冷戦が再燃、加速していった。「誰かがボタンを押したら、地球は終わる」とまことしやかにささやかれていたという。

東がボタンを押せば、レーダーで察知し、西の核兵器も自動的に空高く打ち出される。それをレーダーで察知して、東がさらに核兵器を飛ばす。死の灰が降り注ぎ〝核の冬〟がやってきて、そうして、地球は破滅する。

それはたしかにばかげた事態だが、誰にも止められないことも明白であった。変えることができるのは権力者だけだったが、子供たちにとって、権力ほど、政治ほど遠い、手の届かないものはなかっただろう。

せかいは、終わる。

ある朝とつぜんに。

光とともに。

どれだけ努力をしても、平和を願っても、祈りは届かず、未来や希望や愛があるときとつぜん無に帰する。

そう思うと、孤独はすべてをますますむなしく感じた。「くだらないよ、なにもかも」そうつぶやいて部屋の畳にごろりと横になった。天井を見上げていると、わけもなく不安になった。子供には早すぎる諦念が心にすみついていた。

そのようにして、見えない力でとつぜん断ち切られるかもしれぬせかいを、漂うように、孤独は大屋敷の奥の部屋で生き続けた。

そして大屋敷の外では、毛毬が、柄にもなく震えながら、親友のもとに向かったところだった。


名門高校は繁華街の真ん中、人通りの多い場所にのっそりと建っていた。なにしろむかしからあるから、敷地は広大で、校庭だけで三つもあって、野球部やサッカー部や陸上部が、それぞれ放課後は部活に興じていた。文武両道。勉学とともに運動で精神を高め高潔な人間となれ。そのお堅い高校の正門にもたれて、毛毬は、元親友の穂積蝶子が出てくるのを待っていた。笑いさざめきながら女子学生が正門を出てきては、ポニーテールに真っ赤なリボン、どう見ても不良である毛毬の姿におどろいて、きゃっとつぶやいて足早になった。やがて、夕刻の赤い日に照らされて、ひときわ黒い、ほんとうに真っ黒い影が、揺れながらこちらに近づいてきた。黒煙が立ち上りアスファルトがいやな匂いをさせている気がするほど、その影法師は不気味であった。毛毬が顔を上げると、影も止まった。

清楚なローファーの靴に、白い三折靴下。ブレザーの制服はぴんとアイロンがかかっている。顔を見る前から、わかった。チョーコであった。

「よぅ。久しぶり」

「……毛毬ちゃんじゃあ、ないの」

チョーコの顔は相変わらず、さすがマスコットをはっていたスケだとみとれるほどかわいらしかった。垂れ目ぎみの瞳はぱっちりとして潤み、ほっぺたはあわいピンクだった。それなのに影は不吉に真っ黒で、アスファルトの上をゆっくり移動していた団子虫が、その影に一歩入った途端に、くるりと丸まって動かなくなった。

影を見ていたら、毛毬はいらいらとした。乱暴な口調で、

「話が、あるんだぜ」

「いーよ。聞いたげる」

二人とも言葉少なだった。毛毬がバイクにまたがると、後ろにチョーコがちょこんと乗っかった。周りの生徒たちが驚いたように足を止め、そんな二人をみつめた。「えっ、穂積さん？」

「穂積先輩だ。なに……？」チョーコは、毛毬の背中にぎゅうっと抱きついた。

走り始めたら、ひっく、としゃくりあげたので、毛毬は怒鳴った。

「泣くなよ。じめじめとよ」

「だって、毛毬ちゃん……」

チョーコは落雷交じりの雨のような号泣をしながら、言った。

「あのころ楽しかったね。わたしの青春って、あんたよ」

「まだ終わってない。十七歳じゃないか」

「もう十七」

「また、それかよ」

二人は駅前にできた、都会からやってきたハンバーガーショップに入った。海の向こうの、アメリカの匂いがした。ハンバーガーとポテトとシェイクを頼んで、毛毬は食べたが、チョーコは「……太っちゃうヨ」と言ってほとんどを残した。

「調子、どうだ」

なんと言っていいかわからなかったので、毛毬はそう問うた。チョーコがぷっと笑った。調子、どうだ、はたまに大屋敷で会う父の曜司が、困ったように頭をかいて毛毬たち子供に問う口ぐせだった。チョーコは笑いながら顔を上げた。

醒めた瞳だった。自分の知ってるチョーコとはずいぶんちがう、と毛毬は思った。きっと辛いことがいっぱいあったんだ。東大目指して、外交官目指して、夜だけワルの、かっこいい大人の女になるのは、きっと茨《いばら》の道なんだぜよ。

「どうって、勉強がたいへん。二年になると文系と理系にコースが分かれて、二年の後半からは国立と私立でさらにコースが分かれるの。受験する大学によって専攻も変わって、授業のたびにぞろぞろと教室移動。英語と数学はランク分けされて、そのランクも、一ヶ月ごとの模試で流動的でね」

「……なんのことか、さっぱりわからん」

「毛毬ちゃんには、わかんなくていいのよ」

溶け始めたシェイクを、チョーコはぐるぐるとかき混ぜた。

「だけどブスで秀才な女は存在価値ナッシングなの。それって残酷。だからかわいくしなきゃ。ブローして、リップ塗って、つめも、ほら」

「うん……」

「……毛毬ちゃん、女の子がダメになりたい気持ち、わかる?」

毛毬は身を乗り出して、獰猛な、獣じみた目つきで親友の顔を覗きこんだ。チョーコの目は濁って、口元もだらしなくゆるんでいた。

「そのことで、きたんでしょ」

「あぁ」

短くうなずくと、チョーコはにやりとした。

「ばれちゃったか。もっと長く、うまくやれると思ってたんだけどなぁ」

「チョーコはまったく、うまくやってなんかいないぜよ。すぐにばれたし、宵町横丁の大人たちが、派手にやってる高校生がいるって、ずいぶん怒ってる。あの町には縄張りってもんがあるんだ。さいきん、アジア系の女の子、みかけるだろ。あいつらの縄張り、おまえが荒らしてる」

「……どうなっちゃうの」

「ろくなことにはならん。いまのうちに手を引けよ」

チョーコは鼻を鳴らした。かわゆい女の子には不似合いの、はすっぱな仕草だった。

「毛毬ちゃんには、わかんないよ。わたしたちの気持ち」

「ダメになりたくなるぐらいだったら、そんなにがんばらなくていいだろ。勉強だけじゃないんだ、世の中は」

「勉強だけよ。わたしたちの義務は」

チョーコはそう言うと、唇を強く噛んだ。それからうつむいて、にやり、と奇妙な笑い方をした。以前のチョーコにはなかった、どこか賤しい笑い方だった。

「うちの学校の子たち、みんな、勉強はできるけどてんで子供なんだ。ストレスはあるし、好奇心もあるし、だからちょっとおかしな冒険に誘ったらほいほいついてきてね。親も知らない危ない自分ってのに飢えてるわけ。わたし、ずいぶん儲けたよ」

「チョーコ……」

「毛毬ちゃん、わたしを守ってくれない。儲け、山分けしてもいいよ。宵町横町の大人なんてこわくないよ、毛毬ちゃんのバックがあれば」

「そんなわけないだろう。わたしがいるのは、所詮、子供の縄張りさ」

「なーんだ」

「それに、いい加減にしろよ、チョーコ。女が女を喰ってどうするよ。どっこもおもしろいことなんてありゃしないさ。それで東大行って、外交官になって、ってよ。男の悪いところを真似することが、強い女になるってことか？　それはちがうぜよ。チョーコ、ぜったいにちがうぜよ」

「……」

チョーコは顔を青くした。乱暴に立ち上がると、椅子が後ろに倒れて大きな音を立てた。溶けたシェイクを毛毬の顔にぶつけると、ハンバーガーショップを走り出た。

毛毬はシェイクだらけの顔で、チョーコを追いかけた。「待てよ、チョーコ。こんな別れはいやだ。もっと話そうぜ！」意外と脚力《きやくりよく》のあるチョーコが繁華街を走り抜けるのを、ロングのポニーテールと赤いリボンをなびかせて、追った。行商のおばさんをみつけて、苦瓜を拝借してブーメランのように投げると、チョーコの頭に思いきり当たり、チョーコは昏倒した。

走りよって抱き起こし、「おい、チョーコ」とやさしく呼んだ。

チョーコは気絶していたが、乱暴に揺すられて、やがて目を開けた。涙がひとすじ、ゆっくりと流れた。

「あのころは、楽しかったね。毛毬ちゃん。わたし、ずっと続けばいいと思ってたよ。ほんとだよ」

「まだなにも終わっちゃいない。時間は過ぎ去ったけど、なんだって取り戻せるさ。チョーコ、目を覚ませ」

「わたしは、終わりヨ。うまくやれなきゃ消えるまで」

毛毬が親友の穂積蝶子の顔を見たのは、この日が最後であった。

——高校三年のこの夏、全国紙の一面に、山陰地方のとある名門高校の女子学生たちの、集団売春事件が明るみに出たことが報じられた。大人たちは初めこそ、学校から逸脱した不良少女や軟派な子たちだろうと高をくくっていたが、聞けば、学校では真面目で目立たない秀才ばかりだったというので、度肝を抜かれた。検挙、もしくは補導されたのはいずれも高校三年生、十七歳から十八歳の、十二人の少女たちだった。主犯格は少女Aで、自分は直接売春をせずに、自室に引いた電話を使って客を集め、クラスメートを紹介しては仲介料をとっていた。

紅緑警察の少年課では、事件が理解の範疇を超えており、頭を抱えた。おとなしいはずのティーチャーズペットたちが、壊れ始めていた。穂積蝶子の家族は黒い風のように噂が駆け抜けるこの地方都市にはいられなくなり、都市に逃れんと家財道具を持って大阪に出奔《しゅつぽん》した。残った叔父の豊寿が、家族と姪とのあいだを取り持った。穂積蝶子はほかの少女とともに強制退学となり、その後、少年院送りとなった。

穂積蝶子は家族とも友人とも、誰とも面会しようとしなかった。秀才であった、かわいい顔をした、おとなしい〝少女A〟には、得体の知れないところがあった。旧知のほとんど誰もが彼女に背を向けたが、少年院に送られるその夕方、穂積蝶子を乗せた車を、葬列のように静かなレディースのバイクたちがぐるりと取り囲んだ。少年院は中国山脈の向こう、広島の山奥にあった。エンジンも吹かさず、ライトもつけず、声も上げずにレディースたちは県境を越え、少女Aを広島に送り届けた。少女たちの百鬼夜行のようなその姿に、大人たちはわけもわからず、怯えた。

広島の少年院の門をくぐって車が遠ざかっていくと、レディースたちは一斉にライトを点滅させ、エンジンを吹かし、ぱらりらぱらりらと騒々しく音を立てた。「サヨナラ」「サヨナラ」「サヨナラ」とかわいらしい少女たちの声が聞こえた。「チョーコ」「チョーコ」「チョーコちゃん」

そうして穂積蝶子は、鳥取から消えた。


チョーコが消えたこの年、百夜はやたら機嫌がよかったと、鞄は後に語った。

「鼻歌歌って、大屋敷のあっちこっちをうろうろしとってね。普段はあんだけ陰気な人だから、余計に不気味だったけどね。毛毬姉さんの親友がいなくなって、ちょっと、うれしかったのかねぇ。わからんけどねぇ」

百夜は相変わらず、柱の陰から、梁《はり》の上から、机の下から、毛毬を熱くみつめ続けていた。

「いい加減に飽きないもんかと思っとったけど、飽きなかったんだねぇ。おかしなもんさ。毛毬姉さんのそばにいられないようにって、チョーコちゃんのこと、呪ったんじゃないかと疑ったよ。ま、そんなわけないけどねぇ」

毛毬は相変わらず、〈製鉄天使〉を率いて暴れ続けていた。しかしこころは沈む一方であり、百夜が上機嫌なのとは裏腹に、ため息をついては縁側で大の字になっていたという。そのそばに豊寿がときおり近づいてきた。かわいがっていた姪がたいへんなことになり、豊寿はめっきり老けこんだが、毛毬と、姪の話などをしているとすこし気持ちが楽になった。

毛毬が不思議なフィリピーナに出会ったのは、ちょうどこのころのことだった。

秋がやってきて、山陰地方には重たい雲が立ちこめて長雨が降っていた。宵町横丁をバイクで飛ばして、生まれて初めてのことだが水溜りにタイヤを滑らせ、勢いよく転倒した。毛毬は地面に叩きつけられ、バイクはひゅるひゅると飛んでいった。透明な水溜りに、自分がうつっているなと思ったら、毛毬自身は黙っているのに、水溜りにうつった毛毬は口を開いた。

「ダイジョブ？　死んだか？　オイ？」

奇妙なイントネーションで、その女はしゃべった。水溜りから顔を上げると、毛毬とそっくりな顔をした若いフィリピーナが、傘も差さずに立っていた。フィリピーナも驚いたように毛毬をみつめた。

このころ、宵町横丁では東南アジアから出稼ぎにくる若い女、後にじゃぱゆきさんと呼ばれる女たちが増える一方であった。夕方ともなると、肌の色と同じく、暗い目をして足早に歩いている姿をよくみかけた。同い年ぐらいと思われるそのフィリピーナは、毛毬と面差《おもざ》しがよく似ていた。背が高くがっちりと骨太で、肌は浅黒く、黒目がちの彫りの深い顔つきをしていた。長い黒髪だけがちりちりと縮れて腰の辺りまで伸びていた。

毛毬はもともと、母である万葉に似て生まれた。はるか古代に海を渡ってやってきて、中国山脈の奥地に隠れ住むという、あの山の人たちもまた、アジアの東南の血を思わせるくっきりとした顔立ちをしていたはずであった。

悠久の時と広大な海に隔てられた、同じ土地の匂いを感じ取ったのか、二人は顔をくっつけ、長いあいだみつめあった。それは合わせ鏡のような情景であった。やがて毛毬は立ち上がり、倒れたバイクを起こそうとした。フィリピーナが手伝ってくれた。二人とも力持ちであり、バイクは簡単に起こせた。雨が激しくなったので、毛毬は持っていた自分の折り畳み傘を、フィリピーナに渡した。ゆっくりとエンジンを吹かし、振り返り、振り返りしながら、面差しの似た異国の女から遠ざかっていった。フィリピーナもまた、名残惜しそうな奇妙な目つきで、いつまでも、遠ざかっていく毛毬のバイクを見送っていた。

この女の名はアイラといった。合わせ鏡のフィリピーナと、傷心の毛毬が再び出会うのはしばらく後のことである。


この後、高校卒業までの数ヶ月間、毛毬はとてもおとなしかった。普段はあまり家族にかまわない兄の泪が、心配して大屋敷の中をときおり「毛毬？　いるの？　元気かい」などと歩き回る姿が見られたほどで、つまりは家族にもわかるほど元気をなくしていた。泪は休日にハイキングに行くたびに、川原の石や野草を持って帰っては、毛毬に「あげるよ」と差し出した。泪は眉目秀麗、成績もよく、性格も穏やかな青年であったが、毛毬は「だけどサ、女心にはうといよな」とこっそり鞄にささやいた。しかしその割には、兄にもらった石や、地味な野草の束を部屋に飾って、喜んでいたようだという。

毛毬は高校最後のこの年に〈製鉄天使〉を率いて県境を越え、すでに配下に下した島根を横切って、強敵であった山口県に攻め入った。食うや食わずの三日間の闘争を経て、山口のレディースたちを叩きのめすと、バイクで国道を蛇行運転して「ぱらりら、ぱらりら……」と歌いながら帰ってきた。

そろそろ雪が降り始めようとしていた。山陰地方の雪は湿気が多く、ずっしりと重たい。その雪に閉ざされるようにして、毛毬たち、不良少女も静かになった。代わりに鞄が大屋敷で騒ぎ始めた。初めて、アイドルコンテストの中国地方予選に進出したのだ。鞄はもう中学三年であり、小遣いも多少は貯めていた。万葉相手に一歩も引かずに騒ぐ鞄に、泪が「ぼくが引率するから」と味方をした。泪は妹たちにはどうも甘かった。冬休み、鞄は兄に連れられて、中国山脈を越えて広島まで遠征した。舞台で歌って、踊って、よろしくお願いしますと頭を下げたが、惜しいところで予選を落ちた。がっくりうなだれて、泪の運転する車で鳥取にもどる途中、なぜだか〈製鉄天使〉の旗をなびかせた、静かなバイクの集団とすれ違った。鞄は予選敗退のショックで助手席でずっと泣いていたが、すれちがった集団の異様な雰囲気に気づいて、窓にへばりついて外を見た。

「毛毬姉さんかよ……」

夕闇が濃くなる中、ライトもつけずに、山脈の奥から滑り降りてきた集団の先頭には、毛毬がいた。泪の車のライトに一瞬、真っ白に照らし出されたその顔に、鞄はぞくりとした。毛毬は無表情で、肌も死人のように青白かった。なびくポニーテールと、真っ赤なリボン。

「そのリボンだって、血みたいに見えたよ。いま思い出しても、ぞっとするね」

と、鞄は後に語った。

毛毬の後ろからぞろぞろと、ジャージにどてら姿の、つまりは着替えもせずに家から飛び出してきたような格好の不良少女たちが列をなしていた。どの顔もおばけみたいに青白かった。重たい牡丹雪がちらほらと舞う夕闇の中を、百鬼夜行のような少女たちが広島目指して黙ってすれちがっていった。エンジンを吹かさず、ライトもつけず、雄叫びも上げず。ぞくりとして、いつまでもそれを振り返りながら、鞄は泪の車で鳥取にもどった。

赤朽葉の大屋敷についたのは夜のことで、玄関にどっしり座って待っていた万葉に「落ちちゃったヨ」と報告すると、また悔し涙が滲んだ。

「そうかい」

「どうして、もっと美人に生んでくれなかったのよ。おかあさん」

「なにを言っておるの、おまえは。足りとる、と思いながら暮らしなさい。女は、身の丈に合わせて生きるもんよ」

万葉は鞄の文句を取り合わず、また、玄関から立ち上がろうとしなかった。鞄は靴を脱ぎながら、母が自分だけでなく、出かけていった毛毬のこともここで待っているのだな、と気づいた。

「毛毬姉さん、どうしたの。さっき車ですれちがったよ」

「車で？　どの辺りだい」

「まだ広島にいたとき」

「そうかい。そんならあの子は、やっぱり広島に向かったんだね」

万葉はちいさくつぶやいた。「朝になったら、豊さんを訪ねんと……」なんのことか聞こうとしたとき、門のほうに車が乗り入れる音がして、ついで父の曜司が玄関から入ってきた。妻と娘が玄関に座っているのを見ておどろき、

「なにしとるんだ？」

「あ、いや……」

「おかえり、おとうさん」

曜司は疲れた顔をして、うなずいた。「こんな寒いところにおらんで、中に入りなさい。風邪引くぞ」と言われて鞄はうなずき、立ち上がった。

その翌日。昼過ぎに鞄が台所に顔を出すと、いつのまにか帰ってきていた毛毬が、椅子にぼうっと座っていた。声をかけようとして鞄は、声を呑みこんだ。昨夜、広島の国道ですれちがったときと変わらぬ、姉とは思えぬ青白い顔であったのだ。うっかり死者にとり憑かれたような、あやうい様子であった。

「毛毬姉さん？」

「……あぁ、鞄」

声まで、昨日までの野太くて、力強いものとはちがった。鞄は眉間に皺《しわ》を寄せて、姉の顔を覗きこんだ。

「どうしたの」

「鞄、青春がいつ終わるか、わたしわかったヨ」

「いつなのよ」

「……取り返しのつかない別れがあったときさ」


毛毬はそれだけ言うと、ぷいと横を向いた。煙草に火をつけてくゆらしながら、あの世を見ているような目つきで天井を見上げた。

赤朽葉毛毬は猛女であり、鉄の女でもあったのだが、人生のそこここで、不思議なほど死者に足を取られる女でもあった。このときもおそらくそうであったのだろう。死者とは、穂積蝶子であった。前日の早朝、チョーコが広島の少年院で死んだのだ。死因は寒い部屋で風邪をこじらせたまま息を引き取ったとも、ストッキングで首をくくったのだとも言われてはっきりしなかったが、この世から急にいなくなってしまったことにまちがいはなかった。

チョーコが死んだと知り、〈製鉄天使〉の少女たちは中国山脈を越え、広島の少年院を取り囲んでエンジンを吹かし、ライトをつけて、声にならぬ声を上げて、夜明けとともに飛び立つであろうチョーコの霊魂を送った。

朝日とともに、〈製鉄天使〉はまたぱらりらと国道を走り、山脈を越えて鳥取に戻っていった。青白い少女たちの顔を容赦なく、まぶしい光が照らした。どの顔にも表情はなく、死者に憑かれた、若い葬列のようであった。

毛毬はこの夜から諦念を持ち、戦うこと、走ることに対する燃え盛るような情熱を失ったようだった。だがしかし一方で、自らの手で巨大にし、ついには中国地方を制覇したレディース〈製鉄天使〉の頭としての責任があった。毛毬には責任感の強いところがあった。

高校三年の冬、毛毬は死者にとり憑かれた青い顔のままで戦いを続けた。卒業までにしなくてはいけないのは、完全なる中国地方制覇であった。最終決戦は、廃墟と化した商店街の隅の、立体駐車場で行われた。足元の鳥取県内に敵の残党が残っていたのである。毛毬は赤朽葉製鉄の鉄製の武器を振り回し、丙午の生まれである剛の女たちをつぎつぎ倒していった。鉄のチェーンがうなるたびに三人倒れ、鉄パイプを投げると二人が昏倒した。毛毬のからだも斬られ、打たれて血まみれだったが、痛みも辛さも感じなかった。そういった感覚のすべては、どこか遠いところに置き去りにしてきたようだった。きっと、あの死者が持っていってしまったのだ。獣のように暴れる少女たちをすべて倒して、この夜、毛毬は〈製鉄天使〉の中国地方での王座をゆるぎないものにした。そして喜ぶ仲間たちに向かって引退を宣言して、幹部だったべつの少女に頭の座を譲り渡した。仲間たちはあわてたが、毛毬の決意は固かった。

「もう潮時だヨ」

「毛毬さん……」

「もう、燃えてないんだ。今夜が、最後の灯火《ともしび》サ」

これまでに見せたことのない、疲れて悲しそうな毛毬の目を見て、幹部の少女たちはいやいやながらも納得した。

翌月、行われた毛毬の引退式は派手であった。国道を走るレディースたちを、都会から駆けつけた専門誌のカメラマンが激写した。毛毬引退の報は全国の不良の口コミネットワークを流れ、伝説の不良少女の退場を、北は紋別《もんべつ》から南は彦島《ひこじま》まで喝采で見送った。英雄のまま、毛毬は第一線を退いた。二代目の頭となった少女に宝物のバイクを譲り渡し、国道を一人で歩いて帰ってきた。

だんだんの坂道を上ると、団地のバイク置き場に多田忍がいた。忍にーさんはゆっくりと立ち上がると、黙って敬礼してみせた。毛毬は薄く笑って、また坂道を歩き始めた。

毛毬がとうとう暴走族を引退したことに、家族はしばらく気づかなかったが、鞄が雑誌の記事をみつけて持って帰ってきて、ようやく知った。家族は皆ほっと胸をなでおろした。万葉は「これで、この子が怪我でもせんようにって、お百度踏まなくてもすむねぇ」と朝げの席でぽろりともらした。タツだけは「ほんとねぇ」とうなずいていたが、大奥様以外の家族は万葉がお百度参りなどしていたとは知らなかったので、啞然として万葉を見た。それから家族を代表して泪が、肘《ひじ》で毛毬の頭をつっついた。「いてて」毛毬は照れたようにうつむいて、黙ってつっつかれていた。調子に乗った鞄が毛毬をどつくと、本気でどつき返された。

そして、それから約一年のあいだ、毛毬はあまり人前に姿を見せなかった。

引退して気が抜けたのか、卒業間近の高校にもちゃんと通っていた様子はなかった。長らくトレードマークだった赤いリボンをほどいて、ポニーテールもやめた。すだれにしていた前髪も伸ばして、ストレートのワンレングスにヘアスタイルを変えた。

スカジャンにロングのタイトスカート、ラメのサンダルといった不良の私服もぜんぶやめて、肩パッドの入ったジャケットにぴったりしたミニスカート、ハイヒールをはいて大人のファッションをし始めた。眉毛を描き、ルージュは真っ赤で、アイシャドウもしっかり入れた。すると毛毬はおどろくほど大人びた美女となった。

「……まるでシティーガールみたいになっちまって。しゃばい格好だと思ったよ」

とは、このころ気合いを入れて軟派を張っていた鞄の弁だ。ディスコ〈ミス・シカゴ〉にはときどき顔を出したが、なつかしそうに焼きそばを口に運ぶぐらいで、夜明けまで踊り明かすことはなくなった。毛毬を見ると不良高校生たちはあわてて、伝説のレディースであるところの赤朽葉の姉御に挨拶した。毛毬は鷹揚《おうよう》に笑って「わたしはもう引退した身だよ。みんな、気楽にやってちょ」などと言うぐらいだったという。

恋人だった鬼の山中はこのころすでに宵町横丁の若手やくざになっており、毛毬との仲はとっくに切れていたらしい。そのせいで、寝取りの百夜はしばらく暇そうにしていた。

この時期、腑抜けになったかに見える毛毬が、隠れてなにをやっていたのかを知るのは、弟の孤独だけだ。またもや孤独の部屋を勝手に占拠した毛毬は、以前からときどき読み漁っていた少女漫画に、再び手を伸ばしたのだという。「へぇ、投稿コーナーがあるんだ」というつぶやきを、廊下を通りかかった鞄がこのころ聞いているが、深くは考えなかったらしい。毛毬は四輪の運転免許を取り、安全運転で郊外のマイカー族御用達の大型店に行き、文房具を山のように買ってきた。そして孤独の部屋に文房具を散らかして、なにごとかをやり始めた。

腑抜けになった毛毬が、このあと不死鳥のように、しかも極楽鳥の如き派手さで復活するのは、一年の後、一九八五年のことである。なにを考えていたのかは娘であるわたしにもわからないが、毛毬は一年後、とつぜんとある職業を得たのだ。

4　たたらの火

このころ、世はバブル期に近づきつつあった。だがその時期に毛毬たち不良少年少女はというと、みな、十代のある時間を暴れ、きらめき、つき物が落ちたように仲間うちを卒業しては、手早く大人になっていった。少年たちは地元で就職し、ある者は整備屋に、ある者は土建屋に、またある者は勉強して救急隊員になった。少女たちはつぎつぎ妊娠しては、彼氏と結婚してママになった。近づきつつあるバブルは彼ら、往年の不良少年少女たちにはあずかり知らぬ現象であった。この後バブルに踊るのは、彼らの陰に隠れ、不良文化に押されていた地味なガリ勉たちだった。

大学生になった彼らは、車を買い、おしゃれをし、都会の匂いにまみれていった。ディスコはのんきに焼きそばを食べたり、中坊がフロアできゃっきゃとステップを踏んだりする場所ではなくなり、お立ち台で女子大生やOLがスポットライトを浴びる、大人の遊び場に変わっていった。遅咲きの、元ガリ勉の丙午の女子大生たちが、ボディコンワンピで都会のディスコナイトを制していった。

企業はというと、本業以外のことにも手を広げ、融資を受け続けた。土地の値段は上がり、地上げ屋が暗躍した。一般の人々もローンでマンションを買い、高いブランド物の服を着た。大卒者は企業から引っ張りだこであった。しかしそれは都会の話で、山陰地方はそれを、文明の利器であるテレビで見ているだけであった。紅緑村にはあまり変化がなかった。

この時期、毛毬は遅咲きの大学デビューの丙午たちを、顔を上げてちらりとも見ることがなかった。たまに宵町横丁にふらりと遊びにいった。そこで知り合った、ことのほか醜い大学生の男と付き合い始めたようだったが、それ以外はまったく謎であった。男は県外からやってきた学生であって、毛毬のおそろしい伝説などなにも知らなかった。長い髪に、真っ赤なルージュの、ただのちょっときれいな女だと思って気軽につきあっていたようだった。毛毬はときたま男と出かけるほかは、昼となく夜となく、部屋にこもってなにかを描き続けていた。「薔薇の花って、描くのが難しいな……」とつぶやいたのを鞄は小耳に挟んだが、なんのことやらわからなかった。毛毬は一月に一度ほど、歩いてだんだんの坂道を降り、郵便局に行くと四角い大きな封筒を投函した。そのほかはずっと、ぶらりと出かけるか寝転がって漫画ばかり読んでいるので、さすがに家族が不気味に思い始めた。「元気すぎるのも困るけど、静かすぎてもおそろしいねぇ」と万葉がぼやいた。そして姑のタツに、もう一度お百度参りをやろうと思うんですがと遠慮がちに相談し始めたころ、一つの変化が訪れた。

東京から、毛毬を訪ねて、不思議な男がやってきたのだ。

男の年は二十代半ば。イタリア物のソフトスーツに、金時計。すらりと長い足をしており、歩くたびにぴかぴかの革靴がアスファルトにしゃれた音を響かせた。髪は肩までのばして茶色く染め、いかにも軟派な、こぎれいな顔をしていた。つまり都会のディスコナイトの雰囲気をまとった、こんな田舎では見ないタイプの男だった。

大紅緑駅のホームに降り立った瞬間から、男は注目を集めていた。駅前の大通りを歩くと、店から出てきた若い男女が、男の後ろ姿をじっとみつめた。じいさんもばあさんも。子供も大人も。男は、自分の背後に無数の目があることになど気づきもせずに、地図を片手に歩き続けた。だんだんの坂道を見上げるとちょっと顔をしかめたが、ゆっくりと上りだした。だんだんの団地から顔を出した住民たちが、小声でささやきあった。「この男、なにもんだ」「どこまで上がるんだ」「このまま上がると、赤朽葉の大屋敷だぞ」そのとき秋には珍しく、紅色の枯葉交じりの山おろしが激しく吹き荒れて、男のからだを押した。一瞬、ぴかぴかの革靴を履いた足が浮き上がって飛ばされかけたが、男は踏ん張った。意外と骨のある男であるのかもしれなかった。その後も山おろしは吹き荒れたが、男は足を踏ん張り、上り続けた。

赤朽葉の大屋敷の前で、男は足を止めた。

ぞろりと髪の長い女が、門の前に立っていた。赤い着物を着て、細い目玉をひんむいて男をみつめている。その様子をすこし不気味に思いながらも、

「おっ。君が、赤朽葉毛毬ちゃんかい」

問うと、女は一瞬だけ躊躇したが、黙ってうなずいた。男はさっそく名刺を出して、「よろしくネ」と頭を下げた。出版社名が書かれた、皮膚に突き刺さりそうに鋭利な名刺だった。男の名は、蘇峰有《そほうたもつ》。少女漫画雑誌の編集者であった。

「毛毬ちゃん、君がうちに投稿してくれた漫画、最終選考まで残ったけど残念ながら落ちちゃったんだよ。審査員の先生が反対してね。だけど、おれはおもしろいと感じたからさ。恋愛漫画にしてはちょっと変わってるけど。だから、君に一度、会ってみようと思ってね」

蘇峰が早口で話すと、女は驚いたように目をむいた。不気味な顔だな、と思いながらも、蘇峰は女と並んで歩きだした。

「もちろん、編集長にも話してあるよ。さて、打ち合わせをしよう。新人を育てるのはおれも初めてなんだけど、君とならできると思うよ」

女といっしょに玄関に入った。驚くほど立派な大屋敷であった。なるほど資産家の娘なのだなと思いながら靴を脱いでいると、女がとつぜん、ぎゅっと手を握ってきた。手を引かれるまま磨き抜かれた廊下を歩き、応接間に入る。地球儀を弄《もてあそ》びながら、女が蘇峰をみつめた。

みつめられるごとに、気分が悪くなっていった。「投稿してきた作品じゃなくて、べつのものを描いてみないかい。べつに少女漫画だからって、恋愛のお話じゃなくていいんだよ。君の恋愛観はあまり受けない気もするし。さて、どんな、話、を……」次第に、見えない手で眼球を押されているような圧迫感を覚えて、蘇峰は一度目を閉じた。閉じたら二度と開かなくなった。「いっしょに、いい、漫画、を、つくろう、ネ……」蘇峰は昏倒した。

どれほどの時が経ったか。

だれかに激しく揺さぶられて、ゆっくりと意識が戻ってきた。気味の悪い、賽《さい》の河原を一泳ぎしてきたような肩の重さがあった。目を開けると、朝に着いたはずなのに、外がもう真っ暗であるのに気づいた。目の前に女の顔があった。

さっきの女とは似ても似つかぬ、くっきりとした目鼻立ちに浅黒い肌をした女だった。長い髪を流行りのワンレングスにして腰まで垂らし、ルージュは真っ赤だった。ボディコンのワンピースを着てチェーンベルトを締め、おおきな輪っか形のイヤリングを揺らしていた。都会でもあまり見ないほどの、華やかな美女であった。女は濃く描いた眉尻を下げて、蘇峰を揺さぶっていた。

「あんた、誰。なんでここで寝てんのさ。鞄の彼氏かなにかかよ?」

「鞄……?」

カバンノカレシ、という言葉自体がもつ奇妙さに、蘇峰はまた頭が痛くなり、目を閉じた。こんどはすぐにまた開けることができた。女が乱暴に蘇峰を小突いた。

「なにしてるの? それにしても、垢抜けたいい男じゃないの。だいぶ鞄より年上だね」

「鞄より、年上……?」

蘇峰はなんとかして起き上がり、怪しい女に話しかけた。

「私は蘇峰有といいまして、赤朽葉毛毬ちゃんに会いにきたんですが」

「毛毬ちゃんなら、わたしだよ」

「えっ？」

蘇峰は聞き返した。それからあわてて、ではさっきの女は、と問うた。長い髪で、赤い着物を着て、年は十代後半ぐらいの、と説明するが、本物の赤朽葉毛毬は首をかしげていた。

「そんな女、この家にはいないよ。女中はもっと年かさだし、妹が一人いるけど、わたし似だからねぇ」

「でも、たしかにその女に、ここまで連れてこられたんです。つめたい手でぎゅっと……」

「つめたい手……？　もしかしてサ、真砂さんかも」

「誰です、それは」

「むかしこの家にいた女中で、うちの親父の愛人だったの。ずいぶん前に死んだけど。裸踊りで有名な、おかしなおばさんだよ。すごいじゃないの、蘇峰さん。だれも真砂の幽霊なんて見たことないのにさ」

それを聞いて蘇峰はまた気を失いかけた。

蘇峰をおびえさせることに、その後もこの家にくるたびに、毛毬語るところの〝真砂の幽霊〟は大屋敷の門のところに立っていて、蘇峰の手を引き、暗い瞳でじっとみつめてきた。女は着物のときもあれば、ごく普通の、現代の女子高校生が好みそうな紺ブレにチェックのスカートにスニーカーなどといった服装のこともあり、ときには高校の制服姿のことさえあった。しかし毛毬は、おそるおそる聞く蘇峰に必ず、

「このうちにそんな女はいないねぇ。おかしいね。妹の鞄は知ってるでしょ？　あとはうちの

母親と、おばあちゃん。女中は年取ったのが五人。へんだねぇ」

と不思議がるのだった。

ともかくこの日、蘇峰は改めて本物の赤朽葉毛毬に、編集者としての話を繰り返した。毛毬が少女漫画誌に投稿したのは、一人の少年をめぐる、二人の少女の恋の鞘当てを描いた恋愛物であった。それは最終的に落選してしまったのだが、若い編集者で、なおかつかなりの漫画読みである蘇峰は、その荒削りでファンキーな作品から、新しいなにかの可能性を感じた。編集長は「そうか？　これがか」と首をひねっていたが、そろそろ蘇峰にも、ベテランの編集者から譲り受けた担当漫画家だけでなく、自分の手で新人を育てるという経験をさせてもよいころだ、と考えた。そういうわけでこの日、蘇峰は東京からはるばる、地の果てのような鳥取県西部地方まで飛んできたのであった。

「なんだよ。これでデビュー、できないのかよ」

毛毬は不服そうに言った。世間知らずで自信満々な態度に、しかし蘇峰は、図太い若者を前にしたときの頼もしさを感じた。

「これじゃ、無理だよ。へんな話だもの」

「へんかな」

「そりゃあね。君、恋愛物じゃなくて、なにか描きたいものはないかい」

「……描きたいものねぇ」

毛毬は長い髪をかきあげ、あくび混じりに考え始めた。

蘇峰は次第に、毛毬の新人離れした態度と、そのくせ達観したような暗い瞳に圧倒され始めた。とても十九歳の小娘とは思えなかった。それは長年の抗争と、その終わりがもたらした早すぎる諦念であったのだが、バブルに近づきつつある都会からやってきた男には未知のものであった。

「わたしはさぁ、蘇峰さん。本も読んでないし、教養なんて、からきしなくってさ。仲間っていったら、族出身のやつらばっかりなんだ」

「族？」

「はは、暴走族だよ。わたしは去年まで、バイクに乗って駆け回ってるだけの不良だったのさ。家族にも心配かけて、母親なんて、みんなに内緒で毎朝、お百度参りしてたぐらいだよ。だけどそれも、全部終わり。去年、大事な親友が、遠くで死んじまってね」

「事故だったのかい」

「いや……。パクられて、ハコん中でおっ死んだのさ。ばかな娘《こ》だよ。あんなやつのこと、わたしはもう忘れたいのさ。ほんとはね」

ゆっくりとメンソールの煙草をくわえて、毛毬はライターを手にした。蘇峰がすかさず、火をつけてやった。「さんきゅう」と低い声に、蘇峰はうなずいた。

「辛かったかい」

「……そりゃあ、そうさ。だけど、そうそう忘れられるもんじゃない。あいつとの思い出は、わたしの青春だからね。もう、終わっちまったけど」

煙草の煙とともに、年には似合わぬ、早すぎる諦念もまた、ゆらめいて天井にのぼっていった。蘇峰は目を輝かせて、毛毬の手を握った。毛毬がうるさそうに、

「なんだよ、いきなり」

「毛毬ちゃん、君、それだよ。それを描くんだよ」

「……えぇ？」

「漫画ってのは、若い読者に向かって描くもんだ。だから漫画家ってのは、自分の青春を描くべきなんだ。君には、君だけの青春がある。それを描いたらどうだろう」

「だけど、少女漫画なんて柄じゃないんだぜ、わたしの青春は。よごれてんだ」

「それを少女漫画にするのは、君というより、おれの仕事だ。任せろ、君から出てきた話をきっちり少女漫画に落としこんでやるよ」

「もの好きだね、蘇峰さんはさ」

素人である毛毬は、せせら笑った。だが蘇峰のほうにはこのとき予感があった。これは大きな賭けになる。蘇峰は野心を持った。自らの手によってヒット作を生み出し業界の中心に躍り出たいと夢見た。熱く語ると、毛毬は「あぁ、そうかよ」と答えた。そしてさらさらとノートにネームを書き始めた。青空をバックに、剣のようなポニーテールが舞い上がる絵を鉛筆書きで描いていると、ころころと太った、ちいさな恵比寿様のような小学生が廊下を通りかかった。

「姉さん、なにしてるの」

「漫画描いてるの」

「またかよ。出かけもせずに家にこもって。それに、化粧なんかしちゃって。さいきんおかしいよ」

「孤独ちゃん、わたしじつは、漫画家になっちゃうんだよね。そこんとこヨロシク」

「ほんと？　すげぇ、姉さんかっこいい！」

毛毬は蘇峰のほうをそっと振り返った。会って以来、醒めた顔をし続けていた毛毬はこのとき初めて、蘇峰に笑顔らしきものを見せたのだった。笑ってみると、意外と幼い、頼りない顔であった。

「孤独ちゃんにそう言ってもらえるたぁ、うれしいね。がんばるよ、姉ちゃん」

「おぉ……。でもサ、今度からは自分の部屋で描いてよね」

「はは、わかったよ」

ころころと太った小学生が、廊下を遠ざかっていった。毛毬は微笑みながらペンを走らせた。

そうして毛毬が描いてみせたネームは、かなりの荒削りであり、少女漫画の枠には収まらぬ激しさと暴力性、血と衝動、独特すぎる価値観にあふれていた。蘇峰は一読すると、その一つ一つを「このシーンは描きすぎだ。抑えたほうが女の子にうまく伝わるよ」「ここはもっと長く、見開きを使って、見せるシーンだ」「設定はもっと特殊でいい。もっと大胆に、好きに描きなさい。ただヒロインは普通の女の子にするんだ。そうじゃないと女の子の読者がついてこないよ。もっともっと普通に」と根気強く指導していった。

蘇峰の慎重なバランス感覚によってプロデュースされると、荒削りで暴力的でどこかアングラであった毛毬の作品は、驚くほどに洗練され、中高生の少女が読むのにふさわしい、それなのにこれまでにはない魅力のある漫画になっていった。ほかの担当漫画家を放ったらかしにし、蘇峰は赤朽葉家に五日間ほど居続けて夢中になってネームを完成させると、山おろしに押されて飛ぶようにだんだんの坂道を駆け下りた。「あらあら、いい男」と、万葉の育ての親である多田夫婦の妻が、ちょうど蘇峰とすれちがって、楽しそうにつぶやいた。蘇峰はその知らない品のよいおばあさんに愛想よく声をかけ、コピー機のある場所を教えてもらった。スーパーの隅で一枚十円でコピーを取ると、郵便局を探して、東京の出版社に郵送した。また走って大屋敷まで戻ってくると、ソファに倒れて口を開けて寝ている毛毬を叩き起こして、細かな設定をまとめ始めた。

編集長から連絡が入り、読み切り作品として掲載されることが決まった。アンケートの結果がよければ連載を始めてもよい、と言われ、蘇峰はまた、床に倒れて居眠りしている毛毬を蹴っ飛ばして起こして、読み切り作品のペン入れをさせた。終わると、連載分の打ち合わせを始めた。

万葉が「あの、ここしばらくずっといる男の人は、誰だがね」と心配そうに応接間を覗いた。毛毬の彼氏じゃないかと泪が言うと、あきれたように息子を見上げて、「そんなわけないでしょう。あんないい男を、毛毬が見初《みそ》めるもんかね」となんども首を振った。

赤朽葉毛毬のデビュー作、レディースたちの恋と友情と闘争を描いた『あいあん天使《エンジェル》！』が漫画誌に掲載されて初めて、家族は毛毬がなんと〝少女漫画家〟になったことを知った。驚くまもなく、東京から、アンケート結果が初登場で一位になったと連絡があった。毛毬と蘇峰は抱き合い、がっちりと両手で握手をした。

この直後に、八〇年代半ばから九〇年代後半の少女漫画界に燦然《さんぜん》と輝く、大河レディース漫画『紅緑レディース合戦大絵巻　あいあん天使《エンジェル》！』の連載が始まることとなる。毛毬の長い戦いとなる、十二年以上続く長期連載のスタートであった。蘇峰は赤朽葉本家の応接間に泊りこんで、昼となく夜となく打ち合わせをした。右も左もわからない新人である毛毬が惑い、自信をなくし、ときには悔し涙を見せると、蘇峰はそのたび叱りつけ、的確にアドバイスをした。漫画界というあまりに巨大な大海原を、毛毬たちは二人きりの小舟に『あいあん天使《エンジェル》！』を乗せて、なんとか漕ぎ出した。

このころ毛毬と蘇峰は、新人漫画家と脂の乗った編集者のあいだに訪れる、典型的な蜜月を迎えていた。あうんの呼吸で、二人だけですべてを決めることができた。二次使用やグッズなどの交渉すべてが蘇峰に任され、社内での蘇峰の力が急に増した。毛毬は新人ならではの柔らかさと渇きを持ち、おどろくほど素直に、柔軟に、すべてを吸収していった。やがて半年ほど経つと毛毬はこつをつかんだ。蘇峰がするであろう的確なアドバイスを、先回りして予測できるようになっていった。週刊連載は過酷であり、いつも時間に追われていた。蘇峰と話す時間を惜しんで、独りで決めて描き進めることも多くなった。

蘇峰は最初のころこそ東京と鳥取とを忙《せわ》しく往復していたが、『あいあん天使《エンジェル》！』の大ヒットを受けてほかの漫画家たちの担当を降り、赤朽葉毛毬専属の編集者になっていた。アドバイスする必要が減っていくと、二人の関係性は微妙に変化した。デビューする前は蘇峰がボスであり、上司と部下、兄と妹のような関係であった。しかしそのうち二人は対等になり、少しずつ地盤がずれるように、プロデュースする蘇峰より、作者である毛毬のほうが上司になっていった。蘇峰は原稿ができるのを待ち、受け取るのが仕事になってきた。蘇峰がみつけた物語の芽は、毛毬の中でふくらみ、濁流《だくりゅう》のように流れ始めたのだ。同時に、大手出版社の社員である蘇峰の収入を、新人漫画家である毛毬の印税が超える、Xデーが近づいていた。

初めはささやかで、手探りであった二人の夢を大きく超えて、漫画は大ヒットとなった。掲載誌の完売率がたちまち八割を超えた。週刊の少女漫画誌自体は斜陽の時代であり、隔週刊に変わることが一度は会議を通過しかけたが、毛毬の登場によって流れが変わった。週二十万部弱だった売り上げが七十万部まではねあがった。毛毬自身にも把握しきれぬ、流行という、大きな波のような現象であった。

『あいあん天使《エンジェル》！』は、なぜだか不良文化とまったく接点のない、眼鏡に黒髪のまじめな少女たちによって部屋で読まれ、教室で語り継がれ、毛毬はたちまち時代の寵児《ちょうじ》に押し上げられていった。年若い成功者に都会から取材が押し寄せた。連載開始の翌年、毛毬二十歳の年に出版された一巻には大増刷がかけられた。

全国を練り歩く赤朽葉毛毬サイン会が始まると、どこから現れたのか、本物の〈製鉄天使〉のレディースたちが、旗を振り、真っ赤なバイクを転がし、四輪にハコ乗りし、傷んだ茶髪を夏の風になびかせて、毛毬の移動用ワゴンをぱらりらと取り囲んだ。どこまでが漫画なのか。

どこからが現実なのか。わからなくなるほどの、漫画そのままのレディースたちのエスコートに、毛毬の読者となったつぎの世代の眼鏡少女たちは、きゃあきゃあ黄色い声を上げて喜んだ。サイン会の会場はいつも、ぐるぐるぐるりとレディースたちに取り囲まれていた。紅緑村を本拠地とする総勢千人を超す〈製鉄天使〉は、いまはカタギとなった赤朽葉毛毬に声一つかけることなく、北は北海道から南は九州まで、ただ黙ってエスコートし続けた。時代は華やかなバブル期を迎えようとしているころで、不良文化は実際にはもう、継ぐものが減っていき急速に過去のものになろうとしていた。最後の灯火を燃やすように、現役の女の不良たちは、毛毬の周りに集まった。

時は流れた。毛毬は押しも押されもせぬ売れっ子漫画家となった。この後、全国行脚《あんぎゃ》するたび、レディースたちの数は減っていった。一人また一人と、櫛《くし》の歯が抜けるように大人になり、市井《しせい》のよき妻、よき母に姿を変えていった。彼女たちはエスコート組を離れ、しだいに眼鏡の少女たちに交ざってサイン会に並ぶようになった。後ろ髪をのばした子供を抱いて、黙って毛毬にサインをもらい、握手して帰っていく。かつて己が戦士であった記憶は女たちの心の奥深くにだけ、静かに燃え続けた。幻の中で燃える、たたらの火のように。

毛毬は笑顔でサイン会行脚をし、そのかたわらには美男の蘇峰が付き添っていた。少女たちは美しい漫画家と、そのかたわらに立つ美形の編集者にきゃあきゃあと黄色い声をあげ、使い捨てカメラで二人の写真を撮った。二人ともカメラに曇りのない笑顔を向けた。だがこのころすでに、漫画家と編集者の蜜月は、終わりを告げていたのだった。

Xデーはとっくに訪れ、二人は周囲に誰もいなければ、口を利くことが少なくなっていた。編集部内での蘇峰の地位は飛躍的に上がったが、どれだけのヒット作を出そうが会社員である蘇峰の収入はあまり変わらなかった。金脈が潤すのはまず出版社であり、ついで赤朽葉毛毬だった。

『あいあん天使《エンジェル》!』は毛毬という漫画家の作品であったが、その実、毛毬と蘇峰の作品であった。漫画家と編集者の信頼があり、男と女の友情があり、猿と猿回しの、絆があった。しかし二人は互いのこころを見失った。そして一度手を離したら、二度と手を取ることはできなかった。

毛毬は仕事に追われていた。力が逆転し、ただ原稿を待つだけになった蘇峰にとって、自分が育て、手を離れていつのまにか巨大ななにかになってしまったこの漫画家のそばにずっといることは、男の牢獄であった。しかし蘇峰にとってこれはビジネスであり、そして毛毬にも、始めたことを続けていくという責任があった。蘇峰は、せめて赤朽葉毛毬が男であったらよかったのに、とふと考えた。会社に戻れば泣く子も黙る『あいあん天使《エンジェル》!』の担当であったが、漫画家の前では、何者でもないように感じた。毛毬は漫画に支えられ、折れずに耐えた。蘇峰は漫画に押しつぶされ、あるとき、折れた。

ある日、毛毬の描いた生原稿を持って、郵便局に向かって蘇峰がだんだんの坂道を降りているとき、山おろしが吹いて原稿が空に舞い上がった。それを見上げて蘇峰は、ぼうっとしていた。走って拾えば、間に合った。だが蘇峰は走らなかった。拾うことをしなかった。ついに力尽きたように立ち尽くして、灰色の、鳥取の空を見上げていた。濁流は蘇峰を変え、毛毬を変えた。疲れのあまり、もう涙も出なかった。

戻ってきた蘇峰から「……原稿、なくしたぜ」と聞いた毛毬は、怒り狂った。久方ぶりに、二人は互いにみつめあった。

育ててくれた編集者の目は、よどんでいた。自分を見る目に、もう愛が、期待が、ともに闘おうという意志がないのを、毛毬は見て取った。蘇峰の目には、なぜか軽蔑があった。蘇峰は毛毬にただ、金を、権力を見ていたのだ。毛毬は唇を噛んだ。アシスタントの少女たちが止めるのも聞かず、蘇峰の頬を強く打った。それでも蘇峰は黙っていた。

「あやまれ。膝をついて、わたしに謝らんかい」

蘇峰は黙って膝をついた。畳に額をつけた。育てる者と、育ってしまった者。毛毬は「……もういい」とつぶやいて仕事部屋に戻った。「描き直すさ」アシスタントともども丸三日間を寝ずに仕上げ、黙って、蘇峰に渡した。それきり二人は、同じ大屋敷にいて同じ漫画の連載に関わりながら、口を利くことはなかった。

毛毬は週に半日だけ、休みを取ると決めていた。それは月曜日の夕方から夜にかけてであった。その時間、どこかに出かけてうさ晴らしするでもなく、縁側に座って裏庭を眺めているのがほとんどであった。隻眼《せきがん》の職工、豊寿が訪ねてくると「母さんなら、応接間だよ」などと声をかけ、ときどき、そのまま立ち話などしていたという。

母、万葉の友であり、父とは犬猿の仲であるこの頑固な職工と、大人になった毛毬は話がよくあった。毛毬も頑固な女で、変化をその実、恐れていた。

豊寿と毛毬はよく、死んでしまったあの娘の話をした。豊寿にとっては姪であった。豊寿は蝶子の死に様を恥じていた。古い男であったので、ことのほか応えているようだった。

「世間の人は悪いことばかり言いよる。高校に入ってからおかしくなったけど、むかしはええ子だったのに。もともとあくどいやつだったように言いよるなぁ」

「言わせておけばいいさ。おじさん、わたしたちがあの子を好きだったら、それでいい。人の噂は七十五日だ。だけど、好きは、永遠なのサ」

「毛毬お嬢が、そう言ってくれるとなぁ……」

豊寿はすんっと鼻をすすった。

時代が変わっても、溶鉱炉がその姿を変えないことに似て、豊寿はまったく変わらなかった。母の万葉もよく豊寿とともにいた。父の曜司は相変わらずで、会社にほとんどの時間を取られて家庭を顧《かえり》みなかった。さすがに長女の毛毬が漫画家になったことは知っていたが、とくに反対することも意見を言うこともなく、家族のことは母のタツと妻の万葉に任せ切りであった。

毛毬は変化を怖れていたが、しかし売り出し中の二十歳の夏に、とつぜんの、さらなる大きな変化を体験することとなる。一九八六年の夏。

ついに、母の万葉が未来視した辛い夏が、赤朽葉本家にやってきたのだった。

わたしの伯父である赤朽葉泪は、この年、二十二歳になろうとしていた。地元の国立大学を優秀な成績で卒業しようとしており、赤朽葉製鉄では誰もが、優秀な長男があとを継ぐものと安心しきっていた。なにしろ残りの子は、不良が高じて漫画家になったわけのわからない毛毬と、いつも陰気で、男と寝てばかりいる寝取りの百夜、軟派でただいま遊び放題の女子高生、鞄、まだ小学生で、部屋にこもりきっている孤独の四人である。皆が泪を頼りにし、曜司はさっそく経営学について熱心に教え始めた。その矢先になんの前触れもなく、事件は起こった。

夏休み、泪は碑野川の上流、中国山脈の脊梁部を目指して、大学の仲間とハイキングに行った。そしてみんなで元気よく歌っていたところ、一人だけ歌声が聞こえなくなったと思ったら、山道からもう消えていたのだった。足を滑らせて碑野川に落ちたらしいと仲間は言うが、それを見た人はいなかった。歌声が一人足りないと気づいたときには、消えていたのだ。もともとこの世が仮の宿であったかのようにあっさりと山道から姿を消し、遠く、はるか下の川からじゃぽんと水音が聞こえたような、聞こえないような、と仲間たちは首をかしげた。大声で「おぉい、泪」「赤朽葉やーい」と仲間たちは呼び、山道を駆け、いないとなると山を降りて警察に届けた。一人、半狂乱となって後を追って崖から降りようとした友人がいたが、仲間たちが「三城くん!」と、力ずくで止めたのだという。その後、捜索隊が出されて山中を捜したが、泪の姿はこの世から蒸発でもしたように、かき消えていた。

赤朽葉本家では、曜司は仕事が手につかず、百夜もお百度参りの如き勤勉な寝取りをさすがに休み、毛毬も週刊連載をずっぽり落として、取り乱して山を駆け、神社仏閣に祈った。「兄貴! 兄貴!」狂女のように山道を走り、兄の名を呼ぶ毛毬の声が、山脈中に響き渡った。分家の者たちも手分けして山を歩き、泪を捜した。

本家の大黒柱たる長男が、まるで風に飛ばされるようにどこかにかき消えてよいものか。大屋敷中から人がいなくなり、山を越え、泪を呼んで駆け回る中、母の万葉だけが部屋にこもってじぃっとしていた。年老いて、よぅく肥えた赤朽葉タツが、置物のように静かに座る万葉のもとにやってきて、万葉の膝に手を当てて言った。

「いいんだよぅ。万葉、いいんだよぅ」

万葉は、泪の死を幻視したあの夜から二十二年間の沈黙を、このとき破った。タツの肥え太った膝につっぷして、誰も見たことがないほど激しく嗚咽《おえつ》したという。泪を産んだ朝のように。

「おかあさん、わし、知っておった。こうなることを知っておったよぅ。黙っておってすまんだ。みんな、あの子に期待しとったのに」

「いいんだよぅ。わたしは、あんたを嫁に選んだときから、あんたが産んだ子は、一人は山にもっていかれると思っておったよ。あんたは、山の人たちの子じゃからねぇ」

「でも、わしは……知っておったんです……」

万葉は肩を震わせ、顔を上げると、右手の人差し指をぴぃんと張った。

そして裏庭を指差した。万葉が昔からよく一人で立ち尽くしていた、庭を流れる小川の辺りを指差してつぶやいた。

「朝になったら、泪は帰ってきます。からっぽになってからだだけ帰ってきます。わしは、知っておったんです。わしは千里眼ですもの」

万葉の言葉に、タツは裏庭に出て、小川をみつめた。山脈からの岩清水が流れ、水は澄み切って、水草がゆったりと揺れていた。

タツは大きく息を吸うと、轟くような甲高い声で毛毬を呼んだ。村中に響くような大奥様の声に、風までがやみ、山がぶるぶると揺れたように思われた。

泥だらけ、裸足で、髪振り乱して戻ってきた毛毬が裏庭に立つと、タツが小川を指さした。「ここを見ておりなさい。いいね」毛毬は異様な気配を察して、黙ってうなずいた。そうして縁側に座りこむと、夜が更《ふ》けて梟が鳴いても、ずっとそこにいて、暗い小川をみつめていた。化粧もせず、泥だらけで、血走った目をして膝を抱えこむ毛毬を、夜の風がそっと撫でていった。

毛毬はまんじりともせず小川をみつめ続けた。やがて夜が明け始めた。ゆっくりと、泪が帰還した。小川を流れて、つめたくなって大屋敷にもどってきた。万葉の未来視したとおりの出来事であった。

泪の遺体は、細い小川にぽっかりと浮かんだ。碑野川の水が流れこむ小川に、溺れたからだが流れ流れてたどり着いたのだった。青白い肌に、やわらかな微笑が張りついていた。毛毬はそっと立ち上がって、紅蓮の炎をかたどった砂利を踏み荒らしながら、泪に駆け寄った。裸足で小川に飛びこみ、兄のからだを、がっしりとした両腕で持ち上げた。「兄貴。兄貴……」微笑が張り付くその顔は、まるで生きているときのように、いつもの、目があったときに見せる優しいものだった。「兄貴。兄貴……」毛毬は震えながら小川を出て、水をぽたぽたとたらしながら、大屋敷の廊下をさまよった。「兄貴。兄貴……」水をたらし、長い髪は泥だらけで、両腕には死んでずっしりと重たくなった兄を抱いていた。

朝靄《あさもや》の中、廊下をさまよう毛毬を、タツが呼び止めた。振り向くとタツから後光が射してみえた。毛毬は呆然とし、初めてこの祖母に頼る気持ちとなった。「どうしよう。おばあちゃん、どうしよう……」心細さに繰り返すと、タツがゆっくりうなずいた。毛毬は兄を取り落とし、その場に膝をついて、獣が吼《ほ》えるようにして泣いた。廊下に落ちた泪のからだを、部屋から出てきた万葉が、目を見開いてみつめた。

万葉の髪は、一晩で銀色に変わっていた。毛毬が受け継いだ、見事に黒々とした、あの長い髪。腰までうねって、浅黒いからだをおおう髪が、根元から毛先まで降り始めた雪のような色になっていた。

頼りの長男の、つめたくなった、しかしそれでも微笑んでいる遺体を囲んで、本家の三世代の女であるタツと万葉、毛毬は呆然と座っていた。その気配に家族も、分家の人々も集まり始めた。

長男のとつぜんの死に曜司は呆然としていたが、夜になって、やけにおとなしく、あきらめきったような目をしている万葉に気づいて、詰め寄った。

「もしやおまえ、知っておったんか。おまえ、これを視《み》ておったんか」

万葉はゆっくりとうなずいた。

「……知っとりました」

「どうして言わないんじゃ！」

曜司は娶《めと》って以来初めて、万葉の頬を打った。万葉はうなだれて、頭を垂れてじぃっとしていた。曜司はそのまましばらく立ち尽くしていた。それから、おそろしく静かな声で妻に問うた。

「俺は、いつ死ぬ？」

「……」

「わかっていることだけでいい。教えてくれ。赤朽葉製鉄がここまでもったのは、親父の死を俺が知っとったからだ。万葉、おまえが千里眼だからだ。長生きする気で経営してきたが、自分のことなど、誰にもわからん」

万葉は夫の顔を見た。

遠い昔に幻視した、首が飛んで死ぬるあの老けた面差しと、もうあまり変わらないほど曜司は年齢を重ねていた。死ぬはずの年齢にだいぶ近づいてきているのがわかった。万葉は夫にひれふし、遠くはないと伝えた。曜司は血が滲むほど唇を噛んだ。

毛毬は喧嘩と漫画しか取り柄のない若い女で、あとの妹たちにもあまり期待できぬ。末の男はまだ小学生である。曜司は廊下を歩き、迷路のような大屋敷の廊下で、生まれて初めて道に迷った。動揺しているのか。それとも動揺したのは曜司でなく、跡継ぎをなくした赤朽葉の大屋敷そのものかもしれぬ。五時間ものあいだ廊下の迷路を迷いに迷い、ようやく通夜の席にたどりついた曜司は、棺に取りすがって泣く毛毬の右手首を、ぐいっとつかんだ。左手首は、蘇峰がしっかりつかんでいた。すでに漫画誌の今週掲載分は作者急病のため休載しているのだ。では来週は作者取材のため休載になど、できるはずがない。その少女漫画誌はいまや『あいあん天使《エンジエル》！』の人気でもっているのだ。つぎも休めば、実売部数ががくんと落ちて、誰かの首が飛ぶ。相変わらず毛毬と口は利かなかったが、その手はしっかりと、己が育てたドル箱漫画家をつかんでいた。

曜司が毛毬を持ち上げると、つられて美男の蘇峰もぶらーんとぶらさがった。毛毬はつかまれていることもわからず、兄の名を呼んでただ泣いていた。曜司は怒鳴った。

「毛毬、おまえはこれまで、父の言うことを聞いたことがあったか」

「ないよ」

「俺が、娘のおまえに頭を下げたことがあるか」

「ないね」

毛毬は泣きながら答えた。

「父の頼みを聞く気があるか」

「いいよ」

「婿を取れ」

「わかった」

蘇峰が怒鳴った。「いいわけあるか、あと十年は独身でがんばってもらわにゃ、こっちが困る！」蘇峰のつるりと美しい顔を、曜司は穴が開くほどみつめた。蘇峰は負けずに睨み返した。

その真ん中で大岡裁きのように毛毬は両腕をひっぱられてうなだれていた。このときも青白い、死者にとり憑かれたような奇妙な無表情であった。

この夜、兄弟には緊張が走った。家族誰もが、母が千里眼であることを知っていた。父がこういったことを言い出すということは、兄の死の後、遠からず、父の死もせまっているのだろうと察したのだ。それなら、誰かが父の眼鏡にかなった男を養子に迎え、家を守らなくてはならない。旧家に生まれた女の務めは、家を陰から、確実に守ることなのである。

毛毬は不良だが、責任感の強いところがあった。兄の泪が夭逝《ようせい》したこのときから、毛毬は二つの責を背負う女になった。大ヒット作となった漫画『あいあん天使《エンジエル》！』を、作者として支え続けること。旧家である赤朽葉本家の長女として、家を守ること。その二つが、わずか二十歳の女の、がっしりとした骨太の肩にのしかかることとなった。

毛毬は人生のそこここを、死者に左右される女であった。このときもまたそうだった。

通夜の席で、蘇峰だけがその辺りの事情を知らなかった。蘇峰にとって毛毬はただ、漫画家であった。とつぜんかすめとられるようにドル箱の漫画家を奪われることに、おびえていた。なにしろ蘇峰は、〝赤朽葉付き〟編集者として大屋敷に詰めていたものの、屋敷の内部のことには疎《うと》かったのだ。いまだに、通夜の席にいる百夜のことも女中の幽霊だと思いこんで目を合わせないようにしていたほどだ。家族に響く、異様な緊迫感の正体などわからなかった。毛毬が相手も確認せずにあっさり承諾したと見るや、頭をかきむしって悲しい雄叫びを上げ、そのあと転がるようにだんだんの坂道を駆け下りて木造二階建てのＮＴＴビルに駆けこんだ。電報が東京の出版社に打たれ、夜空をきらめきながら情報が東に向かって飛んだ。

〈アカクチバケマリ　デンゲキケッコン　トメラレズ　ソホウ〉

蘇峰の首が飛んだ。

その翌日、葬儀の朝には東から、蘇峰とよく似た面差しの、イタリア製のスーツに身を包んだ、美しい男がもう一人やってきた。皮膚に突き刺さるような名刺には、名を遠鐘晶《とおがねあきら》と書かれていた。遠鐘は葬儀に出席し、毛毬に挨拶をした。結婚相手を聞くと、毛毬は「知らん」と言った。毛毬が同い年の、ことのほか醜い地元の大学生とつきあっていることはすでに調査済であった。しかしその大学生の名を出すと、毛毬は不思議そうに「そりゃ、ちがうだろ」と答えた。

蘇峰より漫画への愛は薄かったが、代わりに聡《さと》い男であった遠鐘は、その日の夜までにだいたいの事情を把握した。会社のための婿取りであると。それなら、おそらく仕事に支障は出ないことであろう。毛毬は一度連載を落としただけで、兄の葬儀が終わるとまた漫画描きに戻った。涙が垂れると、遠鐘が拭いた。アシスタントも増員した。遠鐘の手配で都会から呼び寄せられた、漫画家予備軍の華やかな少女たちがやってきた。総勢七名の少女たちが赤朽葉本家の奥、毛毬の仕事部屋に常駐しては背景を描き、トーンを貼った。毛毬は描き続けた。涙が流れては、新しい担当編集者に拭かれた。週刊連載は過酷であった。毎回の読者アンケート葉書によって人気がはっきりと露呈し、すこしでも人気の落ちたものは打ち切りとなった。毛毬をスターにしたのも読者の熱気であり、毛毬に止まることを許さず働かせ続けるものもまた、その目に見えない力であった。蘇峰がみつけた金脈は毛毬自身の手によって掘られ、金の濁流となって流れ続けていた。読者の熱気はふくらんだ。知らぬうちに、その編集部を背負う看板作家となった。もはや自らの意志で流れを止めることなど許されなくなっていた。毛毬は描き続けた。涙は首の後ろからのびてくる、見知らぬ男、遠鐘の手によって拭かれた。

そして、兄の葬儀から間を置かず、毛毬の婿取りが本当に決まったのだった。

5　中有

毛毬の婿を決めたのは、タツであった。曜司が赤朽葉製鉄で働く有望な青年の中から何人かを候補として選び、母のもとに相談に行った。するとタツが写真も釣り書きも見もせずに、この人にしんさい、と一枚の写真を選んだのだった。万葉はというと、タツがそれを選ぶのを前もって視て、知っていたようで、曜司が話す前から納得していた。曜司が毛毬の仕事部屋に入り、少女たちのむせ返る体臭に辟易しながらそのことを話すと、毛毬は顔も上げずに「わかった」と言った。遠鐘が代わりに受け取って、婿の釣り書きを机にポイと置いた。

しかしその夜、毛毬は漫画を描き続けながら、「……あっ」とつぶやいた。婿を取ることを、恋人に報告していないことに気づいたのだった。もちろん直接話をするのがスジだが、いまは、そんな時間はどこにもなかった。毛毬がすこし手を止めるだけで印刷所が悲鳴を上げる、そういった過酷な現場だったのだ。

毛毬はふと、ひとりの女の面差しを思い出した。

自分によく似た浅黒い肌に、大きな瞳。骨太で大柄だった、あのからだ。

いつか雨の宵町横丁で出逢った、あの名も知らぬフィリピーナの顔だった。さっそく右手でペン入れしながら左手で忍にIさんに電話をかけた。多田忍はあの後三つ子が生まれて、いまや四人の子だくさんになっているはずであった。子育てに追われているのか、電話には忍でなく、毛毬の最初の男である野島武が出てきた。

武はようやくプロテストに合格し、昼は店番をしながら、夜はボクシングに明け暮れていた。毛毬がフィリピーナのことを話すと、武は「なんだそりゃ。久しぶりに連絡してきたと思ったら。寝ぼけとんのか、こら」と笑ったが、遠くで忍が「知ってるぞ。そりゃ、アイラだ」と大声で返事をした。忍の話では、毛毬とまちがえて宵町横丁で何度か話しかけるうちに親しくなったのだという。

毛毬が右手でペン入れをしながら左手でアイラの勤める店に電話をすると、本人が出た。

「わたし、毛毬ってんだ。憶えてないか。一昨年、宵町横丁で会ったんだよ」

「ケマリ?」

「あんた、わたしのバイクを起こすの、手伝ってくれたよ」

「あぁ。アンタ、アタシに傘をくれたね」

わずか二年前だが、毛毬には十年もむかしのことに思われた。傘のことなど忘れていたが、アイラはあの傘まだ持ってるヨ、と言い、電話の向こうでかすかに笑った。

アイラは毛毬より一つ年上の、二十一歳だった。忍の話では、からだを壊し、借金を残したまま休業中で、いまは店の電話番をしているという。忍が宵町でうまく話をつけ、つぎの日には、アイラは赤朽葉の大屋敷にやってきた。

アイラは相変わらず毛毬によく似ていたが、女中たちは毛毬が美容院でパーマをかけて戻ってきたのかと思ったほどであったが、万葉だけが気にもせず、「毛毬、お客さんだよ」とアイラの手を引いて奥の部屋に案内した。その、なびく銀の髪がめずらしいのか、アイラが手をのばして万葉の髪を撫でた。万葉はゆっくり振り返って、あれきりすっかり落ち窪んだ瞳で、アイラを見た。

「これは、一晩で銀色になったんだが」

「とても、キレイよ」

「へぇ。悲しい色だからかねぇ……」

アイラはちりちりの黒髪を背中にたらしていた。浅黒い肌に、黒曜石のようなぱっちりとした瞳をしており、毒々しい真っ赤なルージュを引いていた。ホットパンツから長くしなやかな足がのびていた。毛毬が仕事部屋からのっそりと出てきて、片手を上げた。アイラも照れたように手を振った。

並ぶと二人は、やはり面差しがそっくりであった。おそらく同じ土地の血を引き、遠く海に隔てられた場所で生まれた二人は、しかし片方は資産家の家に生まれた娘であり、片方は異国でからだを壊したところであった。奇妙な共感と、反発が二人の女に湧き起こった。アイラは皮肉に唇をゆがめて、毛毬の前に立った。

「アンタが、アタシを買ったんだね」

「そうだよ。マネー、マネー、マネーだ」

「なにをすればいいのさ。マネーのケマリ」

「わたしのふりさ。あとはのんびりして、からだ、治しな」

「けっ！」

アイラは鼻を鳴らした。毛毬の乱雑な仕事部屋を見て、それから、どう見ても寝不足で肌が荒れ、目も血走っている毛毬をみつめた。「のんびりするさ。ケマリ、アンタの分も」と言うと、毛毬はすこしだけ笑った。

これ以降、アイラは赤朽葉毛毬の影武者となり、大屋敷の奥で漫画を描き続ける毛毬の代わりに人前に出るようになった。時代を代表する少女漫画家、赤朽葉毛毬には取材が多く押し寄せ、仕事もままならぬほどであった。テレビクルーにも、雑誌のインタビューにも、以降はアイラが出ていっては適当なことを言うようになった。アイラの日本語のイントネーションはなかなかなめらかであったが、なにも調べず、知らされないまま話すので、影武者ぶりはめちゃくちゃであった。だがその奇妙な様子が受けて、ますます取材が増えた。毛毬は取材も、出版社の華やかなパーティーも、人前に立つすべての仕事をアイラに一任した。

ひとまず、アイラの最初の仕事である大学生との別れ話は、すんなり終わった。アイラは事情もあまりわからないまま大学生と待ち合わせをしたのだが、このころ彼は、寝取りの百夜に骨抜きにされていたので、アイラの言葉におざなりにうなずいて「わかったよ」と納得して帰っていった。毛毬の婚礼は刻々と近づいていた。アイラはひまなので仕事部屋をうろうろして、毛毬に「で、アンタは誰とケッコンするのさ?」と聞いた。毛毬は顔を上げて、困ったように答えた。

「それが、わからん」

「ここに写真があるよ」

漫画家と同じぐらい疲れた顔をした編集者、遠鐘が釣り書きを指さしてみせた。釣り書きにはなぜか百夜の指紋がべたべたとついていた。アイラは写真を見て、「普通の男みたいだヨ」と毛毬に声をかけた。返事がないので顔を上げると、毛毬はペンを片手に、座ったまま眠っていた。遠鐘がゆすって、毛毬を起こした。また泪を思い出してぐすぐす言い始めると、遠鐘が乱暴に顔を拭いた。仕事部屋には整然と机が並び、幾人もの少女たちがものも言わずにアシスタントの作業を続けていた。アイラはそっと仕事部屋を出て、自分に与えられたちいさな居心地のよい部屋に戻った。

婚礼の日がやってきた。毛毬はペンを持ったままで化粧をされ紅をさされ、真っ白なドレスを着せられてようやく立ち上がった。「終わった、ほら、遠鐘受け取れ!」遠鐘が原稿を受け取り、郵便局に走った。原稿を発送し、そのまま郵便局で過労のため昏倒し、救急車で運ばれた。美男の担当編集者を運んでいくピーポーピーポーというサイレンが遠く聞こえる中、毛毬は大屋敷での婚礼の時を迎えた。

そのころ肝心の新郎はというと、恐怖と緊張のあまり、やはり逃げ帰ろうかと、だんだんの途中で逡巡《しゅんじゅん》しているところだった。遠くから不吉なサイレンが聞こえるのも、わけもなく彼の不安をあおっていた。

新郎の名は美夫《よしお》といった。このとき二十七歳であり、もともと、家はだんだんの職工を父に持つ製鉄一家であった。父が製鉄から配達業務のほうに回されて、給料も減ってしまい、以来、新聞配達をして学費を稼ぎながら高校を卒業し、その後も苦学して東京の最高学府を出た。地元である紅緑村に帰り、赤朽葉製鉄に勤めながら、ようやく奨学金を返還し終えたところであった。

真面目な働きぶりと、明晰な頭脳を曜司から買われ、美夫は若くして役職付きになったところだった。それがある日、曜司にだんだんの下のぶくぶく茶屋に誘われ、なにごとかとついていったら、婿入りの話を打診されたのであった。それはほんの十日ほど前のことだった。最初こそ、職工のせがれとしては思わぬ出世であり、親兄弟に楽をさせられることを考えて有頂天になったが、よくよく考えてみれば赤朽葉の娘とは、おそらく、曰くつきの毛毬のことだろうと思われた。美夫はだんだんの団地から赤朽葉製鉄に出勤する折になんどか、不良少女時代の毛毬のバイクに轢《ひ》かれかけたり、その仲間たちに囲まれてからかわれたことがあった。せめて妹の鞄であってくれればと思ったが、よく考えてみれば鞄はまだ高校を卒業していないので、おそらくちがうだろうと思われた。おそるおそる社長に確認すると、やはり、毛毬であった。

いまさら断るわけにもいかず、あわてて家族に相談し、友人に泣きつき、気づいたときにはもう婚礼当日といった有様であった。父と母がようやっと、息子の婿入りのために桐の婚礼箪笥をひとつ持たせてくれた。美夫は観念し、この朝、不吉なサイレンを気にしながらも、だんだんの坂道を上っていった。

美夫は優秀な社員であり総じては実直な経営者となったが、野心に燃えるというタイプではなかった。会社を安全に運営し、後世に渡すには十分な才である、と曜司が判断した男であった。このときも真面目な顔をして、震えながらだんだんの坂道を上がっていった。

ようやく赤朽葉本家にたどりつくと、庭に、正装をした曜司と万葉が立っていた。長い手足をもてあました曜司はまるで夕方の影法師のようで、となりに立つ万葉は、長い銀の髪をなびかせていた。「ようきたねぇ」と万葉に言われて、美夫は黙って頭を下げた。白いドレスを着て、毛毬がのっそりと出てきた。さすがに婚礼は影武者でなく、本人が出席して行われた。赤朽葉本家はまだ、長男の夭折の衝撃が抜け切らず、誰もが奇妙に放心したような顔つきをしていた。毛毬は白いベールをかぶり、かわいらしいブーケを持たされていた。「しゃばい格好だぜ……」とつぶやいたのが聞こえたが、美夫は、毛毬のそばに立っているのが怖くて、言葉の意味もわからず、知らず膝頭を震わせていた。そばに立つと、毛毬から異様なほどの、張り詰めた気配が伝わってきた。時代を背負っている者に特有の、二つのオーラがからみあって毛毬から放たれていた。それは華やかさと、それと相反する死の気配であった。

その夜、美夫が薄暗い閨《ねや》で壁を睨んでじっとしていると、夜半過ぎになってようやく、毛毬がのっそりと入ってきた。部屋の外では、仕事部屋にばたばたと出入りする少女たちの「遠鐘さんが倒れた」「編集がいなくて、どうなるの」「つぎのネーム、さっき先生から受け取ったから、さきに背景の資料を集めて」「先生は?」「初夜!」「あぁ、そうか」と短い叫び声が響き渡っていた。

毛毬は長い髪を後ろでひっつめて、化粧気もなく、幽鬼のようにしてそこに立っていた。昼間見た華やかなドレス姿とは別人のようで、顔にもからだにも、疲れた、二十歳の女とは思えぬ焦燥が見えた。血走った瞳に、浅黒い荒れた肌。美夫はそのときこの婚礼をまた後悔し、だんだんの実家に逃げ帰りたくなったが、怯えた小動物を前に困っているような、毛毬の逡巡に気づいて、その顔をじいっと見上げてみた。毛毬は機嫌をとるように、にやっと笑ってみせた。笑うと、存外、幼く頼りない顔に変わった。美夫は急に、この丙午の女を怖れる気持ちをなくした。なぜだか妻が、哀れに思えた。七つも年下の、兄をなくしたばかりの女の子なのだと考えてみたとき、毛毬ががっちりとした片腕を伸ばして、乱暴に、美夫の細い手を引いた。

「面倒だ。おまえ、帯を解け」

「……えっ」

「己で脱げよ」

毛毬は頭をかき、美夫を引きずり倒すようにして同じ布団に入ってきた。美夫はぞっと怖気立ち、そこで初めて、自分はただ婚姻したのでなく、はるかむかしから紅緑村の天上界に君臨する、赤朽葉本家に婿入りをしたのだと真に理解した。そこには淡い意味での、男も、女もいなかった。血のつながりこそが支配していた。そしてこの初夜の床にも、女はいなかった。暗闇にただ、意志が在《あ》るのを美夫は感じた。やがてあたたかなものが美夫を包みこんだが、それは女のからだなどではなく、大屋敷にとり憑き続ける血の意志であった。その昔、万葉を抱いたそれが、今宵は美夫を包んだ。毛毬は美夫にのしかかり、黙って、声も立てずに泣いていた。涙が頬に落ちてきたとき、美夫はこの大柄で力強い、疲れきった美女に、ふと愛情が持てる気がした。細い両手をそっとのばして妻を抱きしめてみると、毛毬はわかるかわからぬかぐらい、かすかに、闇の奥で微笑んだ。

その後も毛毬は、身籠ろうと熱心に閨に通ってきた。外では少女たちの「ペン入れ終わった、消しゴムかけて」「先生は」「新しい担当さん、きた」とせわしない声が聞こえていた。新しい担当編集者は綿貫《わたぬき》といい、これもまた、高級なスーツを着こなした、二十代半ばほどの美しい男であった。引き続き漫画連載は続けられ、金の濁流は大屋敷を覆ってどこかに流れていった。

ともあれ、泪の夭折によってとつぜん縁組させられた毛毬と美夫の夫婦は、こうしてなんとか、夫婦らしくそれなりの情愛を持って互いを受け入れたのであった。

さてこの翌々年、赤朽葉本家から一人、都会に向けて旅立った者がいた。次女の鞄である。一足先に高校を卒業して地元の企業に勤めた百夜に、残ってちょうだいよと引き止められたが、鞄は頑として、東京の短大に行きたいと言い張った。長女の毛毬が婿取りをし、なかなか勤勉で頭のよい婿に皆が満足していた折でもあり、鞄の希望はなんとか家族に聞き遂げられた。万葉は反対したが、毛毬が「二年ぐらい、遊ばせてやれよ」と家族会議で妹の味方をした。

「遊ばせないと、落ち着かないよ。鞄みたいな子はサ。なぁ、美夫さん」

水を向けられた美夫が、せきこんだ。会社ではともかく、本家の家族会議では美夫は遠慮してあまり話さなかったが、毛毬は夫を立てて、なにかと美夫に話しかけた。毛毬が立てるので、鞄も孤独も、美夫にそれなりに一目置き始めた。

鞄は十八歳になり、アイドルになることをあきらめた。代わりに、女優になりたいと考え始めていた。夢を追いかけると言って、短大生になり東京で一人暮らしを始めた。学生の一人暮らしはアパートや下宿から、ワンルームマンションと呼ばれる、小さいがおしゃれな住まいに変わり始めていた。畳の四畳半に和式便所ではなく、六畳のフローリングにユニットバスがしゃれていると思われていた。鞄が上京したこのころはバブルの文化が花開いていた。鞄は夜毎、肌もあらわにディスコで踊った。女子大生の夜は華やかで猥雑だった。鞄と軟派な友達はあっというまに垢抜けて、高価なプレゼントや夜景や甘いささやきに包まれて夜を過ごした。

「こんなに楽しいなら、ずっと東京にいたいヨ」

鞄は女優の養成所に通い、ときどきオーディションを受けた。結果はかんばしくなかったが、夜の楽しさですべてを忘れた。

鞄がハウスミュージックにあわせて狂ったようにお立ち台で踊っていたこのころ、弟の孤独はというと、ようやく、核兵器を怖れずに日々を送ることができるようになっていた。

孤独によるとこの後しばらくして、冷戦終結の時代が訪れた。核の冬、第三次世界大戦勃発の幻に怯えて多感な小学生時代をすごした孤独にとっては、きわめて意外なことに、冷戦はあるとき終わった。孤独はテレビで、東西ドイツを隔てたベルリンの壁が崩壊するさまを見た。若者たちが、国境警備隊に撃ち殺されることもなく軽々と壁に上り雄叫びを上げ、壁を壊しては平和を叫んでいた。ベルリンの壁の欠片《かけら》が売り物にさえなって、孤独はたいへんに驚いたという。ソビエト連邦も名をロシアに戻した。この後、国内でも永遠に続くかと思えた自民党一党支配の体制が崩れ、非自民政権が誕生するなど、せかいはくるくると変化した。

孤独は中学生になったが、最初の三日だけ登校して、やはり、登校拒否を続けた。父の曜司に呼ばれると、大検を目指して家で勉強すると言った。孤独は意志が強かった。そこは、姉の毛毬と似ていたのかもしれない。通信教育で勉強をし、よい成績を取り、しぶしぶながら父を納得させた。

一九八九年は、昭和天皇の崩御という大きな変化とともに始まった。年号が変わるということに人々は驚き、ひとつの時代が確実に終わったことを静かにかみしめた。記帳の列は長く続き、テレビも新聞も天皇崩御のニュースを流し続けた。ニュースとともに、悲しみと喪失感は増幅されて広がった。国全体に黒く重たい布をかぶせたような、暗い数週間がすぎた。

新しい年号は平成に決まった。やがてすこしずつ、人々は落ち着きを取り戻したかに見えた。

取り返しのつかぬ時間が流れ、さまざまなものが変化したが、それでもこれまでと同じように、また時間はすぎていくのだ。春になりあたたかな日差しが降り注ぐころ、紅緑村の天上界、赤朽葉本家もまた、揺れた。

大奥様として長きのあいだ君臨した赤朽葉タツが、とうとう倒れたのだ。

タツは小柄ながらよく肥えたからだをして、いつもころころと転がるように大屋敷を駆けていたが、この春に孫の孤独の部屋に行こうと廊下を歩いているときに、すべって転んだ。孤独にあげるつもりの色とりどりの金平糖が、廊下に華やかに散った。タツは細い声で万葉を呼んだ。女中たちが出てきても、触らせず、己で選んだ不思議な嫁を呼び続けた。ちょうど買い物に出ていた万葉が戻ってくるのにはだいぶかかったが、タツは廊下で仰向けに倒れ、金平糖の散る中で唸りながら、女中にも、騒ぎを聞いて帰ってきた息子の曜司にも、跡取り娘の毛毬にも、己に触れることを許さなかった。ようやく、買い物袋を提げて万葉が戻ってくると、「怪我をしたから、部屋に運んでおくれよぅ」と心もとない細い声で告げた。万葉は買い物袋を放り出して、姑に駆け寄った。

この姑はいまでも血色がよくまるまると太っており、髪が銀色に変わり目も落ち窪んだ万葉とは、並ぶとそう年齢がちがうようには見えぬほどであった。万葉は山の娘らしい、がっしりとした両腕でタツを軽々と抱き上げ、部屋に運んだ。医者がやってきて診察し、足の骨が折れていると言った。それきりタツは寝たきりとなり、万葉がつきっきりで看病したが、あれほど肥えてふくふくとしていたからだがあっというまに小さく、痩せていった。肉が落ちるとその顔は確かに、息子の曜司と似ているように見えた。タツの部屋には万葉しか入ることを許されなかったが、毛毬が一度だけ、のっそりと部屋の前に立ち、母を呼んだ。

出てきた万葉に、毛毬は手入れもしていない長い髪をかきあげながら、言った。

「ようやく、あれだよ」

「あれって、なんよ」

毛毬は面倒くさそうに自分の腹を指さした。入り婿の美夫とのあいだに子供ができたのだ。万葉が部屋に入ってタツに告げると、タツは細い声で、毛毬に会いたいと言った。部屋に入った毛毬は、布団に寝ている祖母のからだが、あまりにも縮んだことに気づいた。声を上げそうになり、あわてて呑みこんだ。タツのからだはいたいけな少女の如く、ちいさくて白かった。皺を寄せて微笑み、肉が落ちたせいでぱっちりと大きくなった瞳を細めた。

「生まれるのかい」

「うん、とうとうね。一週間だけ、連載、休んでいいとさ」

「難儀な時代に、生まれるねぇ」

「いつだってそうさ。おばあちゃん。いつだって、それなりにサ、難儀な時代だよ」

「ふふふ、あんたは勇敢な子だからねぇ」

タツは瞳を細めて毛毬を見上げた。そして、すこしふくらみ始めた腹をそうっと撫でた。日が暮れてきて、裏庭から、木々の葉が風にこすれる音がした。

この一九八九年という年について後に聞かれると、わたしは宮崎勤事件の年ですと答えることにしている。そうするとたいがいの大人は、あぁ、と納得するのである。そのほかにもオウム真理教の台頭など新興宗教の動きも目立つようになっていた。フィクションの時代に成長した者が大人になり、フィクションが現実に漏れ出すような、奇怪な犯罪が現れ始めていた。

そういう年に、わたしは生を受けた。そう、つまり——このとき赤朽葉毛毬が身籠ったのが、わたし、赤朽葉瞳子《とうこ》なのである。

この年の秋、ほっそりとやせ細った大奥様のタツが、眠るように静かに息を引き取った。葬儀には分家の者たちや紅緑村の多くの人々が駆けつけた。皺だらけとはいえ少女のように白く、華奢な姿で棺におさまるタツを、若い者は誰だかわからず仰天してみつめたが、年寄りたちは「おや、むかしのタツちゃんに戻ったよ」などと、涙を拭きながら笑っていた。赤朽葉本家の大奥様として夫以上に采配をふるい、家を守り続けたタツは、最後に嫁入り前の姿に戻って、旅立ったのである。葬式籠は揺れながら、ゆっくりとだんだんの坂道を降りていった。笛を吹く者、法螺貝《ほらがい》を鳴らす爺、太鼓を叩く者が集まり、にぎやかに、楽しくタツを送り出した。大往生であったために人々は笑顔で、手厚くタツを葬った。

だんだんの下まで下りたところで一度、葬式籠が風もないのに大きく揺れた。万葉が「あぁ、おかあさん」とつぶやいた。

集まった村人の中に、万葉の育ての親である多田の夫婦がいた。夫はリウマチを患い、この日は関節が痛むので車椅子に乗っていた。妻が車椅子をゆっくり押していた。二人は長年連れ添った者特有の、そっくりな表情としぐさをして、タツに向かって手を合わせていた。やがて多田の夫婦は息子や孫たちに囲まれて、いかにも大家族といった様子でぞろぞろと、だんだんの団地に帰っていった。その様子を万葉は、銀に変わった、長い髪を秋の風になびかせて、黙って見送っていた。多田の妻が一度振り返って、万葉に微笑んだ。万葉はちいさく頭を下げた。育ての母は老いてはいたが、やはりいまだにどこか若々しく、笑うと優しげであった。

こうして大奥様のタツがついに他界し、大屋敷からいなくなると、万葉が大奥様と呼ばれ始めた。タツが倒れて以来、すべての采配をふるってきたため、そう戸惑うことはなかったが、戸惑ったのは、若奥様と呼ばれ始めた毛毬のほうだった。相変わらず毛毬は漫画を描き続けており、対外的なことはすべて影武者アイラに任せていた。毛毬は二十歳のときと変わらぬ様子で、ずっとこもって漫画描きに集中していた。若奥様と呼ばれても、大屋敷の中のこともよくわからぬままであった。

そしてその冬、毛毬は産気づいて母を呼んだ。母に手を引かれて、助産婦が駆けつけた。仕事部屋で毛毬は、油汗を流しながらも、やつれた顔でアシスタントたちに指示を出し続けた。万葉はその姿に、己が子を産んだときの苦しみとは対極にある、奇妙な気楽さを感じた。初産とは思えぬ様子であった。

だがちょうど時を同じくして、じつは大屋敷の別の部屋で、そっくりの顔立ちに生まれたフィリピーナのアイラがまるで毛毬の身代わりを買って出たかのようにのた打ち回って苦しんでいた。なぜかというと、故郷の味を再現せんと台所でつくった海老料理に当たったのだった。「お腹が痛い」と騒いで部屋から廊下にのた打ち回るアイラの姿に、通りがかった孤独が仕方なく、朝まで介抱をした。人を呼ぼうにも大屋敷の女たちは大奥様から女中見習いまで皆、毛毬のお産に気を取られていたのだ。

「海老が、海老が腐っていたんだよ」

アイラがうわごとのように繰り返していたこのころ、仕事部屋で毛毬が涼しい顔をして、つるりと女の子供を産み落とした。身代わりとなったアイラのおかげか、初産にしてはおどろくほどの安産であった。朝日の中で「産まれたよぅ」と万葉が告げると、毛毬はほっとして、「産んだぞ」とつぶやいた。

わたしは毛毬の娘、泪の姪にはふさわしくなく、ごくごく普通の生まれ方をした。ただ、おぎゃあと泣きながら出てきて、万葉に抱きしめられて泣き止んだ。

「産んだぞ。産んだぞ。あぁ、よかったぜ」

母の毛毬はそう言って、一粒だけ、ちいさな涙を流した。お目どおりを許された美夫が部屋に入り、遠慮がちにわたしをその手に抱いた。それから毛毬は、わたしに瞳子と名づけて役所に届け出た。「瞳がぱっちりして印象的だったからだヨ」と大きくなってから言われたが、母は嘘をついたと、わたしは信じる。

じつのところ、わたしは本当はべつの名をつけられるはずであった。曾祖母《そうそぼ》に当たるタツが、生前に決めていたのである。毛毬が赤子の名を瞳子として届け出て、しばらく後のことだ。万葉がタツの部屋に入り、遺品をいつくしむように抱き、一つ一つ丁寧に整理していると、一枚の半紙が出てきた。タツの書いた丸っこい文字で、おおきくこう書かれていた。

〝自由〟。

曾祖母はそう名づけようとしていたのだ。わたしは本当は赤朽葉自由になるはずであった。そのことをいまでもぐちぐちと、わたしは叔父の孤独にぐちる。そうしてそのたび、しばらく一人になって、自由にについて考えるのだ。

自由とはなにか。現代を生きるわたしたちにとって、それはいったいどういうことか。女にとって、自由って、なんだ。

なんだ、なんだ、なんだ。

そういうことをぐるぐると考えているとき、わたしはすこしだけ、不幸な女の子である。母の毛毬をぐずぐずと恨んでしまう。母は誰にも言わないが、そのじつ、チョーコとよく似たトーコと名づけたのではないか。わたしはそうではないかと、ずっと思っているのだ。

わたしが生まれてしばらくすると、バブルが崩壊した。

株価も土地の値段も急落し、銀行の貸付は焦げついた。虚業に踊っていた人々がつぎつぎに破産し、本業のほかに土地の売買などに手を出していた人々もまた、本業の会社までも手放すはめに陥り、たちまち路頭に迷った。大学生たちは就職難のために大量にフリーター化した。バブルの恩恵は地方都市にはほとんどこなかったのに、バブル崩壊の余波はなぜだかちいさな町や村を嵐のように直撃した。〝下の黒〟こと黒菱造船が巨木が倒れるように倒産した。紅緑村の人々は衝撃を受けた。黒菱造船は、造船業に見切りをつけて建設業に移行しつつあったのだが、そのためにバブルの影響下にあり、借金を抱えて土地を転がす途中で、地価急落の大波をかぶったのだ。力道山似の黒菱の婿が、過労で倒れ、あっというまに息を引き取った。黒菱みどりは独り立ちしていた二人の子のもとを順に回ったが、同居がうまくいかずに、まだ高校生であった三人目の子とともに赤朽葉家に転がりこんできた。この三人目の子供は女で、名前をゆかりといった。ゆかりは成績優秀であり、結局、大学を卒業するまで赤朽葉本家で世話をした。本人は働きながら学費を稼ぐと言い張ったが、自身も苦労人である美夫が「女にさせる苦労ではない」と猛反対をしたのだった。普段は曜司に遠慮して、家族の席ではほとんど意見を言わぬ男であったが、このときだけは頑固であった。美夫の意見に毛毬も賛同し、この件は家族会議を通過した。ゆかりは卒業まで大屋敷の奥で母のみどりとともに暮らしたが、後に独立した。中国電力に勤めるキャリアウーマンとなり、転勤族として中国地方を岡山、広島、山口とぐるぐる回った。母のみどりに同居を提案したが、みどりは生まれ育った紅緑村以外で暮らすことを嫌がった。万葉のとりなしで親子はべつべつに暮らすことを互いに了解し、そういうわけでみどりはその後も、赤朽葉家の一室を借りてフラメンコやら習い事をして過ごすことになった。

バブルの崩壊は、あくまで堅実な事業を展開していた赤朽葉製鉄をなぎ倒すほどのことはなかったが、それでも、枝葉のいくつかをもぎとるほどの強風であったことはまちがいなかった。そして、バブル崩壊の余波による荒波を乗り切らんとする、巨大な軍艦、赤朽葉製鉄が揺れに揺れていた一九九二年の春、一つの事件が赤朽葉製鉄を襲った。

その日は朝からよく晴れていたという。万葉と曜司は、別れが近いことを知っていたために、このころは一日一日を円満に過ごしていた。二人は再び寝室を同じ部屋にして、夜通しなにやら話をしていた。曜司は語り、万葉は相槌を打っていた。曜司は再び、洋書を持ち歩くようになった。朝の十分、夕方の十分と時間を区切って、むさぼるように書物を読んだ。多くは外国の小説の原書であった。かつて高等遊民であったころの誇りを思い出したかのように、流暢な英語で小説の一節をつぶやいては、ぶくぶく茶を口に運んだ。

その春の日、曜司は接待のためにお座敷列車を夜まで借り切っていた。内部がお座敷になり、てんぷらや山菜料理を出して地酒とともに楽しむ列車で、JR紅緑線で中国山脈を越えて、桜を見ながら岡山まで旅をするのである。じつに機嫌よく、曜司は出かけた。万葉に行ってくるよといい、婿の美夫にあれこれ言いつけ、毛毬が働く仕事部屋のほうを心配そうにちらりと見た。そうして、裏庭全体をひとしきり、見渡した。

昼過ぎのこと。群青色《ぐんじょういろ》をした、中国山脈途上の深い渓谷《けいこく》にかかる、桜の花散るアマノベ鉄橋をお座敷列車が越えようとしたとき、ほんの一瞬、おどろくほど強い山おろしがふいた。お座敷列車は軽々と空に舞い上がり、そのまま空高く飛んでいくといわんばかりに警笛を鳴らして激しく揺れた。そうして風がやんだときには、鉄橋の遙か下の、深く暗い奈落に、桜舞い散る中をまっさかさまに落ちていったのである。

赤朽葉製鉄の社長、赤朽葉曜司は落ちる途中で、ひん曲がって落ちてきた屋根のスチールに切られて、妻の万葉の幻視した通りの姿で首が飛んで、とつぜん死んだ。

奈落に落ちた列車を引き上げるのにはずいぶん長い時間がかかり、都会からもテレビ局の取材のヘリコプターがやってきて、山脈の周りをぐるぐると旋回した。しかし赤朽葉家の人々には、引き上げたところで社長の命がもうないことはわかっていた。翌朝、豊寿が助手席に万葉を乗せ、山道を越えて事故現場までジープをひた走らせた。鉄橋は渓谷の上に、細い針金のように朝日を反射してそびえていた。はるか下の谷底に、落下して見る影もない鉄のかたまりが見えた。ひしゃげて、黒く猛々《たけだけ》しい蛇のようにとぐろを巻いていた。万葉はそれを見て「あぁ」とつぶやいた。

豊寿は谷底を見下ろして、小さな声で「ぼん。おぅい、ぼん」と呼んだ。返事はなかった。「ぼんよ。おぅい。ぼんよ。おぅい……」豊寿は膝をついてしゃがみこんだ。後ろから見ると、そのからだはとても小さく見えた。二十歳のときの、晴れ晴れと自信に満ちたあの若者とは、別人の如くであった。

「おぅい。ぼん……」

豊寿は子供のようにすすり泣いた。

「ぼんよ。ぼん……」

二人の頭上を、取材クルーのヘリコプターが爆音を響かせて、旋回していた。

こうして赤朽葉曜司は、バブル崩壊の荒波がうずまくこの春に、とつぜん死を迎えたのだった。その昔、石油ショックの波がやってきたときに倒れて死んだ、父、康幸とよく似た死に様であった。

落ちた列車に乗っていたのが地元の大会社の社長で、著名な漫画家の父親であるとのことで一時期大きく騒がれたが、毛毬の代わりに取材に応じたアイラはいつにもまして事情がわからず、適当なことを答えるだけなので、じきに取材もこなくなった。赤朽葉製鉄は入り婿の美夫を新しい艦長にして、またもやの難局を乗り切ることとなった。美夫は己の役割をよくわかっていた。めずらしく、毛毬が仕事部屋から出てきて、夫に深く頭を下げた。「美夫さん、頼みます」美夫は巨万の富を稼ぐこの妻を、それでも哀れな、ちっぽけな娘のように思い続けていたので、安心させようと、強くうなずいて妻の頭をなでなでと撫でた。

美夫の采配で社は新体制を整えた。そうして巨大な戦艦は、新しい艦長のもとでゆっくりと針路を変え始めたのだった。赤字の続く製鉄業を廃し、その他の製造業のほうを本業とすることを美夫は決めた。

溶鉱炉の火が今年いっぱいで消えると知らされたこの季節、隻眼の職工、穂積豊寿はもう五十の坂を越えようとしていた。その豊寿は抵抗するでもなく、ただ「そうか」とつぶやいたという。豊寿はかわいがっていた姪の死と、泪の不慮の死、反目しあっていた曜司の死を経て、めっきり老けこんで口数も少なくなっていた。職工には多いことであったが、咳きこんでときおり苦しそうでもあった。万葉が「豊さん、それでも、美夫ちゃんはまだ若いから、そばにいていろいろ見てあげて」と言うと、豊寿は苦笑して、首を振った。

「溶鉱炉のないところに、俺はおれんよ。万の字。俺は、鉄の男じゃ」

製鉄業は、戦後の高度経済成長の時代ほどの好景気ではなかったが、それでもまだ細々と続いている工場が全国に多く残されていた。豊寿はいくつかの工場の名を挙げた。万葉は頼りの姑を亡くし、長子を亡くし、夫も亡くし、いままた豊寿まで去っていくのかと、黄昏の季節を憂いて畳につっぷして泣いた。

牡丹雪の舞い散る、その年の冬。暮れに、美夫の命でついに溶鉱炉の火が消された。空高く真っ黒な塔のように建つ、赤朽葉製鉄の溶鉱炉。溶けた鉄の紅蓮《ぐれん》の炎が燃え、黒い竜のような煙が毎日、もくもくと上がり続けていた、なつかしい製鉄の春。明るい戦後。希望に満ちた未来。石油ショックも、鉄冷えの時代も乗り切り、皆で支え続けた製鉄の火が、いま、とうとう消えてしまった。

火を消された溶鉱炉は、不気味に空にそびえていた。雪交じりの冬の空に、鋏で縦に切った切り口のような、不気味な黒。

万葉がある夜、人の気配を察して目を覚ますと、枕元に手紙がおいてあった。線の細い繊細な文字で、万葉さまへと書かれていた。

豊寿からの置手紙であった。あわてて廊下に出て、裏庭に目をこらすと、牡丹雪舞い散る夜の庭を、遠ざかっていく細い後ろ姿が見えた気がした。手紙にはただ、遠くに行きますと書かれていたという。赤いたたらの火を止めた赤朽葉製鉄は、鉄の男である豊寿にはもう用のない、むなしい場所であったのだろう。万葉はその昔、子供のころに幻で見たときから親しく感じていた豊寿との別れがことのほか徹《こた》えたものと見えて、このあとしばらく床についた。残るのは、通称出目金、いまは屋敷に引き取った昔からの友、黒菱みどりだけであった。みどりは献身的に万葉を看病した。枕元で手品を見せ、異国の歌を歌って聞かせ、毎日、銀の髪をすいてやった。二人は夜になると、はるかむかしにたどりついた、山奥の、鉄砲薔薇の谷の話をした。二人とももう、あの道なき道を覚えておらず、二度とたどりつけないように感じていた。「また、行きたいねぇ」「兄じゃがおるからねぇ」「だけどさぁ、死んだら、行ける気がするよ」「二人いっしょだよぅ、万葉。一人で行っても、つまらんよ」

このころ、父の死の報を受けて、都会で遊び続けていた鞄がとうとう帰郷した。バブル崩壊の余波もあり、都会のディスコナイトはそう楽しいものではなくなっていた。しみったれた話ばかりで、しらけていた。女優になる夢はやはり遠く、ときどき小さな劇団で舞台に立ったり、テレビで端役をこなしたものの大きなチャンスはないまま、都会にすこし飽きていた。父の死で、鞄は都会の刺激的な暮らしに見切りをつけ、旅行鞄一つ提げて戻ってきた。そうして、忙しい姉に代わってわたしの子守などをしながら、本家でしばらくぶらぶらとしていた。

結果的に、赤朽葉製鉄はバブル崩壊のこの時期を、なんとか乗り切ったのだった。美夫が行った人員整理、規模縮小などもあったが、億単位で稼ぐ長子の毛毬が、己の印税をすべて会社につぎこんだことも大きかった。

『あいあん天使《エンジェル》！』は巻を重ねても売れ続けた。夕方のアニメ番組になったことをきっかけに、小学生から大人までが広く読むようになったのだ。出版社から振りこまれる多額の印税、アニメやグッズ等から発生するロイヤリティは右から左へ、流れる金色の水のように、赤朽葉製鉄の運営に注ぎこまれた。まさに巨の虚。売れっ子の毛毬はいつもすっからかんの一文無しであった。稼ぎを使うひまもなく、趣味もなく、毛毬は相変わらず漫画を描き続けていた。それしかなかった。しかしそのことが、結果的には、漫画家としての赤朽葉毛毬を支えたのかもしれなかった。

　若くして大金が転がりこんでくる、特殊な、少女漫画という世界において、長く現役生活を続けることは茨の道であったが、毛毬はなんなく十二年以上も生き延びたのだった。毛毬と同期にも、後輩にも、ヒット作を出した若き少女漫画家は多くいて、彼女たちは出現するたびに「赤朽葉毛毬のライバル現る！」と騒がれたが、大金をつかんで精神を病み、わずか数年、短ければ数ヶ月で業界から消えていった。この世界において強いのは、稼ぐ必要のある者と、一攫千金を夢見る者だった。わけあって親の借金を返している者、扶養家族の多い者など、苦労人ほど長持ちした。また、醜悪なほど金に執着の強い者も同様であった。大金に戸惑う、純朴な若者ほど、こころがかんたんに壊れてしまうのであった。彗星のように現れる期待の新人たちは、肩で風切り、パーティーの席上でも極楽鳥のように着飾ってやってきては生意気を言ったが、描き続けることができず、描いても人気を持続できず、若い肩には背負えぬ重荷に、わずか半年ほどで誰もが劇的に面変わりした。異常な太り方をしたり、ミイラの如く痩せ細るのであった。青い顔をして、もう描けないと泣き、つぎつぎと人知れぬ奈落へ消えていった。一度消えたら、二度と戻ってはこなかった。

　消えずに生き残る者も、年齢に応じてシフトアップを行い、数年で少女漫画界からは消えていった。ヤングアダルトと呼ばれる大人向けのものから、さらに年齢層を上げたレディース漫画へとつぎつぎ主戦場を替え、同時に、過酷な週刊連載から月刊誌などに移って、子育てしながらでもできるほどの仕事量にセーブしていった。そういったことはしかし、赤朽葉毛毬には無縁であった。毛毬の闘いはずっと、週刊連載であり続けた。連載開始時は中学生であった『あいあん天使《エンジエル》！』の登場人物たちは、このころ高校生になり、ようやく島根を制圧して中国地方の統一を目指していた。チョーコがモデルであると思われるマスコットの少女が、暗い目をして迷走し、死の匂いを発し始めていた。漫画は現実をなぞって描かれた。毛毬はわき目も振らず、自分の青春を漫画の中に再現し続けていた。金色の水は赤朽葉製鉄に流れ、助け続けた。

毛毬は子育てを母の万葉に任せ、子守をときどき妹の鞄に頼み、その後もひたすら漫画を描き続けた。わたしは万葉に育てられた。母恋しさに夜になって泣くことがあったが、祖母の布団から出て母の仕事部屋に向かうと、編集者らしきスーツを着た男――ときどき、いつのまにか別の人間に交代したが、どの男も必ず美貌であった――に止められた。抱き上げられて「お母さんのじゃまをしないでね」と言われて、万葉の寝室に連れ戻された。子供が母を求めるのは、大人のじゃまをすることなのだろうか。わたしはとてもさびしかった。ときたま、昼に廊下を歩く母をみつけて駆け寄ったが、母はおざなりにわたしの頭を撫で、またなにかぶつぶつと言いながら仕事部屋に戻っていった。

母の頭には、自分がやるべき仕事しかないようであった。育てるべき子供も、つくるべき家庭もなにもなかった。母はいつまでも、夢に燃える、元気で、そのくせ頑固な二十歳の女のままであった。いくつになっても変わらなかった。

多忙が理由だと言えなくもないが、ほんとうは、毛毬は、産んだ子供をかんたんに愛せない、そういう世代の女の一人ではなかったかとわたしは疑っている。毛毬は遠いあの日、穂積蝶子の死を受けて自分の青春が終わったことを自覚していたが、だからといってその後、正しくまっすぐに大人になったわけではなかった。母、毛毬はつまり、ついに大人になれなかった人なのではないかとわたしは思う。子供のフィクションの世界から追い出され、しかし大人にもなれず、中有《ちゆうう》をさまよう魂が、あのころの大屋敷全体を重たく覆いつくしていた。毛毬は醜い男を選んでは、つきあい、しかしどの関係も続かなかった。婚姻したが夫と家庭らしい家庭は作らず、産んだ子供も責任を持って育てることをしなかった。できたのは、漫画を描くことだけ。巨人の幻影のように漫画家毛毬は赤朽葉家に君臨したが、現実の、母、毛毬は虚の女であった。

……これはうらみごとである。わたしは母に愛されたかったので。空気のように無視されていたくなかったので。ともかく、この時代にはこういった、有能だが地に足つかぬ女たちが毛毬のほかにもたくさんいたはずである。遠い遠い過去に万葉が幻視した、子を産んで育てることが女の幸せ、といった考えが自明の理ではなくなる未来が、もうとっくにやってきていたのだ。

しかし、毛毬は大人にはなれなかったが、家を守ることだけには旧家の長子として責任を持ったのだ——。

祖母の万葉に育てられながらわたしは、物心ついたころから、万葉にねだって昔の話を聞いた。どんな童話よりも、子供向けのお話よりも、万葉が眠たげな声で語る、昔の紅緑村の物語がおもしろおかしかった。もうすこし大きくなると、仕事の合間に縁側で休んでいる母を目ざとくみつけては、やはり昔の話を聞いた。母は最初はうるさがったが、幼い娘に語っていると子供のころを鮮明に思い出すと見え、漫画描きにも有効なので、育てはしないものの、ときどきわたしに語るための時間を割いてくれた。こうやってわたしは祖母と母の過去と戯《たわむ》れながら少しずつ大きくなっていった。

わたしが五歳になったころのことである。とつぜん大屋敷に蘇峰有が戻ってきた。わたしは見た瞬間に、母の昔語りの最後のほうに出てくる、だんだんの坂道をのぼってやってきた編者だとわかった。このときはもう、母にはりつく〝赤朽葉付き〟の美男は六人目の藪川《やぶかわ》になっていた。なぜだか、丙午の女に力を吸い取られるように、美しい男性編集者たちは母の原稿を受け取りながら倒れていったのだ。約八年ぶりにとつぜん戻ってきた蘇峰に、母は顔も上げず、驚きもせずに、

「蘇峰か。久しぶりだな。どうした」

「……かくまってくれ」

蘇峰がつぶやいたので、母は驚いて、ここでようやく顔を上げて、彼を見た。蘇峰はいまではべつの中小出版社に勤め、やはり漫画の編集者を続けていた。仕事は優秀で、漫画誌の副編集長を務めていた。しかし彼はこの前の週、とある大物漫画家の生原稿百枚を、どこかになくしてしまったのだという。

「またかよ」

「あぁ……」

「捜せよ、蘇峰」

「いや、捜した。どこにもない。戻ったら殺される。それに、もう……」

「なんだ」

「もう、働きたくない。うんざりだ」

漫画家ほど短命ではなかったが、漫画編集者もまた己の力を使い切り、こころが焼き切れて業界から消えていく者が少なくなかった。消えなければ、出世して管理職となり、どちらにしても長く表現の現場にとどまる者はまれであった。蘇峰もまた面変わりをし、いまでは肉付きもよくなり、どちらかといえば美男ではなくなっていた。母は眉をひそめながらも、蘇峰の頼みを承諾した。

「しょうがないやつだぜ……」

その力のすべてを注いで毛毬のデビュー作を手がけた蘇峰は、義理を重んじる世界で過ごしてきた毛毬にとっては一種の恩人と思えた。あのころは、互いを軽蔑することでしか大ヒットという荒波を乗り切ることができなかった。心の中で手を合わせ、頭では軽蔑した。そのころのことを思うと毛毬は、蘇峰に大きな借りがあるように感じられた。

家には黒菱みどりのほかにもう一人、蘇峰有という下宿人のような奇妙な人間がいつくことになった。まもなく大物漫画家の追っ手が蘇峰を捜してやってきたが、このときばかりは影武者のアイラではなく、本物の毛毬が立ち上がって、久々に、鉄の武器を振り回してむりやり追っ払った。

「殺すぞ」

それは理不尽な脅しではあったが、一言で相手は黙った。そしてそのまま蘇峰はいついて、孤独とつるんでゲームをしたり、幼いわたしをつかまえて薀蓄《うんちく》を披露したりして過ごした。さすがに編集者生活が長いだけあり、彼の知識は広範であった。北はアイスランドから南は南アフリカ共和国まで、蘇峰の薀蓄は夜ごと、千里をかけた。この蘇峰はそういえば、いまだに百夜を女中の幽霊と思いこんでおり、また美しき影武者アイラの存在も誰にも知らされていなかったので、なぜだか二人いる漫画家毛毬のことを、ドッペルゲンガーと思いこんでおそれていた。夫の美夫は、蘇峰を妻の愛人かと疑っていた時期もあるようだが、家族はみんなそうではないと知っていた。寝取りの百夜が、いっこうに蘇峰に手を出さないからであった。美夫の寝所にはよく出入りしていたが、蘇峰には興味を示さず、蘇峰も幽霊から逃げ回っていたので、家族の目には一目瞭然であった。

その百夜は、高校を卒業してから紅緑村の商工会議所、交通公社、自動車屋などを経理の仕事をしながら転々としていた。ひとところにいつかず、一年もせずに職場を変えた。結婚はせず、恋もせず、友達もおらず、一九九八年、二十九歳の冬まで——ほんとうに寝取り一筋に生きた。

寝取りの百夜と、丙午の毛毬の闘いはずっと続いていた。毛毬はいつまでも異母妹を可視できず、百夜はひたすら悪行を重ねた。九七年から翌年にかけて、毛毬は一度だけ、とつぜん燃え上がるように恋をした。出入りの米屋の若い衆で、例によって姿の醜い男であった。それが始まると家族には緊張が走った。美夫は会社が嵐の海を蛇行する中、妻の所業どころではなかったが、女たちはこっそり集まってはうわさしあった。

万葉があきれたように、

「またかね。あの子の悪食も直らんねぇ」

そうつぶやくと、このころまだ大屋敷でごろごろしていた鞆が、赤いルージュをぬった口元をゆがめて、うなずいた。

「直らないわよ。そんなの」

「そうねぇ」

「毛毬姉さんの悪食も、百夜姉さんの執念も、直らないわよ。どっちかが死ぬまで続くわ」

「どうして毛毬には、百夜が見えないんだろうねぇ」

ささやきあう二人の前で、廊下をやってきた毛毬と、百夜が足早にすれ違った。毛毬は百夜がいることがまるでわからない様子で迷いなくまっすぐに歩いていき、百夜は黙って道を譲った。本妻の腹から生まれた長子である自負が、このころの毛毬を屋敷内で無意識のうちに輝かせていた。百夜は陰であった。夜ごと、毛毬のいるところはひときわ明るく電灯も輝いたが、百夜のいる場所は逆であった。陰でなにをしても、光の中からは見えない。

毛毬は米屋の若い衆にことのほかのぼせたが、あっというまに見えない女に寝取られた。若い衆には妻と子がいたが、たちまち百夜におぼれてしまった。毛毬は半狂乱になったが、赤子を抱えてやってきた若い衆の妻に、妹の百夜のことを訴えられても、なんのことやらわからなかった。妻は暴れて泡を吹き、毛毬も家中を走り回って、

「出てこい、百夜とやら。わたしの前に出てこんかい！」

と叫んだが、なぜやら百夜は裏庭のブナの木に登って隠れてしまい、怒れる毛毬から逃げ回った。触れなば切らんという目つきで、着物の襟をはだけさせて、大屋敷の迷路のような廊下を駆け回る毛毬を、万葉と鞄が押さえつけ、百夜はいる、ずっといる、と説明した。万葉も鞄も泣いていた。これこれこういう容姿で、十歳のときからうちにおって、ほれ、あのときもこのときも。あの部屋におったんだよぅ。

毛毬は信じなかった。首を振り、髪をかきむしり、

「おるなら、見えないはずはない。わたしに見えないはずがない。見えないものは、いないんだ」

むきだしの浅黒い肌に、涙が散った。母と二人の娘は抱き合っておぅおぅと泣いた。「おるんだよ。おるんだよぅ。百夜は」と母が言えば、妹は「野島先輩も山中先輩も、百夜が寝取ったんだよ。いつもいつも、毛毬さん毛毬さんって、あの人は姉さんばかり見てるよ」と泣いた。

鞄はどちらのために泣いているのかわからなかったという。鞄にとってはどちらも血のつながる姉であった。どちらも等しく、愚かに思えて、悲しかった。

「出てこい、百夜。出てこい、百夜。出てこい、百夜」

毛毬は念仏のように唱えた。

「おるなら、わたしの前に出てきて、どうして寝取ったのか言ってみろ。言えるものなら、言ってみろ」

赤朽葉本家の騒ぎに、若い衆の妻は恐れをなして帰っていき、あとには般若《はんにゃ》の形相で迷路の如き廊下を駆け、夜がふけても「百夜ぉ、百夜ゃぁい」と妹を捜す毛毬が残された。毛毬は片手に鉄の斧を持ち、溶けた鉄の川のような赤い血を目から流して、つるつるした廊下を駆けた。狂うほどの嫉妬の炎は、これまでの、男にはからりとした毛毬が見せたことのない、ずっしりとした怨念の重たさであった。ひたすらに働くうちに若さを失い、気づけば年増になっていたこのときだからこその、とつぜんの乱心であったのかもしれない。斧を握って駆ける毛毬に、泣きながら万葉と鞄が追いすがった。

ふいに、立ち止まった毛毬の、両の目が赤く光った。毛毬の振り向くほうを見ると、遠く裏庭の暗闇で、真っ赤な目線に撃ち落とされたかのように、ブナの木からなにか重たいものがぼちゃんと池に落っこちた。

毛毬はすうっと息を吸った。それから斧を振り上げ、赤い風のように、裸足で庭に駆け下りた。

「みつけたぞぉ、百夜ぉ！」

池に落ちたものが、無言で逃げた。暗がりの中で毛毬だけが迷わず駆けたが、万葉にも鞄にも、暗い庭に残るちいさな女の足跡しか目で追えなかったという。ばたんと裏庭のドアが閉まる音がして、百夜は消えた。それきり屋敷には戻らず、翌朝みつかったときには、すっかり変わり果てた姿であった。

錦港の漁師の網に、両足をくくって身を投げたとおぼしき女がひっかかった。なにかを握りしめるように両手が鉤《かぎ》のかたちになっていたが、これは、米屋の若い衆を道連れに無理心中事件を起こそうとしたためであった。水にひきずりこまれる寸前で若い衆は逃げて、米屋の蔵の奥で腰を抜かし、朝までがたがた震えていた。百夜が残した遺書が、この男の手にあった。屋敷に届けられたその遺書には、のたくった字で〝いっしょに死にます〟と書かれており、美夫が震える声で読み上げると、万葉が血の気を失い昏倒した。

百夜がうっかり一人で死んでしまうと、毛毬は憑き物が落ちたように静かになった。葬儀の日に、白い花に囲まれた百夜の写真を見上げて、毛毬は首をかしげ、

「これが百夜なのかい？　ほんとうに百夜かい？」

と、心細そうに聞いた。

家族の者たちは口々に、本当に見たことがないのかと聞いた。毛毬は首をかしげて、「ない。この女は、いままで、いったいどこにおったんだ」と言った。棺を覗きこむと、見知らぬ女が静かに横たわっていた。柱の陰から、梁の上から、机の下から、姉をみつめ続けた陰気な目はいまでは固く閉じられて、なにも映してはいなかった。

死体となった百夜は、見えた。毛毬は不思議そうに、子供のように首をかしげて、見知らぬ女の死に顔を覗きこんでいた。

「百夜かい？　百夜かい？」

それはまたもや、うっかり死者にとり憑かれたような、青白い、不吉な顔であった。

それは一九九八年のことで、世は世紀末に差しかかろうとしていた。赤朽葉製鉄は規模縮小のままなんとか安定し、毛毬はその後も相変わらず漫画を描き続けた。十年を超える連載で、単行本は四十巻を超えていた。チョーコをモデルにしたマスコットの少女が死ぬエピソードでは、全国の読者が涙を流した。美男の担当編集者もこのころはもう十人目の 榛《はしばみ》 であった。家には家族のほかに黒菱みどりと、影武者アイラと、蘊蓄の蘇峰がいた。家族会議で、鞄が分家に嫁に行く話が出た。もう二十代後半となっていた鞄は、そろそろ潮時やねぇ、とつぶやいた。分家の息子は幼なじみでもあって、あいつのところならいいかもね、と鞄は気軽な様子であった。

この年、わたし、赤朽葉瞳子はまだ九歳であった。毛毬の乱心は、その夜は寝てでもいたようでまったく知らないが、百夜の葬儀はよく覚えている。

もしかすると、だが……母、毛毬はほんとうのほんとうは、妹の百夜を可視し続けていたのかもしれない、とわたしは考えている。いまとなってはわからないが。なにしろ千里眼の女は夢見がちで、漫画家の女は天性の嘘つきである。祖母の万葉と、母の毛毬が語る昔語りは、二人の主観であって、ただそれだけなのである。いまとなって気になるのは、『あいあん天使《エンジエル》！』の連載に十二年以上の月日をつぎこんだ母が、もっとも最初に描いた、あの応募作である読み切り短編のことなのである。主人公の少女と、ライバルの少女の恋の鞘当てを描いた、赤朽葉毛毬にしてはかわいらしい、薔薇の花びらが散る正統派の少女漫画である。しかしこれはお世辞にも出来がいいとは言えず、また落選作であるので雑誌にも掲載されることはなかった。人の目に触れる機会はなかったのだが、母の仕事部屋の引き出しにコピーがひっそり残されていたので、みつけて、目を通したことがある。

じつは、その中に出てくる恋のライバルの少女が、なぜか妹の赤朽葉百夜と面差しも、しゃべりかたも、なにもかもがそっくりなのである。百夜が見えていなかったなどとは言わせない、そう、毛毬に詰め寄ることができるほどの類似である。

見えていたくせに。見えていたくせに。見えていたくせに。無視することで、丙午の毛毬は寝取りの百夜を、いじめ殺してしまったのだろうか……。

だがしかし、いまではもう毛毬に詰め寄り、真意を尋ねることはできない。同じ年、一九九八年の夏に、毛毬もまた旅立ったのである。十二年以上も続けられた『あいあん天使《エンジェル》!』長期連載の最終話は、廃墟の立体駐車場での最終決戦を経て、主人公が族を引退するエピソードで締められていた。その原稿を描き終えた母の毛毬は、手慰みに手伝っていたわたしに「トーコ、さんきゅ」と微笑みかけた。立ち上がってとなりの、布団が敷かれた仮眠部屋のほうに向かいながら、小声で言った。

「チョーコがきたから、わたし、もう行くヨ?」

気軽な口調であった。気難しい売れっ子漫画家といったいつもの様子とはちがい、軽くて、楽しげで、どこか異様に若々しかった。わたしは見よう見まねでトーンを貼りながら生返事をしたが、はっと気づいて顔をあげた。

「おかあさん……？」

ふすまを開けて、仮眠部屋に入った。

毛毬は布団に倒れ伏して、もう息絶えていた。わたしは母を助け起こしたが、すでに死んだ動物のようにずっしりと重たく、子供の手ではとても持ち上げられなかった。廊下に走り出て人を呼ぶと、蘇峰が駆けつけてきた。部屋に転がりこむと、倒れた母を、蘇峰はじいっと見下ろした。「おい、毛毬ちゃん」蘇峰の声は奇妙に乾いて、冷たかった。つづいて家族が集まり、夫の美夫が会社から呼び寄せられた。十人目の美男の編集者、榛が転がりこんできて、机にそろえてあった最終話の原稿をひっつかみ、残りのトーンを貼った。

榛は郵便局に駆けていって最終話の原稿を送り、それから木造のＮＴＴビルに飛びこんで、電報を打った。

〈アカクチバケマリ　タビダツ　トメラレズ　ハシバミ〉

電報は光となって夜空を飛び、東京の出版社に届いた。

本当に、穂積蝶子が、迎えにきたのだろうか。母はついに大人にならなかった。もう子供ではなく、しかし大人にもなれず。同世代の多くの女たちと同じように。毛毬は中有を十年とすこしのあいだもがき、苦しみ、行く手もわからず彷徨《さまよ》って、旅立った。稀代《きたい》の喧嘩屋で漫画家、丙午の赤朽葉毛毬、三十二歳の、夏の夜であった。

これにて、青春と喪失と一組の姉妹の戦いを包んだ、巨と虚の時代の物語を終える。わたし、赤朽葉瞳子はこのとき、九歳。

母と別れるにはすこし、早すぎる歳であったようにも思います。

第三部　殺人者

二〇〇〇年～未来　赤朽葉瞳子

Ⅰ　鉄砲薔薇

こうしてようやくたどりついた、現代。語り手であるわたし、赤朽葉《あかくちば》瞳子《とうこ》自身には、語るべき新しい物語はなにもない。ほんとうに、なにひとつ、ない。わたしは万葉《まんよう》の、不肖の孫娘なのである。あぁもう。死んでお詫びしたいところだが、でも生きていたいです。

九歳で母と死に別れてからも、わたしはすっかり静まりかえった、寂れつつある旧家の奥深くで、老いたる祖母の手によって育てられた。父、美夫《よしお》は製造業に移行した赤朽葉製鉄を、株式会社レッドデッドリーフと名を変え、運営し続けていた。細々と航海を続ける、古い、巨大な戦艦。稀代《きたい》の少女漫画家であった母の印税はすべて、なくなった後もことあるごとに会社を助けた。毎月配られる社報には必ず、母の漫画のワンシーンが使われて、社長の妻であったことが書かれていた。オートメーション化は進み、人的作業は減るばかりで社員数は全盛期の何分の一かであったが、それでも、この紅緑村《べにみどりむら》の若者に貴重な雇用の機会を与え続けていた。

赤朽葉の大屋敷はさびれ、奥のほうの部屋はほとんど使われていなかった。女中の人数も減る一方であった。庭師が老いて一人また一人と死んでしまい、新たな庭師を雇わなかったため、祖母が愛した見事な裏庭はむやみやたらに鬱蒼《うつそう》として、秋になると赤く燃える、古代のたたらの森のようだった。わたしが十代を過ごした二〇〇〇年代初頭は、この大屋敷にいるのはわたしと、祖母の万葉、それから叔父の孤独《こどく》、居候の黒菱《くろびし》みどりと蘇峰有《そほうたもつ》の五人で、父は夜遅く帰りまた朝早く出かけていったので、いるのかいないのかわからない存在の薄さであった。

その昔、紅緑村のはるか上に天上界として君臨した真っ赤な大屋敷は、時代の流れによってしらず近代の空気を取り入れ、いまではごく普通の、山の中のお屋敷であるように見えた。ただ、屋敷が震え、裏庭の赤い森が風もないのにうごめくことがときおりあった。それは、祖母の万葉が姿を見せたときであった。万葉は大屋敷を支える労のためか、年齢よりもはやく顔にしわを刻みつけていた。静かな大女である万葉が赤い着物の裾《すそ》を揺らし、長い銀の髪をなびかせて廊下を歩くと、森はざわめき、大屋敷も神話時代の不思議な空気を、ほんの一瞬取り戻すようであった。万葉はいまでは赤朽葉本家の大奥様であり、誰もが、彼女の存在自体をこころの拠り所としていた。

鞄《かばん》は長らく本家で、父親譲りの高等遊民を地でいく生活をしていたが、二十代後半になって、幼なじみである分家の息子のもとに嫁いだ。四人の子持ちとなって分家で子育てに励んでいたが、さいきんでは女中にあれこれ任せているらしく、天気のよい日は坂道を上がってよく本家に戻ってきて茶など飲み、また婚家に帰っていった。わたしをみつけると、饅頭をかじりながら庭を指差し、「ほら、あのブナの木が、百夜《ももよ》姉さんが隠れていたところ。あの下の池に落ちて、逃げたんよ」などとなつかしそうに話した。

「〝いっしょに死にます〟だなんて言って、一人で死んで、と思ったけど。考えてみたらあのあとまもなく、毛毬《けまり》姉さんも死んだんだねぇ」

その毛毬の影武者であった、フィリピーナのアイラは、母の死後ふらりと姿を消して久しかった。赤朽葉本家は、核家族ともすこしちがう、なんとなく寄り集まったこころもとない擬似家族のような、奇妙な顔ぶれで日々をゆっくりと過ごしていた。

わたしは地元の村立中学を出て、共学の、ごく普通の高校に進学した。瞳子と名づけられたからにはなるほど、瞳はある程度ぱっちりとしていたが、母のような人目を引く美女でもなく、万葉のような力をもってもいなかった。わたしは、いわゆる、普通の女である。だからこそこうして、赤朽葉家の女たる、祖母と母の物語に心惹かれてしまったのかもしれない。二人は輝ける過去であり、歴史であり、わたしのルーツなのである。この平凡な、若い女でしかない、わたしの。彼女たちのことを考えるとき、わたしは、自分にもなにがしかの価値があるように感じるのだ。

死者の多い家であったので、祖母、万葉が毎朝のように線香をあげる仏壇は、たいへんな騒ぎであった。曾祖父母《そうそふぼ》の康幸《やすゆき》とタツ、祖父の曜司《ようじ》、伯父の泪《なみだ》、母の毛毬、叔母の百夜の写真が壁に飾られていた。万葉が死者の名を順番に呼びながら拝むと、となりで出目金ババァの黒菱みどりもまた、自分の父母と夫と、兄の名を呼んで拝む。線香の煙は物語られた遠い日のトコネン草の煙のように、紫色に輝いて屋敷を覆いつくす。わたしは咳きこみながらつるつるの廊下を走りぬけ、

「行ってきますっ！」

と学校に出かけたものだった。拝む声の中に、万葉が小さく、いってらっしゃい、と一言はさむ。玄関を出て坂道を下り始めながら、いまはさびれて廃墟のごとき過疎の、だんだんの団地を見下ろすときは、まだ線香の匂いが自分に染みついている。とうに火を消した巨大な溶鉱炉が黒々と、灰色にかすむ空にそびえている。老朽化から、行政を通じて取り壊しの話が出ているが、祖母が生きているあいだは父が言いあぐねていることを、わたしは知っていた。

赤朽葉の千里眼奥様こと、祖母の万葉は、わたしが二十歳をすこし超えたころに亡くなり、それを機に父はついに溶鉱炉の取り壊しと、工場跡地の更地化を進めることになるのだが、それはまだもう少し先の話だ。まず、祖母がまだ生きていて、わたしが高校生だったころの話をしたいと思う。

このころ、叔父の孤独はというと三十歳をすこし過ぎていた。大検で合格した地元の大学に通い、卒業後はまた家にこもっていた。その後、父の勧めで株式会社レッドデッドリーフに勤めた。とはいえあまり仕事熱心ではなく、休みになると相変わらず、部屋にこもって趣味のゲームなどに没頭して過ごしていた。中学以来の人間嫌いで人付き合いにはまったく積極的では

なかったが、姪であるわたしのことはとてもかわいがってくれた。普段は寡黙で、大屋敷の中でも不思議なほど目立たなかったが、二〇〇〇年にこの地方を襲った鳥取県西部地震のときは一寸の迷いもなく身を挺《てい》して、庭にいたわたしを守ってくれた。倒れたメタセコイアの木に足を折られて孤独は大怪我をした。彼は早死にした姉、毛毬の娘であるわたしをことのほか気にして、なにかにつけ庇《かば》おうとしていたようであった。わたしも子供の頃はこの変わり者だが心やさしい叔父になついて、雨の休日などはかつての母のように、孤独の部屋にいりびたって過ごしたものだった。

居候の蘇峰有は、転がりこんだ先の漫画家がとっくに亡くなっているというのに、いまだ堂々と赤朽葉家に住んでいた。齢は四十半ばになっていたが、働く気はまるでなく、テレビをつけてニートがどうのという番組をやっていると、「おっ、おれのことだぞ」などと太平楽に笑っていた。「有《たも》っちゃん、ニートっていうのは、自分ちにいる人のことだよ。有っちゃんは人んちにいるんじゃない」などとわたしが生意気を言うと、真顔で「ほんとだな」とうなずいた。蘇峰の薀蓄《うんちく》はいまも、千里を駆け続けていた。その話はさすがに博識であって、子供心にもおもしろいおじさんであった。

「知ってるかい、トーコ。明治以前の日本には〝ＬＯＶＥ〟という英語を翻訳するとき、ぴったりの言葉がなかったんだ。つまり恋愛という概念自体がなかった。いまのうわついた恋愛ブームは、欧米からきたものなんだ」

「あぁ、それ知ってる」

「なんだ。じゃ、これはどうだい。ミクロネシアのとある部族には〝悲しみ〟という言葉がないんだ」

「へぇ。知らなかった」

「いちばん近い言葉で〝ファゴ〟というのがあるんだが、それは人の苦しみを見て同情したり、自分も苦しむという意味なんだ。自分の心の痛みを表現する言葉はないんだ。必要ないからだよ。なぁ、ずいぶんとやさしい民族だと思わない？　考えてもごらんよ、トーコ。人の悲しみを憂《うれ》えるという概念はあるのに、自分の悲しみを悲しむほうはないんだよ。人間なんてみんな、自分の悲しみに無我夢中の生き物のはずなのにさ。おれたちだって、自分さえよければいいやって、思いがちだろ」

「うん……」

「あと、アフリカのとある部族は女性同士で婚姻する制度があるんだって。伴侶の近親者の男性に子供をつくってもらってね、女だけで暮らすんだ。いや、ぶっとんでていいよな。おれたちの暮らしている世界の常識が、どこでも常識というわけじゃないと思うと、気が楽にならないかい……」

蘇峰の薀蓄にはいつもかならず、ここではないどこか、べつの文化圏への憧憬《どうけい》がふくまれていることに、大人になるにつれわたしは気づいた。美男で高学歴であったのに、三十代の半ばから働くことをやめ、それきり高等遊民を地でいく蘇峰は、しかしその、バブルを知る世代に特有の奇怪な前向きさを持ち続けているように見えた。彼の薀蓄は、いまよりもいい暮らし、いまよりも満足できる文化に、自分という列車は必ずたどりつくという信念に裏打ちされているように思えてならなかった。それはわたしたちの世代にはない性質であった。わたしたちはそんな感覚はまるで知らない。すべてがあらかじめ終了したこの国をただ、漂うようにして、わたしは育ったのだ。

さて、自分のことに話を戻そう。

高校に入学したわたしは、中学のときと同じく吹奏楽部に入部した。祖母と母の立派な体格を受け継ぐことなく、わたしはとても小柄な女であるのだが、にもかかわらずずいぶん大きなトランペットを吹いていた。全身に、風をめぐらせ、音を奏でる。県立紅緑高校は過疎と少子化によって生徒数が減少していたが、部活動にはことのほか熱心であった。放課後になると校庭では野球部とサッカー部、陸上部が掛け声をかけて走り回り、校舎ではわたしたち吹奏楽部が演奏を続けた。白いカーテンが風に揺れ、窓の外に目をやると、遠くに中国山脈が青々とそびえ、その手前に田畑がどこまでも広がっていた。土の匂いが、ぷんと香った。わたしたち吹奏楽部が部活を終えて、笑いあいながら帰る時刻、野球部だけがまだ残って、泥だらけのユニフォームを夕焼け空に照らされながら、走り回っていた。

わたしには、いや、わたしたち普通の高校生には大志というものがなかった。そのことでよく担任の教師が長々とお説教をぶった。自分が若いころは、なりたいものや見果てぬ夢に燃え、社会を変革しようと正義感を燃やし、もっと熱く生きていたものだ、と。君たちには若者らしさが足りない、と。若者らしさとは、なんだ？　無気力と憂鬱こそ、若さという病ではないだろうか。行く手は茫洋として、やらなくてはならぬことばかり多い。霧に包まれた小舟にのっているような、こころもとない季節。それがわたしの感じた十代という時間であった。だからこそ、小舟にたまたま同乗した、級友たちに優しく接したかった。互いをいたわり、いまこのときをせめて楽しく生きようと協力しあった。なによりノリが大事だった。場の雰囲気をうまくつかんで、浮かないように、掛け合いで会話を盛り上げるのだ。友達と盛り上がって過ごした後は、すこし疲れた。ほんとうは話したいのに、口にできなかった、漠とした重たい感情が心の奥深くでいつもうごめいていた。

わたしたちが熱くなってもいいのは、ただ一つ。恋愛に関してだった。その項目だけは限界なく燃えていいと、仲間うちでも無言のお墨付きがあった。級友たちは恋をして、破れ、またつぎの彼氏をつくった。そしてわたし、トーコはというと、高校二年のときにありふれたロマンスに落ちた。

多田《ただ》ユタカ君は、同級生だった。中学はべつべつで、高校で初めてその存在を知った。彼の父は、万葉を引き取って育てた多田夫婦の子供のうちの一人で、紅緑村の駐在所に勤める警察官だった。ユタカは硬式野球部に在籍していて、わたしは吹奏楽部の帰り道、一年の二学期ぐらいから、校庭を横切るときにいつのまにかユタカの姿を目で追うようになっていた。

ユタカはわりと整った顔立ちをしていて、女子生徒にも人気があった。三年生の先輩が引退すると、主力選手として活躍し始めた。ユタカがバットをスイングすると、白いボールが夕闇の空に舞い上がり、どこまでも遠く、高く、飛んで消えた。わたしは足を止めてそれを目で追った。なんて遠くまで……。なんて高く……。眩《まぶ》しい、憧れがあった。わたしたちはあまり熱くなることのない年代だったけれど、だからといって、同世代の熱い人間をきらうということはなかった。むしろ、自分にはできないことを成し遂げる、とくべつな情熱と才能をもつ彼らを素直に応援していた。野心のない者は、ほかの人間の野心にもあまり嫉妬しないものなのだ。ユタカはいつも熱く汗を流していた。付き合い始めると、わたしは女子生徒たちの羨望の的になった。あのころのユタカはかっこよくて、人々の注目を集める者に特有の輝きがあった。三年生になると、甲子園の予選のために夏はつぶれ、わたしたち吹奏楽部は毎日、猛暑の県民球場で応援歌を演奏した。トランペットが、夏の空に金色に輝いた。ユタカはホームランを連発して、彼のおかげで、めずらしいことに、この高校最後の夏、紅緑高校は甲子園に出場することになった。村をあげて盛り上がり、甲子園行きの貸し切りバスが出た。ユタカは村のヒーローになった。

「……できることを、やるだけだよ」

デートというほどでもない、駅前のアーケード街の散策をしながら、その夏、日に焼けた顔に微笑を浮かべて、ユタカは言った。わたしの母が青春を過ごしたころは廃墟も同然だった駅前のアーケード街は、若者向けのちいさな店がたくさんオープンして、ささやかながら活気を取り戻していた。バブルのころに都会に出たかつての若者たちが、時の流れで若さを失い、不況のあおりで職も財産も失って地元にもどってきて、この辺りで商売を始めるというパターンが増えていたのだ。なにしろシャッターを閉めていた実家の店舗を開けるだけで商売ができて、家賃は要《い》らないし、なにより、趣味を仕事にできる。わたしたち若者はろくに小遣いを持っていなかったのでたいした金額を落とすことはなかったが、アーケード街は、雑貨屋や洋服屋をうろうろと冷やかしたり、お茶を飲んだりするには最適ののんきなデートスポットだった。ここがかつては不良少年少女の巣窟《そうくつ》であったことなど、とうに遠い過去になっていた。

「自分にできないことは、むりをしてもできないから。できるだけのことをやるよ。そうすることでしか、ぼくは輝けないと思う」

「ユタカはクールだね」

「いや……。これでもプレッシャーと闘ってるんだよ。うちに村長までくるしさ。君んちのパパも気を遣って、米とか酒とか持ってきたし」

そう言いながらユタカは、ヒーローには似合わぬ寂しげな笑みを浮かべた。

のんびりと歩いていると、地元の高校生や、ときには女子中学生までが、きゃあきゃあと言ってユタカを取り囲んだ。がんばってください、応援してます、と騒いだ後で、いっしょにいるわたしをちらっと睨《にら》む。特別な能力をもつ者が憎まれることはなかったが、その者によって恩恵を受けている人間ははげしく嫉妬された。このころわたしの下駄箱には、よくへんなものが入っていた。主にごみや、土のかたまりなどだ。わたしはユタカが有名人だからといって自分を誇ったりはしなかった。だって、わたしはわたしであり、平凡な女であることにまったく変わりはなかったのだ。

その年の夏、わたしたち紅緑村の人々は貸し切りバスに乗り、東へ向かった。東へ。東へ。

県境を越え、走り続けて甲子園球場にたどりついた。わたしたちは力の限り応援をした。吹奏楽部は倒れるまで演奏をし続け、大人たちも声援を送った。紅緑高校は二回戦で負けた。わたしたちは虚脱してバスの中で眠りこけ、気づいたときには日もとっぷり暮れていた。夜中にようやく村に帰りついた。わたしたちは日に焼け、汗びっしょりで、そうしてあの夏は、終わった。

こうして思い出してみて、しみじみと、わたしの青春は平凡であるなと感じる。ユタカに出会い、部活をがんばり、友達と楽しく過ごした。うちに帰れば祖母が待っていてくれた。過疎は確実にこの村をむしばんでいるように思えた。現代を生きるわたしに情熱はない。それは、赤朽葉で古代からのたたらの火が消えたあの日から少しずつ、時をかけてつめたく冷えていったものかもしれない。消えてしまった、溶鉱炉の火。猛々《たけだけ》しかったあの炎。輝く未来。過ぎ去りし日々。

高校を卒業すると、わたしは地元の短大に進学した。だらだら勉強をして、駅前のクレープ屋でアルバイトをして、友達と地味に遊んで過ごした。ユタカとは十九のときにつまらないけんかをして一度別れたけれど、半年ほどしてまたつきあいだした。お互いにべつの相手とつきあってみて、やっぱりもとの人がいい、と思ってもどったのだ。最初はすこしぎくしゃくしたが、じきになれて元通りになった。わたしはあまり自信家とはいえない女だったので、ほかの女の子とつきあったユタカが、自分をどう評価しているのか気になった。セックスのやり方が微妙に進化していて、そのことでわたしはひそかに、すごく傷ついた。ユタカは高校を卒業して地元の企業に就職したが、わたしと別れたころにそこの仕事をやめて、またわたしと付き合いだしたころに、べつの会社に就職しなおした。ユタカの父は警察官で、妻と息子と三人で、駐在所の裏手にある木造二間の平屋に住んでいた。ユタカは一人暮らしをしたがっていたけれど、給料を考えると、一人暮らしの部屋か、車の、どちらかをあきらめなければならなかった。それで車を選んで、休みの日にわたしとよくドライブをした。国道沿いの古いラブホテル〈ザ・シャトー〉でよく会っていて、あまりにもいつも同じ、丸いベッドのある水色の部屋にいるので、わたしは次第にそこに住んでいるような気までし始めた。

わたしはユタカが好きだったが、それはとくにここで語るほどのことでもない。よくあるように、一人の女が、ある男を大切に思っているというだけのことだ。わたしたちはときどき恋愛について語ってみたけれど、二人とも同じ見解だった。運命の恋なんてものはないんじゃないか。わたしたち男と女は、互いに、たまたま出会った気の合う相手を選んで、いっしょにいるだけなのだ。機会がちがえばべつの相手とつがいになったかもしれない。それでいいのだ。わたしたちはいま互いを選んでともにいるし、そのことに満足している。

ユタカは高校二年から三年のあいだに、一生分のスポットライトを浴びて有名になり、野球部引退とともにとつぜんただの人になった。そのことに頭では納得しているが、心はまだ戸惑っているようにも見える。わたしはそんなことに関わりなくユタカの人柄に好感を持っているが、その気持ちをうまく伝えられていないかもしれない。彼がただの友達だったら、もっとうまく伝えられるかも。男と女だから、うまく言えないこともあるのだ。

「君、ぼくがいなくなったら生きていけないなんてこと、ないでしょ」

「うん、そうだね……。なんとかなると思う」

「だよね。ぼくは、君がいなくなったら死んじゃうけどね」

「うそだぁ」

「うん。うそだよ、トーコ」

こんなクールな会話を交わしながら、英語とフランス語がちゃんぽんのあやしい名前のラブホテルで、カラオケを歌ったり、会わない間のたわいない出来事を報告しあったりして、だらだらと過ごしている。

野球部のヒーローでなくなってからというもの、ユタカはうまく、自分が男だということをつかめていないように見える。朝仕事に出かけて、夜帰ってきて、休みの日は恋人とドライブをする。祖父が万葉に見せた男の荒々しさは彼には無縁で、しだいにおっとりとし、男性性から遠ざかっていくように見える。身のこなしはしなやかで、まるで女の子の友達と変わりないほど、いつもやさしげである。

わたしたちについて語るべきことは、ほかにはもうあまりない。

事件、とでもいえることが起こったのは、わたしとユタカが二十歳をすこし超えたころのことだ。それは祖母の死と飛行人間にまつわる、不思議な、そして穏やかなはずのわたしたちの心をあやしく揺さぶるエピソードである。

短大を卒業したわたしは、社会経験でも積もうと地元の企業に勤めてみたものの、なんだか退屈ですぐにやめてしまった。家でぶらぶらしていると、ひまなのに逆に息苦しい、そんな日々だった。バブル崩壊のあと落ちこみ続けた景気は、すこしずつ回復していると言われてはいたが、働かず家にいる人は相変わらず一定数いた。アルバイトはするが就職しない友達はじっさいに多かったし、せっかく四年制の大学を出ていいところに勤めても、すぐに離職したがる人もいた。若い高等遊民が周りにもたくさんいた。仕事にプロフェッショナルなプライドを持って日々を闘ったり、モーレツに働くことに生きがいを感じたりすることは、どうやっても無理だった。せかいは上へ上へ進んだあとでぐるりと回って、その昔、みどりの兄じゃが滑り落ちただだんだんのいちばん下に、わたしたちはいま、みんなでぺたりと着地したのだ。

大志もなく、派手にお金を使いたいといった欲もあまりなかったので、稼いで豪遊するといったことにも興味がなかった。自分らしさを奪われてまで、社会において何者かになりたいとは思えなかった。納得できないのにむりに頭を下げたり、うなずいたりするのはいやだった。そうして大人になっていく日々の、しかしなんという、息苦しさ。わたしは改めて、自分が自由という名になるはずだったということを思い出して、悶々《もんもん》としていた。食うにもこまらず、ぶらぶらしているだけの自分はいま、はたして、自由なのか。わたしたちにとって、自由とはなにか。女にとって自由って、いったい、なんだ。

そんなことを悩んで、うちでごろごろしているときに、祖母の万葉に呼ばれた。お説教でもされるのかと戦々恐々として居間に向かってみると、万葉はぷくぷく茶など入れて、のんびりと座っていた。浅黒い肌はすこし分厚く、しわも寄り、そのむかし漆黒に輝いていた長い髪はすべて銀色に変わっていたが、万葉はこうして座っているとやはりなかなかに迫力があり、これが赤朽葉の千里眼奥様と呼ばれた女かとわたしは改めて祖母の姿を眺めた。朽葉色の着物を着て帯をゆるく締め、万葉はその少女期と同じように、長い髪を結びもせずに下に垂らしていた。わたしがとなりに座ってぶくぶく茶を飲み始めると、万葉はくっきりと大きな瞳を細めて、不肖の孫娘の顔をみつめた。

「さいきん、どうだい？」

「えっと、普通……」

「そうかい」

わたしは五色豆《ごしきまめ》をつまんで、口に入れた。もごもごと、

「なんていうかさ……。やりたいことがみつからない。いや、それ以前にね、やりたいことをみつけるのに必要な情熱が、まったくもってみつからないって感じ。わかる、おばあちゃん？」

「それは、困ったねぇ」

多くの大人のように、頭ごなしに甘えてるだの贅沢だのとは言わず、万葉はのんびりとこたえた。わたしはお茶を飲みながら、ずっと昔に万葉が語ったことを思い出した。黒菱みどりに山出しぶりをからかわれて、「わしは足りとる」と答えたという、万葉のことを。貧しくて、ひろわれっ子で、字も読めなかった。それなのに満足していたという万葉のことが、心貧しいわたしには不思議でならなかった。

わたしは「足りてない」と確信している。「満足できない」と毎日のように思っている。だけど、「それでいい。過度な期待なんて人生にしちゃいけない」と戒《いまし》める声も聞こえてくる。「足りてない」の声はわたし自身の心の叫びであり、「それでいい」と戒めるのは時代の声である。そんな気がする。叫びだしたいほど、ほんとうは不安だ。だけど、なにを叫ぶ？

　そんな漠然とした不安や不満を取り囲む、この過疎の村の、静かな空気。わたしがそのことを言いあぐねて、でも祖母のそばにいると落ち着くので結局は黙ったままお茶を飲んでいると、祖母は開け放した縁側から見える裏庭の、その向こう、遠く中国山脈の山々を見上げた。

「忘れて、いったのかねぇ」

「えっ。なにを？」

　すこし悲しげな声に聞こえたので、わたしは聞き返した。万葉は微笑んだ。

「わしをだよぅ」

「誰がよ？」

「……山の、人たち」

「そんなわけないじゃないの。子供をおいていくなんて」

　わたしがあきれて、感情をこめて強く言うと、万葉は寂しげに瞳を曇らせた。遠く、山を見上げているその顔はすこし弱って、いつも気丈な祖母らしくない暗い影があった。

「そうかねぇ」

「うん、そりゃそうよ」

「それなら、わしは、どうしておいていかれたんかねぇ」

答えようとして、わたしは言葉につまった。祖母もまた、おいていかれた女なのだ。老いたる大女に親愛の情がこみ上げた。祖母が好きだ、と思った。わたしたちはそのまま二人で黙ってお茶をすすった。廊下を踊るように歩いてきたみどりが、仲間にくわわった。祖母と並んでみどりの手品を眺めながらお茶をお代わりし、のんびりと過ごした。

これが、祖母の赤朽葉万葉と茶飲み話をした最後の日になった。ちょうどこのころ、レッドデッドリーフでは溶鉱炉の取り壊しと工場跡地の更地化を行政から指導され、会社全体がばたばたとしていた。地震による倒壊の怖れのある古い溶鉱炉が行政、市民団体から槍玉に上げられていた。しかし取り壊しには時間と労力、そしてなにより資金がかかった。父も、孤独もげっそりとして会社からなかなか帰ってこず、もどってきたらきたで、庭を歩いたり、廊下を通り過ぎていったりする祖母の銀色に輝くおおきなからだに、拝むように手を合わせた。千里眼奥様はいまだに、その存在を心のよりどころとされていた。

しかし、そうやって頼りにされていたこの時期のことである。茶飲み話をした数日後、万葉は一人で慌しく、部屋を片付けたり着物を整理したりし始めた。

通りかかったわたしは足を止めて、聞いた。

「おばあちゃん、どうしたの？」

祖母は夢見るように言った。

「……そろそろ死ぬから、お掃除だよぅ」

ぽかんとしてみつめているわたしの視線に気づいて、祖母はゆっくりと顔を上げた。明かり窓から赤い夕日が、万葉の皺《しわ》を刻んだ浅黒い顔を照らしていた。そういう冗談を言う人ではなかったのだが、わたしは、これは冗談なのだと思いこもうとした。祖母を失うのが、想像もできないほどおそろしいことであったからだ。わたしは笑い飛ばした。

「そんなの、まだまだでしょう。みんなが頼りにしてるのに、おばあちゃんたら、そんなこと」

「……明日の朝、死ぬよぅ」

わたしの声が聞こえなかったのか、祖母はまた夢見るようにつぶやいた。わたしはぞくりと背筋が凍りついた。ふいに、万葉が本当のことを言っているように思えたのだ。そわそわとし、その夜はずっと自分の部屋と万葉の部屋のあいだを往復して過ごした。誰かに話せば、からかわれたのだと笑われる気がしたが、あの背筋がぞくりとした感触が忘れられなかった。夜半過ぎ、万葉の部屋の灯りが消えた。わたしは廊下にしゃがみこんで、裏庭の夜空高くに輝く青い月を見ていた。もしかして、ほんとうに祖母はいなくなってしまうのだろうか。母をなくし、本家の不肖の一人娘として育ったわたしにとっては、なにより心のよりどころにしていたのがこの万葉であった。本家の女としていかに生きればよいのか、大屋敷をどのように陰から支えればよいのか、手本となるのは銀色に輝く大きな万葉一人であった。わたしはまだ若く、何者でもなく、どう生きたらよいのかまるでわからない、つまらない娘であった。祖母がいなくなってしまったら、と思っただけで涙がにじんだ。わたしはあふれた涙を手の甲でぬぐい、音を立てずにそっとしゃくりあげた。

そのまま一時間ぐらい、わたしは呆然とそこに座っていた。それから我慢ができなくなり、人差し指をなめて濡らして、障子をつついて穴を開けた。部屋の中を覗くと、万葉はこちらに背を向けて、鏡台の前に座っていた。大女のはずなのに、その背中はいつになくちいさく見えた。鏡台にはしわの刻まれた万葉自身の顔がうつっていたが、万葉の目はそれを見ているわけではなかった。大きく見開かれ、なにかを見ていた。未来だろうか、とわたしは不安になった。万葉はこれまでもずっと未来視をし続けてきた。この夜も、人が視《み》ないなにかを視ようとしているようだった。

「……知らんかった」

低い声が聞こえた。わたしは耳を澄ました。

「だって恥ずかしかったけん。……黙っとった」

いったい誰と話しているのだろう？　わたしはこっそり見ているのが悪くなって、そうっと障子から顔を離した。そうして一度自分の部屋にもどった。一時間ほどして、また不安になり、廊下を歩きだした。足音を立てないように。庭が、夜の暗さを超えた不吉な暗みを得ているように思った。乾いた赤黒い葉が一枚、風もないのにふわりと落ちてわたしの足元に飛んできた。

さっき開けた、障子の穴をそっと覗いた。そして息を呑んだ。

万葉は布団の上に仰向けに寝て、目をかたく閉じていた。腰までとどく銀色の髪が、輝く巨大な扇のように布団の上に広がっていた。神さまの扇みたいだ、とわたしは思った。浅黒い皮膚にしわが刻みこまれ、目を開けているときにはわからなかった、長い苦悩がその顔に漂って

いた。万葉が眠っているのではなく倒れているのだと閃《ひらめ》いて、わたしは、

「……おばあちゃん」

つぶやいて、障子を開けた。強い風が吹いて、庭がぶるる、と震えた。重たく、大きなからだを抱き起こすと、万葉はうめいた。獣のように、低く短い唸り声だった。わたしは悲鳴をあげ、父を呼んだ。

ちょうどそのとき、会社からもどってきて裏口にいた父が、廊下を走って駆けつけてきた。屋敷の奥から黒菱みどりが駆けてくるほうがはやかった。孤独も起きてきて、それから医者が呼ばれた。わたしはみどりのごつごつしたからだと固く抱き合って、半狂乱になり、おばあちゃん、おばあちゃんと声をからして叫び続けた。まだ早い。わたしがこんなに心もとないのに、逝ってしまってはだめなのに。この赤朽葉の大屋敷は、まだ千里眼奥様に支えられているのに。万葉がいなくなったら、時代に流され巨木のように倒れてしまう気がした。バブル崩壊とともに倒れた、あの〝下の黒〟黒菱造船のように。わたしは声を限りに、呼び戻さんと、万葉を呼び続けた。みどりも脅えて金切り声を上げていた。

孤独が分家に電話をして叩き起こし、鞄もあわてふためいてやってきた。やがて分家の人々が大屋敷に詰めかけて大騒ぎになると、わたしは部屋の隅で震え始めていた。

万葉は、夜明けまで息があった。さいしょこそ祖母を寝かせた部屋に人々は詰めかけたが、徐々にべつの部屋にうつって祈ったり、ただじっと畳をみつめたりし始めた。みどりは親族でない遠慮と、万葉のそばにいたい気持ちがあいまって、老いたる黒い番犬のように部屋と廊下

のあいだの敷居にしゃがみ、うつむいて目玉をぎょろつかせていた。そしてそのうち、しゃがんだままでうつらうつらと眠ってしまった。わたしはみどりの肩にそっと自分の上着をかけた。

明け方になり、人の出入りの隙をついたように、隅に座るわたしと、敷居で眠りこけるみどりと、祖母だけが部屋に残された時間があった。それを見極めたように祖母がとつぜん、目を開けた。

「瞳子、瞳子」

と、わたしを呼んだ。わたしは部屋の隅からはいずって、あわてて万葉の枕元に近づいた。震えながら、

「なぁに、おばあちゃん」

「わしは、鉄砲薔薇が見たい。瞳子、裏庭の鉄砲薔薇を摘んできておくれよ」

わたしはあわてて立ち上がった。廊下を抜け、裸足で庭に飛び降りた。火のように燃える真っ赤な裏庭を駆けて、鉄砲薔薇の藪《やぶ》をみつけてひきちぎり、両手に山と抱えて祖母のもとに帰った。祖母は死ぬのだ、とわかった。いまではこの大屋敷そのものであるかのような、この祖母が。ふっと、覚悟ができた。しかし動揺し続けていたのであろう。薔薇を抱えて部屋に飛びこんだとたん、みどりの足につまずいて転んだ。みどりは起きなかった。布団の上に広がる、祖母の長い銀髪の周りに、薔薇の束が散ってふわふわと取り囲んだ。銀の扇に、赤い薔薇であった。

万葉が目を開け、わたしの名を呼んだ。

「瞳子、瞳子」

「ここにいるよ。なぁに、おばあちゃん」

「ありがとう、瞳子。おまえはいい子だね」

不肖の孫娘に、万葉はそう言った。いい子であるもんかい、とわたしは思いながらも、涙が出てきたので黙って、はいずって枕元にもどった。鉄砲薔薇が一輪、万葉の顔の横にふわりと並んでいた。

「おばあちゃんのほうが、ずっと、よい人だったよ。千里眼奥様だったんだもの。わたし、すごいと思ってたんだよ」

「よい人じゃあないよ」

「そんなことない。おばあちゃんがいなくなったら、わたしはどうしたらいいかわからないよ。本家の女はわたしだけになってしまう。おばあちゃんみたいにはなれないのに、一人で残されるのはこわいよ」

万葉はゆっくりと首を動かして、不思議な、困ったような顔つきをしてわたしを見た。そんなふうに思っていたのは意外だ、と言いたそうな目つきだった。それから乾いた唇をゆっくり開いたので、わたしはその口元に耳を近づけた。

「瞳子。おまえなら、だいじょうぶだよ」

「だいじょうぶじゃ、ないったら……」

「おまえはほんとうに、心配しいだねぇ。ねぇ、瞳子。だけど、わしはね、よい人じゃなかったよ」

「おばあちゃん、そんなこと……」

「おまえにだけ、言うけれどねぇ」

ゆっくりと目を閉じながら、万葉が細い声を絞《しぼ》り出すようにして、言った。

「わしはむかし、人を一人、殺したんよ。だれも、知らないけれど」

「えっ？」

「だけど、憎くて殺したんじゃないんだよ……」

それが万葉の最期の言葉だった。

閉じた瞳のはしっこから、涙が一滴、流れた。すうっと息を吸って、それを吐くことなく、万葉は生きるのをやめた。

捨て子として育てられ、本家に嫁にきて、最後は赤朽葉の大屋敷そのものであるかのような存在となった、この祖母。赤朽葉万葉の真っ赤な魂《たましい》が、孫娘のわたしの目の前で突然消えてしまった。

わたしは腰を抜かした。鉄砲薔薇に埋め尽くされた部屋で、万葉のなきがらとともに五分か、十分のあいだ、ただ黙っていた。静寂がわたしを苦しめた。ようやく声が出るようになったので、小声で父を呼んだ。

「……おとうさん、おとうさん」

声が自分でおどろくほど細く、誰にも届かないので、しだいに大声になった。

「おとうさん！　きてー！」

みどりが、カッと目を開けた。こちらを見て叫び声を上げ、ぎょろ目から涙を流した。

廊下の向こうから父の美夫が駆けてきた。医者もやってきて脈を取り、ご臨終ですと言った。腰を抜かしたわたしを、鞄の指図で、分家の奥さんたちが引きずって廊下に出した。万葉の顔に白い布がかけられた。分家の老いた男たちが手を合わせ「ナマンダブ、ナマンダブ」とつぶやいた。「千里眼奥様、とうとうご臨終だが。ありがとうございした。赤朽葉の本家のために。ここまでご苦労さんでやした。なぁ、万葉さん」みなでうなずき、命の飛び立った万葉のしなびたからだに手を合わせた。「ナマンダブ、ナマンダブ」「ナマンダブ、ナマンダブ」「ナマンダブ、ナマンダブ」

わたしの真っ青な様子を親戚の者はみな、万葉に育てられた跡取り娘が、母親代わりの祖母の死にショックをうけているのだと解釈した。もちろん間違いではなかった。分家の女たちはそれぞれ、「これからあんたがしっかりせにゃ」「おばあちゃん子だったから、つらいだろうけど、大往生なんだけん」などとなぐさめた。わたしの耳に次第に、万葉の最期の言葉がよみがえってきて、責めた。

——わしはむかし、人を一人、殺したんよ。

——だれも、知らないけれど。

わたしは腰を抜かしたまま、すこしずつ廊下を後ずさった。ずっと尊敬していた、大好きであった祖母のなきがらから、遠ざかっていった。廊下はつるつるとすべった。

——だけど、憎くて殺したんじゃないんだよ……。

廊下に座りこんだまま、二時間ほど経った。いつのまにか朝になった。わたしはようやっと立ち上がると、通夜の準備をする大人たちを尻目に、廊下を走り出した。黒菱みどりが線香をもくもくと燃やして、なにごとか唱えていた。紫色の煙に取り巻かれ、わたしは赤朽葉本家の門を転がり出て、廃墟も同然となっただんだんの団地を見下ろした。それから携帯電話を取り出して、泣きながら、ユタカに電話した。

なにか食べているらしいもごもごした声で、ユタカが出た。

「トーコか。どうした、こんな朝早く。ニートのくせに早くないか？」

「おばあちゃんが死んだ」

「えっ」

「人を殺した」

「……は？　どっちだよ？」

「どっちもなの。わからないの。どうしよう……」

わたしはしゃくりあげた。古びた石の門にもたれて、しゃべろうとしたら声が震えた。

「だれも知らないの。わたししかいなかったの。おばあちゃん、むかし、人を殺したって」

「殺したって、誰を……？」

「わからない。わからないよ」

わたしは恐れおののきながら、大屋敷を振り返った。千里眼奥様がいなくなった赤朽葉の大屋敷は、すこぅしかたむいて、古びて見えた。たたらの火のような、暗く燃える紅葉《もみじ》が、裏庭から屋敷に向かって炎がなめるように激しく茂っていた。

わたしはしゃくりあげた。わかっていたつもりのせかいが急に、ぐずぐずと音を立てて足元から崩れ始めた。涙があふれた。からだががたがたと震えた。

——祖母が、殺人者だったとは。

2 Whom did she murder?

多田ユタカ君はカローラⅡに乗って、すぐ駆けつけてきた。人気《ひとけ》のないだんだんの坂道を、朝日に照らされながら水色の車が上がってきて、泣き伏しているわたしの前で急停止した。運転席の窓が開いて、日焼けが取れて色白の、大人に近づいた顔がこちらを見た。

「トーコ……？」

出勤前に寄っただけだから長くはいられないけれど、とユタカは言った。わたしはつっかえながらも、明け方に起こった出来事をなんとか説明した。スーツ姿のユタカは腕時計をなんども見て、一度会社に行かなくちゃ、でもすぐ戻ってくる、と坂道をまた降りていった。

わたしが大屋敷にもどって、通夜の準備に忙しい大人たちをぼんやりと眺めていると、携帯電話が鳴った。鞄が振り返って「こんなときに友達? 電源切っときなさいよ」とぼやいた。

「まったく、さいきんの若い子は……」

わたしは廊下に走り出て、電話に出た。ユタカだった。会社についてタイムカードを押し、机について五分だけ座って、外回りですと言って出てきたらしい。門の前まで出て行くと、さっきと同じ場所にカローラが停まっていた。ユタカはスーツの上着を脱いで、後部座席のハンガーにかけていた。「乗れよ」と言われて、助手席のほうに回った。涙はいい加減止まっていた。

ドアに手をかけたとき、ふとなにかが気になって、大屋敷のほうを振り向いた。叔父の孤独が庭に立って、ぼうっと地面を見下ろしていた。わたしは孤独と仲がよかったので、なにか言いたいと思った。でも、このことだけは言ってはならない気がした。孤独にとって万葉は大事な母親であるし、それに孤独は三十代半ばと、年齢こそずっと上だけれど、その精神はまだどこか、異様に若々しくて繊細なままだった。二十歳を過ぎて〝若い女〟になったわたしは、このころとっくに孤独の精神に追いつき、追い越したつもりでいた。孤独な叔父をとても愛していたけれど、男として、大人としてなめてもいた。頼れない、とわたしは思いこんだ。

助手席に乗りこむとカローラはゆっくりと発進した。ユタカが冷たい缶コーヒーをわたしに渡した。

「飲めよ」

「うん……。ありがと」

「町中を走ると、となりに彼女を乗せてるところ、会社の人にみつかっちゃうから。海のほうな」

「ん」

国道をゆっくり走って、日本海沿いの、いまはあまり使われていない産業道路から、海辺の砂まみれの道に入った。松林が蜿々《えんえん》と続いていて、季節はずれの海岸には人気がなかった。日本海が灰色の、激しい荒波を寄せては返していた。

わたしたちは車を降りて、寒々とした砂浜に並んで腰を降ろした。海も、空も、いつものようにスモーキーに染まっていた。

「だいじょうぶ？」

「うん。……ううん」

首を振った。わたしはずっと混乱していた。祖母がいなくなったことが耐えられなかった。自分の一部がもがれて黄泉《よみ》の国に連れ去られたような痛みと、恐怖であった。

おばあちゃん、と心の中で呼んだ。おばあちゃん。おばあちゃん。まだどこにも行かないで。一人にしないで。不安と悲しみで混乱はひどくなっていった。

不吉な声がまた、よみがえった。

――わしはむかし、人を一人、殺したんよ。

大きく首を振った。嘘だ、と思った。わたしが知る祖母、赤朽葉万葉の姿はこうして海を眺めながら思い出してみても、自分のためでなく嫁いだ赤朽葉家のために生きた、やさしくて穏やかな千里眼奥様だとしか思えなかった。あの最期の言葉はいったいなんだったのだろうか。祖母が誰を、いつ、殺したりしたというのだろうか。

大屋敷から出たたくさんの死者の顔が、わたしの脳裏で入り乱れた。泪、タツ、曜司、百夜、そして毛毬……。誰もが万葉に殺されることなどまるでなさそうで、それでも、誰もが「そんなことはない。そんなことはない」と恨めしそうに、この情けない子孫の顔をじっとねめつけているようにも思えた。涙を拭いて、かたわらにいるユタカを見上げると、ユタカはとても心配そうな顔をしてわたしを見守っていた。

どういう言葉をかけたらよいのか探しあぐねている、といった様子だった。わたしたちは深刻な話など、お互いあまりせずにきた。家族とも、恋人とも、友達とも。いや、もしかすると自分自身とも。社会から、葛藤から逃げて、中途半端な覚悟しか持たぬままいつのまにか二十代になってしまった。わたしたちはだめな人間だ。わたしもユタカになんと言っていいかわからなかった。ユタカがとても傷ついたような、悲しげな目つきでこちらを見ているので、わたしはふいに、あっ、これがファゴかもしれない、と気づいた。ミクロネシアの部族が使うという言葉。人の悲しみによって自分も悲しむという感情。ユタカはいまファゴの状態に陥っている。それは漠然と、やさしいことのように思えた。

「おばあちゃんが人を殺したなんてとても考えられないけど、だけど、もしもほんとうなら理由があるはずだ、と思うの。ユタカ」

「うん……。そうだね」

ユタカもうなずいた。

「そんな理不尽なことする人には見えなかったもんな。変わった人だけど、自分なりの理にかなったことしかしないような、そういう意味で、信用のおける人っていうかさ」

「うん」

「それなら、殺さなきゃいけない、彼女だけの理にかなった、なにかがあったのかな……」

「わからないけど。わたし、その理由が知りたい。だけどそれを知るためには、誰を、いつ殺したのかがわからないといけないね……」

「うん。難しいな」

それきりわたしたちは黙って、また海を眺めた。

スモーキーな海には、ときおり波が強く立った。ユタカが腕時計を見た。そろそろ帰らなきゃ、という顔をしているので、わたしは先に立ち上がった。砂がスカートについているのではらっていると、ユタカが手伝ってくれた。

そのユタカの姿を、横目で見た。

まだスーツが似合っていない。ついこないだまで高校の制服を着ていたというように、スーツがからだにフィットせずに落ち着かない様子だ。全体にほっそりとして、大人びてきている。わたしも高校生のときよりも自然と痩せて、大人の体型になってきている気がする。似合う服も変わった。二人して少しずつ大人になっているはずなのだが、まだ地に足が着いていなくてふわふわしているのが自分でわかる。

車にもどりながらユタカが、会社がひけたら夕方また連絡するよ、と言った。わたしはうなずいた。助手席に乗りこんで、走り出すカローラの窓を開けた。秋の涼しい風が髪を揺らした。

「心配かけて、ごめんね」

「かけてよ、心配」

「ん？」

「助けとかさ、求めてほしいよ。男だし。……かといって、頼りにならないけどね」

ちょっと暗い声だったので、わたしはユタカの横顔をちらりと見た。いつもと同じ、静かな顔。すこしずつ自信をなくして、ただの人になった自分とある日は折り合いをつけ、またある日はつけられず。日々を揺れている、その若い、苦い、しかし優しげな横顔。

「頼りに、してるよ」

「ほんとかよ」

「えっ、ほんとだよ」

「……さっき。朝。電話もらったとき。トーコが泣いてるからさ。ぼくがしっかりしなきゃって。支えなきゃって。ぼくは男だって一瞬、思ったよ」

「一瞬なの？」

「うん。でも、いまもちょっと続いてるかも」

「そう」

カローラがスピードを増した。午前中の産業道路は空いていた。魚のトロ箱をいっぱいに載せたトラックがすごい勢いでカローラを追い越していく。ユタカが、対抗するようにアクセルを踏みこむ。トラックとのカーチェイスになって、わたしはちいさく悲鳴を上げた。あぶないなぁ。むちゃをするユタカはめずらしいので、わたしはすこしだけ驚いていた。

屋敷に帰ると、お通夜の準備が続いていた。紅緑村の人々が集まって、女たちは台所に入り、男たちは屋敷の中をやたらとうろうろしていた。法螺貝《ほらがい》を持った若い男とすれちがった。年配の男に、山おろしが吹いても飛ばされるなと言われて、法螺貝を抱きしめて真剣な顔でうなずいていた。大広間には村の年寄りが集まって、千里眼奥様の思い出話に花を咲かせていた。万葉を拾って育てた多田の子孫たちは、よい席を勧められて酒をふるまわれ、それぞれの親たちに聞いた、万葉の独身時代の話などをしていた。大広間の、日本海を泳ぐ真っ赤な鯛の大群が描かれたふすまの前で、酒が進んで鯛と同じぐらい真っ赤な顔をした男たちが、楽しげに、いつまでも千里眼奥様の思い出話をしていた。

病や事故による早死にではなく、十分に本家のために生きた後のことであったので、この夜も、翌日の葬儀も、暗い空気はみじんもなかった。倒れる日の昼間に、自分で部屋を片付けていた話をなんどもわたしに聞いて、年老いた親類たちは顔を見合わせ、「やっぱり、あん人は最後まで千里眼だが。自分が死ぬことまでわかっちょっただが」と感心した。そして昔語りに、あのときも一人だけ未来を知っとった、ほれあのときも、と口々に思い出話に花を咲かせた。

黒菱みどりだけがげっそりとして、自分の部屋にこもって黙って線香を焚いていた。夜になると、息子や娘たちに連れられて、多田の夫婦の、老いた妻がやってきた。夫は二年ほど前に病で亡くなったが、妻は九十近くなったいまもかくしゃくとしており、水産研究所で定年を迎えたばかりの長男、肇《はじめ》と並んで、万葉のなきがらに手を合わせた。しばらくして、息子たちとも離れて廊下に一人ぽつんと座っているので、後ろから近づいてみた。すると、誰もいないのに小さな声でささやいているのが聞こえた。

「たいへんだったろうねぇ。あんた、苦労をしたねぇ。下からいつも、手を合わせて祈っとっただが……」

まるでとなりに、あの銀の髪をした大柄な万葉が座っているかのようにささやいているので、わたしはぞっとした。足音に気づいて多田の妻は振り返った。立ちすくんでいるわたしをみつけると、顔中に皺を寄せてにっこりした。わたしは会釈して、遠慮がちに、多田の妻のそばに座った。そして万葉が幼いころの話などを、ぽつり、ぽつりと聞いたのだった。

その翌日、葬儀の朝はよく晴れていた。燃える炎のような、暗い朽葉の大群が秋の風に揺れて、一斉に火の粉のごとき葉を空に舞い上げる中、赤朽葉万葉の棺を乗せた葬式籠が本家の門を出て行った。わたしは目を見開いて、それをみつめた。こうして出て行ったら、祖母のあの真っ赤な魂は二度と大屋敷に戻ることはない。遠いあの日、花嫁駕籠に揺られてだんだんの坂道を上がってきたように、こんどは葬式籠に乗せられて、万葉は大屋敷から永遠に出て行くのだ。

さよなら、万葉。

大屋敷が咆哮《ほうこう》するように、風にぎゅむりとかしいだ気がした。赤朽葉家の繁栄の最後を見守り、陰ながら助けた、最後の嫁。涙のように、赤い朽葉がまた風に揺られて大量に舞い上がり、路上に落ちた。朽葉舞い落ちる中、葬式籠はゆっくりと坂道を下って、出て行った。

いつのまにやら、古い衣装に身を包んで楽器を持った男たちが、法螺貝を鳴らし、鈴を振り、銅鑼《どら》を打ちはやして籠の周りを踊っていた。今朝は山おろしも吹かなかった。法螺貝が飛ばされることなく、笛が折れることもなく、とてもおだやかに、万葉を乗せた葬式籠は午後までかかってだんだんの坂道を降りていった。籠の後ろを歩くわたしたち親族は、次第に緊張も解け、万葉の話をしながらのんびりと進んでいた。孤独と父の美夫にはさまれて歩いていたわたしは、坂のいちばん下に着いたとき、なにかに呼ばれたような気がして、ふと振り返った。

はるか上の、山肌に押しこまれたような、真っ赤な大屋敷。その周囲を囲んでいた燃える朽葉はほぼすべてが、この数時間のうちに葉を落として、庭が暗く沈んでいた。だんだんの坂道を朽葉がぎっしり敷き詰めて、溶けた鉄の川のようなたたら色の坂道になっていた。大屋敷は暗く陰に沈んで、物言わぬ、命を断ち切られたかのような様子であった。わたしは、あぁ、とうめいた。赤朽葉本家は、とうとう終わったのではないか。万葉が受け継ぎ、守っていたあの家は、彼女の死とともに、形はないがたしかに存在した、家の力のようなものを受け継ぐ者がおらず、息をするのをやめたのではないか。

わたしは恐れおののきながら、思わず父の手を握りしめた。父は、どうした、というようにわたしを見た。視線を追って大屋敷のほうを見上げたが、父の目には屋敷の変化は映らぬようであった。「相変わらず、でっかい家だなぁ」とつぶやくので、わたしは力なくうなずいた。そう、大きな家だ。いまでも。目に見える形だけは。

わたしが恐れたのは、自分が――この大きな家の跡継ぎ娘であり、祖母も母もなきいま、家の力を受け継がねばならぬただ一人の女であるのに、なにもできない、そのことであった。昔々の先祖から、家が守られ、血が受け継がれて、いまのわたしにまでつながっている。でも最後に生まれたわたしは、うまく未来につなげることができずに、ここまでつづいた大事ななにかを台無しにしてしまうのではないか。わたしは本家の歴史の、無邪気な破壊者なのではないか。あぁ、そうでありたくはないのに。

昼だというのに暗く闇に沈む大屋敷を見上げて、わたしは恐れおののいていた。

万葉の葬儀は夜までかかって行われ、法螺貝が鳴り、大合唱団の如きお経が響き、村人は踊り、ようやく終わったときには夜もとっぷり更《ふ》けていた。わたしは闇に包まれた大屋敷に帰るのがこわいので、ぐずぐずしていた。帰りは車に乗って、家族みんなで一気にだんだんの坂道を上がっていった。わたしが車から降りたがらないので、父と叔父が不思議そうにした。とう車から降りて門の前に立ち、わたしは小声でつぶやいた。

「しっかりやりますから、入れてください……」

――しっかりって、なにをだね？

そう、家が問い返してきた気がした。わたしの唇が震えた。

「しっかり生きるようにします。なるべく」

こんどは、家からの答えはないように思えた。わたしはうつむいて、自信がないまま、門をくぐった。ずっと先に父と叔父がいて、不思議そうにこちらを振り返っていた。

「なにしてるんだ。早くきなさい。疲れただろう」

父が言う。男たちにはなにも見えないのだ、感じられないのだ、と思うとなんだかおかしかった。わたしは、女が陰から支えてきたこの屋敷の奥で、いったいなにが起こり、誰が千里眼奥様に殺されたというのだろう、と改めて考えた。門をくぐって、玄関まで歩く途中で、風もないのに、朽葉を落とした裸の枝が、骸骨のような冴え冴えとした動きで、そっとわたしの頬を撫でた。力づけているのか。からかっているのか。

わたしは父と叔父に追いついて、二人のあいだに立った。つかれきったような二人の顔を交互に見比べて、つぶやいた。

「もうおばあちゃんがいないなんて、さびしいね」

「そうだな」

「うん、そうだね」

二人ともうなずいた。背後で骸骨のような枝たちがカカカカッと乾いた妙な音を立てた。

その夜わたしは、一人で自分の部屋にこもって、祖母と母の生涯について考えていた。ぶくぶく茶を入れて飲みながら、ノートをひろげて、あれこれと書く。

祖母も母も、自分たちの話をよくわたしに聞かせたものだった。わたしはまるで見てきたことであるかのように、祖母が空飛ぶ男を視たあの幼い日のことや、カービン銃が暴発して死んだ島根の保安隊の男のことや、出目金こと黒菱みどりに髪を引っ張られてぶちぶちと抜けたときのことを知っている。その痛みや驚きまで、いっしょに体験したかのように、それは生き生きとした鮮明な記憶である。母のことだってよく知っている。母は荒ぶる女だった。その昔、どんな悪食《あくじき》の恋を繰り返したのかも。どんな親友と青春を過ごしたのかも。どんなふうに、漫画家としての人生を闘ったのかも。まるで映画のスクリーンにかぶりつきで見たかのようによくわかっている。しかし、それから百の夜が明け、千の日が暮れた。長い長い時間が経ち、さまざまな人間が大屋敷に関わり、そしてその多くがやがて死んでいった。不思議な死に方をする者も多くいたようだが、さて、いったい誰を、なぜ祖母は殺したというのだろうか。

わたしはぶくぶく茶を飲み干し、ボールペンを握りしめた。ノートに祖母の人生について思いつくまま書いていった。夜が更けるころに、ようやく祖母の嫁入りの辺りまで書くことができた。ベッドにもぐりこんで一度、眠った。なにしろわたしは若くて無職であるので、時間と体力はたくさんあった。朝起きるとまた書き始めた。そうしてその週はずっとこもって、祖母のことを書いた。つぎに、母のことも書き出してみた。長い長い時間がかかって、それからわたしは、記憶をもとに、わたしにわかる限りの、祖母にかかわる死者の軍団を割り出した。

わたしは新しいノートを出して、最初のページに〝殺人者〟と書いた。それから、また半信半疑の気持ちになって〝?〟と疑問符を書き足した。そのあと万葉の名前を書いた。〝赤朽葉万葉〝サンカ〟〝千里眼〟。
つぎに〝死者〟と書いた。わたしが把握していない者もいるのだろうが、いまわかっている限りで、年代順に書き記していった。

殺人者?
赤朽葉万葉　――サンカ　千里眼

死者
一九五三年頃?　万葉十歳
カービン銃の人　銃の暴発　未来視
一九六〇年　万葉十七歳
黒菱みどりの兄　飛びこみ自殺　未来視
一九七四年　万葉三十一歳
赤朽葉康幸（舅）　病死　未来視

一九七九年　万葉三十六歳
真砂《まさご》（夫の愛人）　病死
一九八四年　万葉四十一歳
穂積蝶子《ほづみちようこ》（娘の友人）　不明
一九八六年　万葉四十三歳
赤朽葉泪（長男）　落下事故？　未来視
一九八九年　万葉四十六歳
赤朽葉タツ（姑）　老衰
一九九二年　万葉四十九歳
赤朽葉曜司（夫）　列車事故　未来視
一九九八年　万葉五十五歳
赤朽葉百夜（愛人の子）　無理心中

一九九八年　万葉五十五歳
赤朽葉毛毬（娘）　過労？

書くうちに、指が震えた。カービン銃の人はまさか殺されてはいないだろうし、みどりの兄や女中の真砂は、わたしにはあまり、その存在を実感できぬ遠い過去の人であった。だが、泪はわたしの伯父であり、彼がとつぜん亡くなったために母は父を婿にすることになり、それによってわたしが生まれたのだ。わたしという存在に関わる死者が、後年になるにつれ増えていった。本当に殺人が行われたのだとすれば、だが、その死はまったく、被害者の面でも他人事《ひとごと》ではなかった。不運な百夜の葬儀はわたし自身の記憶にはっきり残っているし、最後の名前〝赤朽葉毛毬〟を書くときには指がかなり震えた。母が殺されたはずはない。寒気を感じながらわたしは思った。だって、母が死んだのを見たのはわたし自身なのだ。あの夜を忘れはしない。もう行くヨ、とつぶやいて奥の部屋に入り、母はふすまを閉めた。あわててふすまを開けたときには、布団に倒れて息絶えていた。大声で人を呼ぶとあわててみんな駆けつけてきたが、間に合わなかった。まだ若いのに、過労で死んだ。あの夜を忘れはしない。

現在に近づくにつれ、神話のように思って聞いていた祖母と母の昔語りが、ちがう、神話ではない、現実に起こったことなのだと胸にせまってきた。わたしは表をみつめて、考えた。

なにが起こったのか、知りたい。

不肖の孫だが、これでもわたしは家付き娘である。二十二歳にもなって無職で、こんな平日の昼間から家にいてごろごろしているが。未来になにかをつなげていける気は、自分でもまるきりしないのだが。不安でたまらない毎日なのだが。絵に描いたように無気力な若者だが。だが。

家付き娘のプライドのようなものが、わたしの中にあるような気もした。ないような気もしたが。赤朽葉本家で起こったほんとうの出来事をみつけるぞと決意したとき、携帯電話が鳴った。まぬけな呼び出し音に気をそがれつつ、届いたメールを読んだ。ユタカだった。心配してくれているらしい。週末に会う約束をしてから、ノートを放り出して、ベッドに寝転がった。そうそう、気力もやる気も続かない。若き無職の心は怠惰《たいだ》と焦りに深く侵されているのだ。浅くけだるい眠りに落ちて、万葉の夢を見た。大きな瞳から、溶けた鉄の川の如き血の涙を流し、鉄の斧を振り回して、つるつるの大屋敷の廊下を駆けている。着物の襟がはだけ、長い髪が波打っている。……ちがう、それは万葉ではない、毛毬だ、毛毬が百夜を呪った夜の記憶だ、とわたしは思いながら、寝返りを打った。あの翌朝、百夜は死んだ。無理心中に失敗して一人で死んだのだ。あぁ。記憶の中のどの女も、等しく、愚かであるように思われた。もちろんわたし自身もだ。起きると自分も泣いていた。この屋敷ではなんども、女たちの血の雨が降ったのだ。屋敷を支える女たちの。いまではもう、本家の女はこの情けない、赤朽葉瞳子しか残っていないのだが。

週末の朝、起きるともう十時近くになっていた。わたしはあわててベッドを這い出て、顔を洗った。ユタカと会う約束になっていたので着替えて、お化粧をした。仏間に入ると黒菱みどりが線香をもうもうと焚いていた。紫色の煙にごほんごほんと咳きこみながら、わたしもみどりのとなりに座った。

仏間の壁にかけられた死者たちの写真が、一斉にわたしを見下ろした。生きているものには聞こえない漣《さざなみ》のような声で、あれこれとしゃべりだしたような気がして、わたしはひゃっと首を縮めた。ろくなことを言われている気がしなかったのだ。死者の声に代わって黒菱みどりが「あんた、ぶらぶらしてないでちゃんとしないと、万葉も心配するで」としゃがれた声で朝から説教をした。わたしはうんうんと生返事をして、目を閉じた。みどりが出て行く気配がした。しばらくして目を開けると、煙で充満する仏間に一人きり。わたしは写真を見上げて先祖の顔を一人一人眺め渡した。

もっとも心惹かれるのは、端整でどこか品のいい、伯父の泪の写真だった。だけど自分がいちばんよく似ているのは、祖父の曜司のような気がした。うりざね顔で、すっきりしているが、たわいもない顔だ。毛毬と百夜の写真は仲良く並んでいた。百夜は上目遣いで、左にいる毛毬のほうをじっとみつめているように見えた。毛毬は知らん振りして正面を向いている。

なにげなく、仏壇のあちこちにある引き出しなぞを開けてみた。線香の束が並んでいるいちばん大きい引き出しの奥に、なにかがしまわれているのをみつけた。半紙でくるまれたそれを開けると、中から〝万葉さまへ〟と達筆で書かれた封筒が出てきた。手紙だ、でもどうして自分の部屋ではなくて、こんなところに入れておいたのかしら、と思いながら、わたしはこっそり開けてみた。

一枚だけ入っていた便箋を開いて、つぎの瞬間あっと叫んで取り落とした。首筋につめたい息がかかった気がした。指を切られたような恐ろしさであった。

便箋にはただ一言〝いっしょに死にます〟とあった。百夜の遺書だ。無理心中に失敗して、一人だけ死んでしまった百の夜の女の。こんなところに入れておくなんて、と思いながらわたしは写真がかかっている壁を見上げた。上目遣いの寂しそうな百夜が、ひっそりと笑った気がした。となりにかかる毛毬の写真が、縁側から吹く風に押されてすこし、かたむいた。

わたしは便箋と封筒を元通りにして、引き出しの奥深くにしまった。いろいろな過去が自分を取り巻いて息を吹き返すように思えた。生き生きと脈打ち始めた、死者の記憶。万葉と毛毬の物語のことしか考えられぬようになってきた。仏間を出て、線香の匂いがしみついた服を両手で叩きながら、廊下を駆けた。携帯電話が鳴り始めた。ユタカからだ。鞄を提げて玄関に出ると、途中ですれちがった孤独が「なんだ、デートかぁ」と眩しそうにこちらを見た。

「だけどそれって、どこまでほんとうの話なのかな、と思わないか」

「えっ」

海辺の国道をドライブしながら、ユタカと、祖母や母についての話をした。ノートに死者を書き出して考えているところだと話すと、ユタカはハンドルを片手に目を細めて、すこし懐疑的にそんなことを言った。

「でも、ユタカ。わたしのおばあちゃんは、変人だけど正直な人だったよ。うそなんてつかないもの」

「いや、それはわかるけどさ」

国道沿いのドライブコースは、海辺をゆっくりと走ってから山沿いにうつり、高いところから海を眺めてまたゆっくりと下に下りてくる。景色はいいけれどもなんども通った道なので、いい加減見慣れてしまって、わたしもユタカもまじめに外を見ていなかった。いつもの国道を運転しながら、ユタカは首をひねった。

「夢見がちな感じで、こう、物語みたいになってるから。つまりさ、自分だって年を取ったら、孫に若いころのことを話すとき、できるだけおもしろおかしく話すと思うんだよ。ぼくも年を取ってから、孫に、甲子園とか、トーコに出会ったときの話をしたら、ちょっとおおげさに話すと思うよ。だから」

「そんなの、ユタカだけだって」

「こら。ともかくさ、万葉さんの話にどこまで信憑性《しんぴょうせい》があるのかがわからないとなぁ。たとえば、黒菱家の跡取り息子が列車に轢《ひ》かれて死んだ話とか、ほんとうかなぁ……」

「……ほんとうだと思うけど」

「むくれるなよ。ただ、べつの視点の意見をはさんでみただけ。せっかく男と女なんだから」

海沿いのレストランの駐車場にカローラを停めた。窓際の席について、ユタカはチキンドリアを、わたしはシーフードのスパゲティを頼んだ。わたしが鞄から取り出したノートを受け取ったユタカは、まじめな顔をして目を通していた。

しばらくして、料理がきた。食べながらユタカが、うーん、とうなった。

「昔のことは難しそうだな。たとえばさ、真砂さんや康幸さんの死因なんて、わかるのかなぁ。病院にカルテが残っていればいいけど、なにしろ三十年も経ってるし」

「そうだね……」

わたしもうなずいた。スパゲティをフォークにまきつけながら、

「カルテが残ってなくても、そのときのお医者さんが生きてないかな」

「そうか。そうだな」

「わたし、捜してみる。ひまだし」

「ふぅん。あと、勇気がいるけど、黒菱家の跡取り息子が貨物列車に轢かれた話、みどりさんに聞いてみたらどうかな」

「そうだね。勇気がいるけど」

レストランを出て、またぐるぐるドライブをした。夕飯時をさけたほうがいいかなとユタカが言うので、それもそうだね、とわたしもうなずいて、早めに赤朽葉家にもどって、まず黒菱みどりに会うことにした。みどりはフラメンコ教室に行っていて留守だったので、二人で裏庭に面した縁側に座って帰りを待った。まだ初秋だというのに、あまりにはやく散った今年の朽葉に、ユタカはおどろいていた。骸骨みたいな裸の枝が無数に風に揺れて、わたしたちの様子

を見下ろしていた。

廊下を孤独が通りかかり、わたしたちをみつけるとにっこりした。孤独のにっこりは、はたから見ると頬を痙攣《けいれん》させたようでこわいのだが、ユタカはもう慣れているので、笑顔で会釈をした。孤独は早口で、ユタカのいまの仕事や、給料について根掘り葉掘り聞き始めた。ユタカがしどろもどろになりながらもあれこれと答えていると、反対側から蘇峰がやってきた。孤独と蘇峰は連れ立って、なにやら早口で言い合いながら廊下を遠ざかっていった。その声が遠く、聞こえなくなっていくと、代わりにみどりが帰ってきた。金刺繡が躍る黒いサテンのフラメンコドレスを着て、機嫌がよさそうに鼻歌を歌っていた。

となりにユタカがいたせいで、わたしは改めて客観的に、よその人の目で、自分の家の様子を見ることができた。なんとおかしな家だ、とわたしは思った。ぐだぐだしている自分も含めて、この家にはいま高等遊民が多いのだ。血のつながった家族ではない人たちもふくめて、おかしな共同生活がつづいている。みんな、ばらばらだ。気づけばいっしょに食卓を囲むことも減って、好きな時間に好きなものを食べている。家族というより、気のおけない下宿のようだ。これは進化なのだろうか？　いや、きっとちがう。家族の崩壊なのかもしれない。

「おやっ、多田ユタカ君じゃないか」

みどりはだいぶ近づいてきてから、ユタカに気づいた。甲子園の応援でひときわ異彩を放った、この金ぴかの派手な老婆のことをユタカはすこしこわがってはいたが、礼儀正しく頭を下げた。みどりは高校球児時代のユタカのファンで、当時はひときわ熱心な追っかけであったので、満面の笑みを浮かべた。ポケットに手を入れて、千円札を何枚か出す。ユタカがあわてて、もう大人だからいりません、と断った。みどりと押し問答になって、結局二千円を受け取ってしまう。二人のやり取りに、わたしは笑いをこらえていた。

「みどりちゃん、ちょっと聞きたいことがあるんだけど」

わたしが言うと、みどりはぎろりとこちらを見た。

「あいよ。なんだい。恋の相談かい」

「それはありえないよ。そうじゃなくてね」

みどりがぎょろりとむきだした瞳をさらに大きくして、わたしを見下ろした。ぞくりと寒気を感じて、わたしは身を震わせた。

三人でぞろぞろと、みどりに割り当てられている屋敷の奥の、二十畳ほどもある大きな部屋に移動した。部屋中にきらきらした踊りの衣装や、ダンサーのポスター、ラメのハイヒールなど原色があふれて、入っただけですこし目眩《めまい》がした。ユタカは落ち着いて、多少はスペースのある辺りの床に座って、みどりに切り出した。

「ぼくたち、みどりさんにちょっと聞きたいことがあって。トーコが、昔からよく、亡くなった万葉さんの昔話を聞いていたらしいんですけど」

「へぇ。あぁ、そういや万葉とトーコは仲がよかったねぇ。子供とちがって、孫ってのはばかなほどかわいいもんだからねぇ」

なにか失礼なことを言われている気がしたが、ひとまず黙っていた。

「ぼく、トーコの話を聞いていてちょっと気になったんです。あの、みどりさんのお兄さんのことなんですけれど。シベリアに抑留されてとうとう帰ってこなかった人で、本来なら黒菱造船の跡取り息子だったはずの。その人のことで……」

黒菱みどりの顔から、笑顔が消えた。さびしそうな、翳《かげ》のある表情が現れたかと思うと、ぎょろりとむきだした瞳から涙が一滴、零《こぼ》れた。わたしもユタカもあわてて、ハンカチを捜したりティッシュを差し出したりした。みどりはうなずいて、

「万葉から、なにか聞いたのかい」

「はい、ええと……列車に轢かれたって」

「あぁ、そうだよ。確かにそうだ。でも、もうずいぶん昔の話だよ」

みどりはそれから立ち上がって、部屋中をひっくり返して捜したあげくに、ようやくみつけだして兄の写真なるものを見せてくれた。古いモノクロ写真でよくわからないが、なかなかに端整な顔立ちをした、すらりとした男だった。

「そりゃあきれいな男でねぇ。シベリヤからもどってきたときにはうれしかったよ。だけど、頭がおかしくなっててねぇ。結局おかしいまんま、ふらふら歩いてて、あの夜、わしの目の前で列車に飛びこんで死んだんだよ。こなごなになっちゃって」

「みどりちゃん、でもそれ、家族の人は……」

「いや、わしの両親は知ってたよ。帰ってきたことを近所にも隠してたんだけど、ある夜いなくなって、翌朝、国鉄の貨物車が人を轢いたらしいって騒ぎになったからね。それ以来、兄じ

ゃは帰ってこなかったから、両親も察していたと思うけどね。車両に血がついて、たしかに轢《れき》殺《さつ》した跡が残っているのに、死体だけどうしてもみつからないって、当時はずいぶん新聞にも書かれたもんだよ。だけどわしは黙ってたし、万葉もむっつり黙ってたから。まさか女の子が二人で死体の始末をしたなんて、大人は思うまいね。結局迷宮入りしたよ。あぁ、なつかしいねぇ」

みどりは目を細めた。

吐息を一つ。

「あぁ、あのときから、万葉とは友達になったんだねぇ」

わたしとユタカは顔を見合わせた。

——みどりの部屋を出て廊下を歩きながら、わたしはユタカを小突いた。

「ほんとうだったじゃない。おばあちゃんの話」

「うん、そうだね」

「疑ってごめんなさい、は?」

「……ごめんなさい。許してください。愛してます」

わたしは照れた。赤くなって、ユタカの背中をつっつく。

「そこまで言わなくていいよ」

「ははは。でもさ」

ユタカは首をかしげていた。

「万葉さんの話はほんとうだけど、でも、君が聞いた話の中には殺人は出てこないわけだろう。彼女の話にうそがないとしたら、逆に、話していないほんとうのことがあるはずじゃないかな。たとえば、みどりさんの兄が死んだことは話してるけど、新聞に載って騒ぎになったことはなぜか省いていたみたいだし」

「いや、それはね……」

わたしは言いかけて、やめた。祖母は文字が読めなかったから、新聞記事を読むことだってできなかったのだ。もちろん誰かが話題にしていれば耳に入っただろうが、独身時代の万葉には友人もほとんどいなくて、交友関係がとてもせまかったはずだ。

でも、万葉は文字が読めないことを相手によっては隠したがったということを、わたしは思い出した。夫となった曜司には平気で話したけれど、職工の豊寿《とよひさ》にはなぜか隠した。ユタカに知られてもかまわないのか、恥ずかしいのか、孫といえどもわたしには判断がつかなかったので、ひとまずやめておいた。

黙りこんだわたしをよそに、ユタカは熱心に話し続けている。

「だから、万葉さんはさ、かわいい孫に昔語りするときに、エピソードを故意に省いたのかもしれないよ。人を殺したことを隠すか、自分でも忘れてしまいたいかで」

「……う、うん」

「たとえばみどりさんの兄さんの話でも、もしかしたら事故じゃなくて、万葉さんが死なせてしまったんだけど、故意に話を飛ばしてるのかもしれないし」

「……それはないんじゃないかなぁ。だって、おばあちゃんには関係ない人だもの。それに、おばあちゃんはそのころうちで寝てて、列車に轢かれるところはみどりちゃんが目撃してるんだし」

「そうだね。言ってみただけ。ごめんなさい。愛してます」

ユタカはすこし笑った。

それからわたしたちは、車でまた坂を下って、図書館に行った。ぎりぎりでまだ入れたので、司書さんに頼んで昔の新聞を見せてもらった。わたしたちよりも年上、三十歳手前ぐらいの、ちょっと色っぽい女の司書さんだった。

むかしの事故の記事を探しているというと、司書さんはおもしろがって、書庫を右往左往していっしょに探してくれた。

「ふふ。なんだか二人組の刑事さんみたいね。若いけど」

「あの、祖母の昔の話に出てきた事故の記事で、それで、なんだか詳しく知りたくなったんです」

「へぇ……。わかるわ。わたしも祖父母の昔話って好きなのよ。不思議よね、この土地で起こったほんとうの話なのに、なんだか神話みたいに聞こえるの。なぜかしら。……あ、あった」

新聞記事に顔を近づけて、読んだ。古い紙独特のにおいがつんとした。

確かに、一九六〇年に国鉄の貨物車が轢いたはずの死体が消えたという事件が取り上げられていた。当時はかなり話題になったらしい。ついでに、一九五二年に島根県の保安隊で事故があったこともみつけた。カービン銃の暴発によって、地元から保安隊に入った十九歳の若者が一人、不慮の死を遂げていた。

「ところで、そういう昔の思い出話って、どれぐらい信憑性があると思いますか」

ユタカが司書さんに聞いた。「そうねぇ」と司書さんは首をかしげた。

「すこし誇張したり、ほんとうの記憶と後から想像したことを混同したりしてるかもな、とは思うわね。あまり深く考えたことはないけど」

そう言うと、司書さんは夢見るようなうるんだ瞳で遠くを見た。

図書館を出るとき、司書さんがわたしたちに、調べものがあったら気軽に図書館を使いなさいと名刺を渡した。ユタカが受け取って財布に入れた。

帰り道、カローラの助手席でわたしは、「どっちも、万葉に殺されたということはないと思うけどなぁ」と言った。ユタカも「そうだね」とうなずいた。また車で送ってもらって、だんだんの上の門のところで降ろしてもらった。「またね」と手を振ると、ユタカも手を振り返した。

部屋にもどって、着替えてから、わたしはノートを開いた。死者の表の最初の二人、〝カービン銃の人〟と、〝黒菱みどりの兄〟のところにボールペンで強く線を引いた。

残りは八人だった。

週が明けると、外が騒がしくなった。寝ぼけ眼で裏庭を眺めたり、マグカップに注いだミルクを片手にうろついたりしていると、珍しく父が大屋敷にいた。スーツ姿で慌しく、玄関に向かっているところだった。

「おとうさん、おはよう」

「……トーコか。あいかわらずのんびりだな。あぁ、そうだ。トーコ」

玄関で革靴を履きながら、父が振り返った。開け放された玄関から、門のところに車が停まって、運転手が待ち構えているのが見えた。父は相変わらず忙しそうだ。

「工場跡地を更地にするように行政から言われてたんだけど、ようやく資金のめどもついてね。いよいよ進めることになったから、しばらくは工事で騒音がひどいぞ。昼間ごろごろしてるとうるさくてかなわないだろうから、出かけたほうがいいかもな」

「あ、いよいよなの」

わたしはミルクを飲みながらうなずいた。

「トーコ、毎日わざわざ出かけるのもたいへんだし、そうだ、この際、就職したらどうだ」

「やだよ」

「じゃあ、見合いでもいいぞ」

「や、だ、よっ」

サンダルを履いて、父といっしょに玄関から出る。二人して足を止めて、スモーキーな空を見上げた。

しばし、黙る。

「……ねぇ、おとうさん。溶鉱炉のこと、おばあちゃんには言いづらかったんでしょ」

「あぁ。でも、もうとっくに限界だったからなぁ」

父はうなずいた。

「製鉄で会社は保てないし。使わなければなんでも錆びるし。かといって老朽化したものをそのままにしておいて、事故でもあったらおおごとだからなぁ。倒壊する心配と、廃墟が犯罪の温床になる心配の両方があってね。役所も建築関係と防犯と両方から、うるさく言ってきているからね。しかし、あの鳥取県西部地震のときに倒れなくてよかったよ」

「溶鉱炉の取り壊しって、たいへんそうだね」

「まぁ、つくるときと比べれば、それでも、きっと一瞬だろう」

父はすこし寂しそうに言った。「なんだってそうさ。始めることと、続けることが、だから、すごくたいへんなんだ」とつぶやいて歩きだした。運転手がうやうやしく後部座席のドアを開ける。こちらに手を振って、父は車に乗りこんだ。

この週、わたしはかなりがんばって紅緑村を縦横無尽に駆け回った。むかし大学病院に勤めていたお医者さんや看護師さんの消息をたどった。なにぶんちいさな村のことなので、あぁ、それなら、と誰の居所もすぐに知れた。老人会に顔を出すと、若いというだけでかなりめずらしがられた。

「本家の康幸さんなら」

と、看護師だったというおばあさんが、わたしに茶菓子を勧めながらなつかしそうに言った。

「よぅく覚えとるよ。あれはもういけん。死病だったからねぇ。だけどよくがんばったよ。最後まで会社のことであれこれ指示を出したり、ほれあの、長男の曜司さん、あれを枕元まで呼んで、話しこんどったねぇ」

「へぇ……」

「真砂さんのことは、よぅ知らん。ねぇ、あんた、あんたのほうがよぅ知っとるでしょう。ほれ、例の裸踊りの女中さん」

べつのおばあさんが車椅子で近づいてきて、ころころと笑い出した。

「真砂さんね。おもろい人だったネェ。だけど、死に方はひどかったね。あれは狂い死にさ」

「そうなんですか」

「しんねりむっつりして、子供もあまりかわいがらんでねぇ。あの人はきっと、本家の奥さんになりたかったんだねぇ。どっかのお姫《ひい》さまが嫁いできたならあきらめきれるけど、やってきたのがだんだだんの職工さんの娘で、しかもひろわれっ子だっていうじゃないか。それがこたえたんじゃないかね。何年もかけて衰弱していって、最後は肺炎かなにかで、熱を出して、そのままぽっくり死んだんだよ。恨めしそうに、こういう手をして」

おばあさんは両手の指を鉤《かぎ》のように曲げて、目玉をひんむいてこわい顔をしてみせた。わたしはぞっとした。その手つきは、叔母の鞄が真砂の娘、百夜が死んだときの話をしているときとそっくりだったのだ。母娘二人して、おんなじ鉤手をして死んだのだろうか。

「あのぅ。曾祖母のタツさんは」

「あぁ、タツ奥様なら老衰さ。大往生だったねぇ」

わたしの声を聞いて寄ってきたべつのおばあさんがうなずいた。わたしは帰り道、バスに揺られて、あれこれと思い悩んだ。ノートを取り出して、〝赤朽葉康幸〟と〝赤朽葉タツ〟の名前にボールペンで線を引いた。それから〝真砂〟に線を引くかどうか迷って、考えこんだ。

真砂は肺炎で死んだとのことだが、しかしさっきのおばあさんの話を聞くと、もとはといえば山出しの万葉が嫁入りしてきたのがもとで気を病み、高じてついに死んでしまったとも思える。もしかして万葉は、あの人はわたしが殺したようなものだ、と気に病んだのではないか、とふと考えたのだ。祖母にはそういう生真面目なところがすこしあった。

せまい村の中では、人と人がどうしようもなくからまり、関わらざるをえないものだし、その関わりの中で誰かが死んでしまうことも、ときにはあるのかもしれない。だが、どこまでが不幸な巡り合わせで、どこからが殺人なのか。わたしは、真砂は自分で自分を死なせてしまったのであって、祖母のせいじゃない、と思った。祖母にもそのことはわかっていたはずだけれど……。

結局わたしは、真砂の名前にも薄く線を引くことにした。これで五人の名前が消えた。残りは五人だ。

うちに着いたころに友達からメールがきたので、わたしは面倒になってノートを部屋に放り出し、友達とカラオケに行くことにした。気分転換してすっきりしたかった。

その週の半ばのこと。わたしは朝起きて、いつものように縁側に立って、ミルクを飲みながら裏庭を眺めていた。早くも葉を散らして一足先に冬の初めに突入したかに思える、寒々とした庭がどこまでも拡がっていた。そろそろ溶鉱炉ともお別れなのかとすこし寂しくなって、わたしは裏庭から外に出て、もうすぐなくなるという工場跡地に向かった。

山肌をけずってつくった広大な工場は、人気もなく灰色に沈んでいた。アスファルトはあちこちひびが入って、古ぼけていた。中央にそびえる溶鉱炉は乾いた鉄色をしていて、人工的なものであるのに不思議と見上げるわたしを敬虔《けいけん》な気持ちにさせた。

近づくと、心が震えた。畏《おそ》れのような気持ちがせりあがってきた。しかし一歩、また一歩と近づくうちに相当に古く、傷んだ施設であることが目に映り始めて、わたしは次第に現実的なことを考え始めた。また大きな地震があったら、危ないな、だってとても古い施設だもの、と心配になりながら、ついに溶鉱炉の前に立ち、わたしはそっと手をのばして触れてみた。

その昔、嫁いできた万葉を猛々しく貫き黒煙を上げて抱いた、鉄色の溶鉱炉。触れると、しっとりと湿った感触だった。血のような鉄の匂いがした。

風呂屋の煙突のような、上るための足場があったのですこしだけ悪戯《いたずら》心を出して、両手で足場を掴み、上ってみた。二メートルぐらい上ったところでふと背後を振り返り、意外な高さにくらりとして、足を止めた。一瞬、地面が歪んで見えた。

「こら、トーコ」

声がしたので、遠くを見ると、スーツ姿の孤独がいた。降りろ、というように手を下に向かってなんども振っている。あわててわたしは飛び降りた。孤独は、作業着を着た人々や、ほかのスーツの男たちともいっしょだった。近づいてきてわたしの頭を小突き、

「危ないだろ。それに、あぁ、手も汚れてる」

「ごめんなさい……。お仕事？」

「うん。工事の打ち合わせだよ。まぁ、作業は春からだろうけどね。雪が降ったら手も出まい」

孤独が、あれこれ説明しながら工場跡地を回り始めた。わたしはその後ろ姿をしばらく見守っていた。

　製鉄工場が閉鎖されて、もう二十年近くが経つのだ。その昔、ずっと昔、原始的なたたら技術を持って海を渡って、この土地にやってきた先祖が、たたら場をつくって土地に根付いた。それから、技術が発展したり、需要が増えたり減ったりしながらも、この土地でずっと、鉄に関わって生き、死んでいった。

　わたしははるか昔に、製鉄工場で英雄視されていたという古い職工さんのことを思い出した。もちろん、顔も憶えていない。名前だけ。職工の豊寿さんは、古いたたら場が西洋風の製鉄所に変わった時期、新しい技術と、それに携わる誇りとともに生きた。曾祖父の康幸の手によって近代化された、新しい製鉄業。祖父の曜司は社長に就任してから、それをさらに新しく、オートメーション化する技術を導入した。それは変化し続けるこの国の経済との終わることのない闘いでもあり、経営者である父の興味を一身に受けた、一人の名もない若い職工に対する、息子としての聖戦でもあったのだろう。そして、その入り婿の美夫——わたしの父——は、だ

んだんの職工の息子だったが、時代の趨勢《すうせい》を読み製鉄そのものを見切り、製造業に移行して、巨大な戦艦から古い溶鉱炉を切り離した。

美夫がたたらの火を止め、職工の豊寿が、冷えた溶鉱炉を見切ってどこかに行った。しかし豊寿の父はというと、その昔、溶鉱炉の出現によって火を止められた、古いたたら場に固執するたたら職人であった。それぞれの時代の、それぞれの製鉄業に関わった男たちと、陰にいたあの強《こわ》い女たち。たたらの火に照らされていたその、激動の日々。

溶鉱炉を見上げて考えこんでいると、遠くから孤独が、なにやら説明している声が秋の風に乗って聞こえてきた。孤独は仕事中だ。どうも、レッドデッドリーフでは孤独が製鉄工場の取り壊し工事を担当しているらしい。孤独な末子にふさわしい仕事のような気もして、わたしはまたすこし寂しくなった。足元の小石を蹴って、家に帰るためにゆっくり歩きだした。

3　前を歩く男

つぎの週末、ユタカに会った。いつもどおりメールがきて、車でドライブしながら今日の予定を相談しあった。あっというまに季節が変わったように、肌寒くて、もう冬に近い湿った風が吹く週末だった。映画でも観にいこう、という話になって、まず映画館に行った。観終わって出てくると、アーケード街を歩いた。

高校生のころはデートとか、友達との待ち合わせでよくこの辺りをうろついたものだった。学生は徒歩か自転車で移動するしかないので、いきおい町中の限られたエリアが遊び場になる。わたしが高校生のころもこの辺りには、学生向けの安い雑貨屋や洋服屋、喫茶店が多かったけれど、さいきんはさらに店が増えたようだった。不良のたまり場だった過去など遠い彼岸《ひがん》になったかのように、女の子向けのかわいらしい店が乱立している。いくつかの店を冷やかしてみると、やはり、オーナーと呼ばれる人たちはわたしの母と同世代の、つまりバブル期を知る中年の人たちばかりだった。都会の匂いを残した、洒落た服装をした彼らは、地元の店では扱わないような輸入家具や雑貨をところせましと店にあふれさせていた。そのうちの一軒に入ってみた。昼間はカフェ、夜はバーになるという五坪ほどのこぢんまりとした店で、ユタカが男の友達から、デートにはなかなかいいよと勧められたらしかった。

店のマスターは口髭を生やした四十代後半ぐらいの男で、どこか都会の匂いのする垢抜けた雰囲気を身にまとっていた。おそらくこの人も、都会で青春を過ごして、地元に戻ってきた人なのだろう。奥のテーブル席に座って紅茶を注文すると、そのマスターがなぜか、まじまじとわたしの顔を見た。なんだろうと思ったが、マスターはなにも言わずにカウンターに戻っていき、しばらくして紅茶を運んできた。またわたしの顔をじろじろ見るが、なにも言わない。

紅茶に砂糖を入れてかき混ぜていると、ユタカが言った。

「トーコ、まだあれのこと考えてる?」

わたしはうなずいた。紅茶を一口飲む。

「おばあちゃんのことでしょ。考えてるよ。無職で、ひまだもの」

「すこし進展した？」

わたしは鞄からノートを取り出してみせた。残りが五人になった死者の表を見せながら、看護師さんたちがまちがいなく病死だと言っていた、と説明する。ユタカはコーヒーを飲みながらしばらく考えこんでいたが、穂積蝶子の名前を指さして、小声でささやいた。

「こないだの、司書さんさ。ほら、図書館の」

「あぁ、うん」

わたしは思い出しながら、うなずいた。

「おもしろがってたよね。刑事みたいだって」

「名刺もらっただろ。これってちょっとめずらしい名前だから」

ユタカが財布の中から名刺を取り出した。図書館の名前と、連絡先。それから真ん中には穂積安代《やすよ》と書いてあった。わたしたちは顔を見合わせた。

「親戚の人かな」

「かもな。穂積蝶子の家族は大阪に逃げたって話だったけど、親戚は残ったんじゃないか。せまい村だし、たぶんそうだと思う。ただでさえ、石を投げれば親戚に当たるんだし。ふっ、なかなかロマンチックな環境だよね」

ユタカはすてばちな言い方をしてみせた。

「……ユタカったら」

その場で図書館に電話を入れてみたけれど、休館日に当たってしまっていたらしくて、応答がなかった。ユタカが、空いてる日に聞いておくよ、と言った。この日のユタカはいつもより物静かで、ユタカが物静かということはつまり、微妙に不機嫌だった。会社でいやなことがあったときには、週末までひきずってしまって、いつもこうなるのだ。元気がなくて、ちょっとだけわたしにも当たる。気づかない振りをしていたけれど、なにか辛いのかな、と心配だった。

夕方に寄ったいつものラブホテル〈ザ・シャトー〉でも、ユタカはやけに熱心にわたしのノートを開いて考えこんでいて、丸いベッドの端っこでわたしがテレビをつけようとすると、

「動くなよ。スプリングがうるさいから」

古いベッドはたしかにきしんだが、なんとなくわたしはむっとした。

「……だって、ひまだし」

「君んちのこと、考えてるんだろ。いま」

「べつに考えてなんて頼んでないもの」

帰り道、ユタカの運転するカローラが、土手から落ちて川原の途中に斜めに止まってしまった。わたしが携帯電話でＪＡＦを呼ぶと、ユタカは川原で頬杖ついて、川面に小石を投げていた。これはおかしいと思って、「どうしたの」と聞くと、ユタカは首を振った。

「……なんでも」

「そう」

「仕事って、どうしてするんだろうな」

「食べるためじゃない？」

「全国のさ、ぼくと同世代の、どれだけの人が、自分の仕事を誇ったりできてるんだろうな。みんないやになりながらも続けてるのかな。いやなことも続けたほうがいいのかな。それが男の強さなのか？　だとしたらぼくは、まったく強い男じゃないな」

「ホームラン、すごくたくさん打ってたじゃない」

「……そんなの、昔の話だよ」

ユタカはまた石を投げた。

「あのころはさ……なんて、年寄りみたいだけど。あのころは、自分にできるだけのことをするだけだ、と思ってた。それで迷いもなく、辛い練習も続けてたけど、いま考えてみると、ぼく、野球が好きだったんだな。なにより好きだったから、自分の力を客観的に見て、できうることすべてをやろうと燃えてたんだ。大人になってわかったよ」

「ユタカ……」

「いまは仕事で、自分にできるだけのことをする気に、なれない。好きじゃないんだ。だけどどうすることもできないだろう？　もう、大人になってしまったんだから」

「ん……」

ユタカの声は、内緒話をするように小さかった。

「社会的に強いってことが、男として強いってことなのかな」

「ちがうよ。ぜったいちがう」

わたしはそこだけ、強く言った。

こんなときに、なにか役に立つような助言ができたらいいのに。わたしはユタカのように社会で努力をしていないので、自分がなにを言っても言葉が浮くことが、言う前からわかっていた。かつて輝けるホームラン製造機だった多田ユタカ君が、やがてくすんくすんと鼻を鳴らして泣き出したので、わたしはどうしたらいいかわからなくなって、黙ってユタカの手を握っていた。

「……会社、やめなよ。そんなにつらいんなら」

「そうもいかない。うっ……いかないよ。ぐっ……ぼくは、ぼくは強い男にならなくては」

「社会的に？　そんなのいいよ。ユタカがユタカでいれば、それだけで。ユタカを好きな人たちは、ずっとあなたのそばにいるよ。でしょ」

「そうも、いかない。そうじゃない。トーコ。うっ」

ＪＡＦがやってきた。空色のカローラⅡは無事に救助されて、ユタカが泣いているので仕方なくわたしが支払いを済ませた。

ユタカは泣きながらハンドルを握って、だんだんの坂道を上がってわたしを送り届けた。男として強いってどういうことだろう、とわたしは、あぶなっかしく蛇行運転して去っていくカローラⅡを見送りながら考えた。枯れ果てた庭に囲まれた大屋敷に入ると、廊下の遠くを、黒と金の衣装で歩く出目金こと黒菱みどりの、きらきらした裾が一瞬、通り過ぎたのが見えた。

玄関先に孤独の大きな靴が脱ぎ散らかされていた。ポテトチップスの袋に手をつっこみながら、蘇峰がのっそりと通りかかった。どの大人もどうも、こういうときには頼りにならない気がして、わたしはため息をついた。

夜中になってようやく、父の美夫が帰ってきた気配がした。週末もなにも関係なく、父は働き続けていた。そのくせもどってくるときは裏口から、音を立てずにひっそりと入る。もう祖父も祖母も、そして妻もこの世におらず、赤朽葉本家のもっとも強い者であるはずなのに、父は相変わらず控えめな人だった。わたしが裏口にひょこっと顔を出すと、父はまずおどろいて、それからうれしそうににこにこした。

「なんだ。お出迎えか。猫でもうれしいのに、娘となると、こりゃ、ご機嫌だね」

……すこしお酒が入っているらしい。書類鞄を抱えて、疲れた顔に笑顔を浮かべている。

「おとうさん、お疲れさま」

「なんだよぅ。トーコ。うれしいねぇ。でも、めずらしいな」

「あのね、おとうさん」

廊下を歩き出した父の後ろにくっついて、歩いていく。小柄な父は、ちょこちょこと小股で廊下を進む。父といっしょにいると大屋敷はとても平和な空気に包まれ、まさかこの廊下を、斧を持った毛毬が半狂乱で走ったり、裸で踊り狂った女中がいたことなど、まったく本当の出来事ではないようにも思えてくる。だからこそわたしは父が好きだった。

「あのね。強い男って、どういうの？」

「そりゃあ、愛するものを守る男のことだろう」

父は迷いもなく、しかし若干、ほろ酔いの口調で言った。わたしは絶句して「愛するものを、ですか」となぜか敬語で聞き返した。

「うん」

「……社会的に強い男は？　ほら、おとうさんみたいな」

「おとうさんは弱いぞ。知ってるか。じつは入り婿なんだ」

やはり酔っているらしい。わたしはすこしあきれて、

「知ってるよ……。娘だもの。そうじゃなくて、たとえば社長だったり。お金をたくさんもっていたり。こう、教授とか先生とか肩書きがあって、えらい人であるとかね」

「そんなの、知らん」

父は面倒になったのか、適当な口調で言った。話し声を聞きつけたのか、廊下の途中から、パジャマ姿の孤独がくっついて歩きだした。孤独が小声でわたしに聞く。

「どうしたの？　君、もしかして、ユタカ君を捨てる気なの」

「ちっ、ちがうよ。聞いてみただけ」

「愛するものを守るといえば、地震のときに、襲いかかるメタセコイアから君を助けた、勇敢な男のことを覚えてるか。俺だけど」

「忘れた！　もういい。孤独ちゃんは、それぱっかり言うんだから」

ユタカの涙のことを思い出したら、わたしはなんだかいまごろになって、泣きそうになった。

祖母の昔語りでは、かつて紅緑村の強い男とは、丈夫でよく働く男のことであった。祖母によると、戦後の復興は、そういった労働者たちの汗とともにあった。母の話では、強い男とは喧嘩上等の、流行りの不良少年たちのことであった。男気を競っては喧嘩に明け暮れる、肉体の強さと、生き様のことであった。そのあとバブルの金色の波がきたけれど、ぶ厚いお財布の時代は、あっというまに去った。

では現代において、強い男とは、いったいどういう人のことか。

泣いていたユタカのことを考えたら、わたしは胸が痛くなった。ファゴだ。わたしの心にもファゴがきたのだ。唇をかみ締めながら、わたしは父のよれっとしたネクタイをひっぱって、

「わたし、就職しようかな」とつぶやいた。父がびっくりして、

「えっ……?」

孤独も目をぱちくりして、わたしをみつめていた。

「どうした、トーコ。急に。あんなになまけものだったのに」

「いや、べつに……」

恥ずかしいし、社会をなめている、甘えた考えなのが自分でもわかったので、父にも孤独にもそれ以上はなにも言えなかった。わたしはただ、愛するホームラン製造機、ユタカと同じ苦しみをわかちあいたくなったのだ。男の子のことを考えて、なんだかたまらない気持ちだったのだ。

季節は急速に冬に転がり落ちていった。山陰地方の冬は、寒い。湿気の多い地方に独特のべしゃりとした牡丹雪が散って、地上には解けかけの重たい雪がずっしりと積もる。冬の初めの、ちいさな雪の粒がときおり降り始めたその季節、わたしはというと、ユタカとはあまり会わなかった。向こうから連絡がないと、声がかけづらかったのだ。半月ほど会わないうちに、雪が降り出して空がもっとスモーキーになって、それからわたしは、就職の面接なるものに行った。地元に新しくできた、総合コールセンターという企業だった。

郊外の広大な更地を利用して建てられた、平屋の工場みたいな建物で、中に入るとぎっしりとブースが並んでいた。ディスプレイが置かれたスチール机が、建物いっぱいに規則正しく並んでいて、スーツを着た同世代の男女がひっきりなしに電話の応対をしていた。ここは、都市の大手企業からの委託を受けて、電話によるサポートセンターの業務だけを行う企業だった。委託される業種はさまざまで、電化製品の修理依頼から、株取引の損失に対する説明業務、コンピュータの取り扱い説明までかなり多種多様だった。

わたしは最初の三日間でオペレータの研修なるものを受けて、微妙なイントネーションを標準語に直された。なんども同じ言葉を繰り返させられてくさったけれど、教官に「若い子は覚えが早いね。主婦のパートさんを雇うとここでつまずくんだよね」と言われたのでちょっと心が軽くなった。このコールセンターはスーツで出勤できて、休み時間もしゃれたカフェテラスでランチを食べられたりして、すこし都会の気分を味わえた。給料も地元の企業より若干よかったので、若者に人気の職場だった。夕方仕事を終えて外に出ると、中国山脈が遠くにそびえ、雄大な自然の真ん中にいるのがふと不思議になるほどだった。わたしは週に五日、朝から夕方まで出勤し始めた。タイトスカートのスーツにロウヒールといった服装は、すぐにからだになじんだ。

ユタカからの連絡は途絶えがちになった。デートの予定のない週末は、友達と会ったり、一人で街を散策して時間をつぶすことにした。一人のときは車もないので、バスで街まで出て、アーケード街をのんびり歩いた。足が疲れてきたので、このあいだユタカといっしょに入った、昼間はカフェ、夜はバーになるというちいさな店に一人で入ってみた。まだ夕方なので、店はちょうどバータイムに入ったばかりだった。

カウンターの隅に座って、カクテルを頼んだ。口髭を生やしたオーナーは、また、わたしの顔をいぶかしげに見た。なにかを思い出そうとしているような苦しげな顔だった。わたしはなんだか落ちつかなくなって、一杯だけ飲んですぐに店を出た。

ちいさな雪の粒が降り続いて、あぁ、もうめっきり冬だ、と思ったころ、ユタカから連絡があった。声の様子から、すこし元気が出たように思えた。電話越しに、

「トーコ、仕事はどう?」

「はじめたばかりだから、よくわからない。ユタカは?」

「うん……」

ユタカは答えなかった。代わりに、このあいだ話題に出た穂積安代さんのことを話しだした。

「あのあと、図書館にまた電話して、聞いたんだけど。やっぱりあの司書さん、穂積蝶子さん

の親戚だったよ。聞いたところだと、蝶子さんはたしかに十八歳のときに施設で亡くなったんだって。あまり食事も取ってなくて弱っていて、冬になって熱を出したと思ったら五日ほどで息を引き取って、職員も、家族も、あんまり急だったんで驚いたって」

「そうだったんだ……」

「不審なところはなかったって言ってたよ。もちろん伝聞だろうけど」

「施設の中にいたんなら、おばあちゃんはやっぱり関係ないね」

ノートを出して、穂積蝶子のところにボールペンで線を引きながら、わたしは答えた。死者は残り四人になってしまった。ユタカの声がちょっと遠く聞こえた。

「来週の週末は、トーコ?」

「空いてるよ」

「じゃ、土曜に会おう」

電話を切ると、わたしはベッドに寝転んでノートに目を走らせた。死者の名前は、泪、曜司、百夜、毛毬の四人になっていた。過去の死者から順に線を引かれて、可能性はどんどん現代に近づいてくる。メールがきたので、わたしはノートから目を離して、携帯電話を手に取った。コールセンターでできた新しい友達からだった。四人の死者が、青白い顔をして、メールを読むわたしを背後からそっと覗きこんでいるような、そんな不穏な気配がした。死者をみつけなくては。わたしは知らずぞくりと背筋が怖気立つのを感じた。死者をみつけなくては。

土曜日の夜に友達と映画を観た後、バス停の前で手を振って別れて、それから一人でぶらぶらと街を歩いた。アーケード街にあるあの小さなバーに入ると、カウンターの隅に座ってカクテルを注文した。一人だと知らない店には入りにくいし、この店の雰囲気はとても気に入っていたのだ。今回は口髭のオーナーはあまりじろじろ見なくなっていたので、落ち着かない気分にもならずにすんだ。

店は空いていた。ぼんやりとしていると、しばらくして、オーナーと同世代の男がのっそりと入ってきた。常連らしく、カウンターに座ると注文をしなくてもビールが出てきた。痩せて、背が高い。美形であったがすこし老けました、といった雰囲気の中年男だった。ビールを飲みながら彼も、最初に入ったときのオーナーと同じように、わたしの顔を眩しそうに目を細めてなんども見た。

オーナーが小声でその男に話しかけた。

「土曜の夜にまた一人かい。……三城《さんじょう》ちゃん」

「へっ。毎週言わなくていいよ、おんなじこと」

三城、と呼ばれた男は眉間《みけん》にしわを寄せて、皮肉っぽく答えた。オーナーからは都会の匂いがしたが、三城からはしなかった。この土地にずっといた人なのだろう、とわたしはなんとなく想像した。

「こっちに帰ってきたときにさ、三城ちゃんに会う前は、ちょっと落ちこんだよ。昔の仲間なんてみんな所帯もって、おっさんになってるし。子供なんてもう大学生とかでしょ」

オーナーが小声でしゃべりだす。ほかに客もいないので、三城の前に水割りのグラスを置いたらもう、手が空いている。

「そりゃあね、地方で結婚しないやつはめずらしいさ」

「いや、こっちは都会でおもしろおかしくやってたからさ、そのつもりで独り身のまんまフラフラ帰ってきたのよ。そしたら、みんなまじめだから、なんだかつまらなくってさ。三城ちゃんに会ってほっとしたよ。昔といっしょなんだもん」

「だから肩身がせまいよ。もうこんな年だしね」

「憶えてる？　大学のとき。毎日おもしろおかしく騒いだなぁ。海に行ったり、山に登ったり。まさか自分が年を取ったり、誰か死ぬなんて……。山……。あっ……」

二人の中年男が同時に、合点《がてん》がいったというような表情を浮かべてこちらを振り返った。グラスを傾けているわたしの顔をじっとみつめて、どちらからともなく、

「……泪」

とつぶやいた。

店内には柔らかなジャズが流れていた。ほかに客はいない。ようやくどうしてじろじろ見られていたのかがわかった。この人たちは伯父の泪を知っているのだ。そういえば、母の昔語りに三城という名の学生が出てきた。わたしは恥ずかしくなり、顔を赤くして、じっとこちらをみつめている男たちをみつめ返した。オーナーの表情には笑顔が浮かんでいたが、三城のほうは怒っているような、怯えているような、不思議な顔つきをしていた。

「……似てますか」

「似てるなんてもんじゃない。横顔がそっくりだ。あぁ、それだ。ずっと誰に似てるんだろうと考えてたけど、思い出せなかったんだ。そうか。……でも、君、泪のなに？」

「あ、あの、姪です。妹の娘なんです」

オーナーの問いに、わたしは小声で答えた。三城がすうっと目を細めた。わたしの顔を三十秒近くも観察し続けてから、ゆっくりと唇の端を上げた。笑ったのだ。

「へぇ……」

三城がつぶやくと、オーナーもうなずいて、

「先月ぐらいから、ときどききてくれてる子でね。見覚えのある顔なのにと思って、ずっと考えてたんだ」

「おれも。どこで会った子だろうと、さっきからずっと気になってた。なるほど。泪の顔だったのか」

「わたしもびっくりしました。……でも、せまい街ですから」

わたしは答えた。二人とも、そうだというようにまたうなずいた。

CDが終わったので、オーナーがべつのものに入れ替えた。またジャズが流れ出した。新しい客が入ってきたのでテーブル席に案内し、注文を聞く。カクテルをつくりながら、

「泪のことなんて、ずっと忘れてたね。おれって薄情な友達だな。でもあいつは、おとなしくて、いるようないないようなやつだったからなぁ」

「そういう控えめなところが、よかったんだよ。いいやつだった」

三城が口をはさんだ。オーナーもうなずく。

「あの、伯父の泪が亡くなったときって、その、お二人はごいっしょだったんでしょうか」

「あぁ。山に行ったときだろう。そうだよ、二人ともいっしょだった。おれは先頭を歩いてたんだけど、三城ちゃんはそばにいたよな。三城ちゃんのすぐ後ろを泪が歩いてたんだ。こいつが泪を追っかけて崖を降りようとするから、みんなで羽交い締めして止めたんだよ」

三城がゆっくりと目を細めた。グラスを覗きこむようにして、

「後ろを歩いてたんだけど、視線も感じてたんだけど、でも、急にいなくなったんだ」

「あのあと大騒ぎになって、でも、誰も悲鳴も聞いていないし、気づきもしなかったし、だから余計にショックだったよ。あんなに若いときに、同じように若い仲間が死ぬなんて思いもしない。だから、どこからかひょっこり帰ってくる気がしてたんだけどね……」

「急にいなくなったんだ。あんな去り方は、ひどいよ。一言言ってくれればよかったのに」

三城がつぶやくと、オーナーのほうはすこし不思議そうな顔をした。

「一言って、なにを?」

「いや……。なんだろう。さよならを、かな」

店に若い客が増えてきた。三城が席を立って、またくるよと小声で言った。わたしも店を出ることにした。

夜道はしんと凍えていた。アーケード街はこうして夜に歩いてみると、なるほど不気味な廃

墟のようで、鉄筋の骨組みは古びてところどころが曲がり、まるでうち捨てられた古代の恐竜の骨のように、冬の夜空にのっそりとそびえていた。冷えた星々がきらめいていた。ところどころの店舗から灯りが漏れていたが、やはりここは昼間歩くのがふさわしい、学生たちの、健全な昼の街であった。自分の足元を見ながらゆっくり歩くと、遠い過去、繁栄し響き渡った人々の喧騒が耳に届くような気がした。自分の足音がおどろくほどおおきく響いた。夜に歩くとすこしこわい、と思っていると、暗がりからふいに背の高い男の影が出てきて、わたしの腕を摑んだ。悲鳴も出せずに立ち尽くすと、

「ごめん。脅かすつもりでは」

さっきのバーにいた中年男だった。泪の友人だった、三城だ。宵闇を薄く照らす月明かりの中で見ると、彼はいまだに美しい男に見えた。女のようにほっそりしたかんばせに、切り開いたような切れ長のまぶたが眩しかった。半開きの唇は薄くて、すこし薄情そうにも見えた。

「あ、いえ。一瞬、誰だかわからなくて」

「こうして暗がりで見ると、ほんとうに君は泪みたいだね」

「……はぁ。そうですか」

わたしはうなずいた。三城は、車があるから送っていこう、と言った。「この時間にこの辺りは、危ないよ。昼間はそうでもないけど、廃墟になってる店舗も多いし」と言い、立体駐車場の方角に向かって歩きだした。

わたしはあわてて後を追った。

「あの、三城さんは伯父と、高校と大学で一緒だったんですか」

「あぁ。高校からそろって進学したんだ」

「仲がよかったんですか」

「……あれ以上仲がよくなることは物理的に不可能だよ。それぐらい、仲がよかった」

なぜか怒っているように、三城は低い声で言った。恐竜の骨のようなアーケード街の通路を早足で歩く、三城のすらりと長い足を追いかけるようにしてわたしは小走りになった。月明かりが、ひょろりと悲しい影法師のように、薄く三城を照らしていた。後ろから見ると、肩まで垂れた髪の、頭頂部がすこし薄くなっていた。時は流れた、とまたわたしは思った。目を細めると、若い三城と、写真と昔語りでしか知らない、端整な顔立ちをしていた伯父の泪が、並んで足早に歩き去っていく、そんなきれいな幻を見た気がした。かつての、若くて美しい男。それほどの強者がいるだろうか、とわたしは思った。誰も勝てない。美しい男たちには。

振り向いた三城の、ざらりと乾いてしわの寄った顔が、さっきよりすこしほぐれて優しそうに見えたので、わたしはほっとして、急いで彼に追いついた。アーケード街はやがて途切れて、立体駐車場の、薄汚れて白く輝く、巨大な姿が現れた。知らない男についていっては危ない、一人で夜のアーケード街を歩くよりずっと危ない、といまさらながらわたしは気づいたけれど、この、泪の友であった男にならば今夜うっかり殺されてしまってもよいような気がした。それはおろかな衝動だったけれど、確かにその瞬間にわたしの心に生まれた感情だった。泪が死んでしまったからこそ自分が生まれたという事実が、また胸によみがえってきた。皆に愛され、期待された長子がとつぜん死んでしまい、そのせいで行われた毛毬の婚礼によって、わたしという、じつにつまらない娘が生まれた。自分の情けなさが胸にせまった。あのときから、赤朽葉家はまちがった道に迷いこんでしまったのではないか。泪の血を直接引く者が、家を継ぐべきではなかったのか。今夜は特に、そう思えて仕方なかった。

三城は古い、わりとガタがきているように見える車に乗りこんで、わたしに助手席のドアを指さしてみせた。仕事で使っている車らしくて、後部座席に書類の束や段ボール箱などが乱雑に積んであった。煙草を吸う人に特有の、煙たい車内だった。車は揺れながら立体駐車場を出て、夜の紅緑村を走り出した。

「……とても仲がよかった」

重たい沈黙の中、三城がとつぜん言った。

「学生時代は、よかったな。なにもかもよかった。君もそう思うことがないかい」

「えぇ。あります。そのぅ、自由だったから」

「わかるよ。思考も自由だった。愛も自由だった。そのかわりなにも所有していなかったけれど」

「あの、伯父が死んだのは、社会人になる少し前なんですよね」

「そう。山を登っているとき、後ろを歩いてる泪に、呼ばれたような気がしたんだ。かすかな声で。でも振り返らなかった。気のせいかなと思ったし、上に向かって歩いていたから、そっちに気をとられていた。気づいたら、いなかった。おれは泪が足をすべらせたのか、それとも自分から飛び降りたのか、それが知りたい。ずっと知りたかった。だけど家族の君にも、きっとわからないだろう。こういうことは、生き残った人間が、わからないまま抱えていくしかないんだ。なんてことだろう」

「確かに、そのとき伯父は死んだんですね……?」

「……おかしなことを聞くね。そのときなのは確かだよ。解剖したときに死亡時刻もだいたいわかったし、だいいち発見された泪は、山から川に落ちたことを証明するような状態だった。泪はそんなふうに、この世から退場したわけだ。さよならも言わせずに。……もう二十五年も経っているんだな。遠いはずだ」

車は、夜光虫のように光る牡丹雪がひらひらと舞い散り始めた、暗い紅緑村を走りぬけた。だんだんの坂道に着くと、ゆっくり上がっていく。坂道でエンジンがうなった。三城が急に、醒めた口調でつぶやいた。

「君、名前は」

「瞳子です。瞳の子供で、瞳子」

「そう」

三城が薄い唇を半開きにして、ため息をついた。赤朽葉本家の門の前で、車を停める。ハンドルに肘《ひじ》をついてわたしを見た。

「君が男の子であったらよかったのに。若い女のくせに、泪に面影《おもかげ》が似ているなんて、なんだかいやだな」

とつぜん毒のある口調で言うと、唇をゆがめた。「降りて」と言われて、ゆっくりと車から滑り降りた。ポンコツの車はまた揺れながら、坂道を下っていった。今度はスピードを出しすぎなほどの勢いで。転がり落ちるような様子で坂道の下に消えていく車を、わたしは見送った。それから門をくぐって家に帰ると、つるつるの廊下を歩いて仏間に向かった。壁にかけられた泪の写真を、見上げる。端整な顔立ちに、どこか弱々しい笑みを浮かべている。似ているようには見えないけど、とわたしは思った。でもやはりどこかに面影はあるのかもしれない。それが血縁というものなのだろう。

それからわたしは自分の部屋に戻って、ノートを取り出した。赤朽葉泪の名前に、ボールペンで線を引いた。すこし線が震えた。残りは三人になった。曜司と、百夜と、毛毬。万葉が五十の坂を越えようとしているころからの死者だ。そんなに年を取ってから人を殺したのだろうか？ それにしても、いったい誰が該当者なのか。わからない。ノートを投げ出して、ベッドに寝転がった。

その夜は、久しぶりに万葉の夢を見た。鉄砲薔薇の咲き誇る谷で、湿った花と戯《たわむ》れている若い万葉の夢だ。うなされてうんうん言っていると、途中から出目金こと黒菱みどりも出てきて、金ぴかの衣装を揺らして、うるさくわたしに話しかけた。

「トーコ、トーコ。起きなさい、トーコ」

目を開けると、黒菱みどりが覗きこんでいた。

「トーコ、なにうなされとるの。わしの部屋まで叫び声が聞こえたよ。あぁ、かわいそうに」

「おばあちゃんの夢を、見てたの」

もう明け方だった。障子の向こうで白々と夜が明けている。起き上がって、頭を抱えながらそう言うと、みどりは不思議な表情を浮かべた。

「……なに？」

「万葉は、わしの夢には出てきてくれないよ。会いたいねぇ、万葉。あの人にまた会いたいよ」

眠たいのでむにゃむにゃと「お迎えがきたら、向こうで会えますよぅ」と言うと、みどりにお尻をばちんとひっぱたかれた。悲鳴を上げて、布団にもぐりこんだ。

でも、わたしがもう一度、ちゃんと眠りにつくまで、みどりは枕元にいてくれた。「鉄砲薔薇の谷にいたのよ」とつぶやくと、みどりは夢見るように「へぇ。そいじゃわしも、死んだらそこに行こうかね」と答えた。そのままわたしはまた眠ってしまった。みどりは枕元で、ちいさな声で歌を歌っていたようだった。


牡丹雪が舞い散って、地面にすこし積もり始めた、その週末。久しぶりにユタカに会った。ドライブして、買い物して、またいつもの〈ザ・シャトー〉の水色の部屋に入ると、ユタカは「……いろいろ考えてたんだ」と言った。

「なにを？」

コンビニで買いこんだジュースとお菓子をテーブルに出しながら、わたしは聞き返した。ユタカは丸いベッドの周りをうろうろと歩き回りながら、

「一つはさ、あ、君のおばあちゃんの話だけど。一つは、昔話に嘘が交ざっている可能性のこと。人を殺したことを隠しながら、孫に語っていたわけだから、故意にエピソードを飛ばしたか、一箇所ぐらいは嘘をついているということも考えられるよな。昔話をぜんぶ信じちゃいけないってこと」

働くこと、生きることについてかとばかり思っていたので、わたしはなんだ、と拍子抜けした。

「……ずっとそれを考えてたの？」

ユタカはせわしなくうなずいた。

「うん、そう。考えてた。あと、もう一つは万葉さんが目で〝見た〟ことと、能力で〝視た〟ことのちがい。あの人が千里眼だったって話を信じるなら、だけどね。昔話に、だんだんの坂道の下から、赤朽葉本家のふすまの鯛が見えたという話が出てくるけれど、下から見上げても、とてもふすまの絵まで見えないよ。角度もあるし、だいいちあまりに遠すぎる」

「視力はよかったみたいだよ」

「そういう問題じゃないよ。距離と方角の問題。あと、庭のあすなろの木から、分家で出産中の女中が見えたというのも、おそらく同じじゃないかな。肉眼で〝見た〟んじゃなくて、千里眼の目で〝視た〟のかもしれない。だけど万葉さんはそれを区別せずに記憶してるだろう。昔話に出てくるシーンのいくつかは、もしかしたら目の前で行われていた現実の出来事ではなく、千里眼奥様が視た遠くの出来事、もしくは、すこし未来の出来事だったかもしれない」

ユタカが足を止めた。ベッドの隅に座って、

「……まぁ、昔話を全部信じるなっていうこと。どうかな」

わたしはうなずいた。ジュースを飲みながら、会わないうちにすこし死者が減ったノートを取り出して、ユタカに渡した。残りは三人か、とユタカが小声でつぶやいた。

音楽をかけると、窓の外からひっきりなしに響く、国道を通り過ぎる車の騒音が遠くなった。ベッドの反対側の隅に座りこんでお菓子をつまんでいると、ユタカがノートを覗きこんだままでつぶやいた。

「曜司さんって、ほんとうに首が切れて死んだの？」

「うん……。それはほんとう。有名な事故だもの。谷からお座敷列車がまるごと落ちて、救助隊も出るし報道関係のヘリコプターも飛ぶしで、大騒ぎだったんだよ。おじいちゃんは天井に使われてたスチール材かなにかが折れて落ちてきて、それで首がすっぱり切れて死んだんだって。おばあちゃんの未来視したとおりに」

「万葉さんが視たのは、お座敷列車じゃないよ。首が飛んで死ぬところだけだ。お座敷列車に乗っていたり、風で谷底に落ちるところは未来視していなかったんじゃなかったっけ」

わたしはぽかんとして、ユタカの顔を見た。

「だからさ、もしも、もしもだけど、死因は首が飛んで死んだのにまちがいはないけど、時間がちがうなんてことはないかな。すでに首が取れている死体をお座敷列車に乗せて運ぶ途中で、山おろしに吹かれて列車が落下して、結果的に事故死ということになった、とかさ」

「えっ……」

わたしは絶句した。たしかに、お座敷列車には万葉は乗っていなかったから、曜司の死に彼女は関わっていない、と思っていたけれど、死亡時刻がちがうのなら不可能ではない。でも、なんのためにそんなことをしたというのだろう。一緒に乗っていた人たちもみんな共犯だというのだろうか。

考えこんでいると、ユタカはノートを指さして続けた。

「毛毬さんは、どうだろう」

「それは、ちがうと思うよ。だって、わたしが見てたもの」

「死ぬところを？」

「うん。……というか、死ぬ直前と、直後だけ。奥の部屋に行ってふすまを閉めて、あれっと思ってふすまを開けたら、もう倒れてたの。死因だって不審なところはないよ」

「そっか」

「うん」

わたしは立ち上がって、飲みかけのジュースを冷蔵庫にしまおうとした。ドアを開けたら、中がぜんぜん冷えていなかったので戸惑って、しばし考えこんだ。ノートに目を落としたままでユタカが何気なく言った。

「その冷蔵庫、壊れてるよ。先週からなんだ」

「……そう」

わたしはのろのろとドアを閉めて、またベッドの隅に座った。肩を落として、しばらく黙っていた。

先週は、わたしはユタカに会っていない。一人でアーケード街に行ったり、友達と映画を観たりして過ごしていた。ユタカはこの部屋に、いったいどんな女の子ときたのだろう。

涙が出そうなので奥歯に力を入れて、わたしは立ち上がった。コートを着て、鞄を持って「帰る」と言うと、ユタカは驚いたように顔を上げた。

「どうしたの」

わたしはノートを鞄に入れた。「誰と、きたの。先週」と言うと、ユタカはあっとつぶやいて、それきり黙った。部屋を出るとユタカもあわててついてきて、コートを着込みながら、いっしょにエレベーターに乗りこんだ。

エレベーターの中で、二人とも黙っていた。ホテルから出たところでユタカが「タクシーは拾えないだろう。家まで、送るから」とつぶやいた。確かにその通りなのでわたしはみじめな気持ちで、カローラの助手席にすべりこんだ。国道をゆっくりと、車が走り出した。

積もりかけの雪をタイヤの跡が黒く踏み荒らしていた。空は暗い灰色をしていた。

大屋敷の門のところでカローラから降りると、わたしは急いで門の中に逃げこんだ。ユタカが呼んでいる声が聞こえたけれど、振り返らなかった。ごめん、ごめん、ごめなさい……と声が遠く聞こえた気がした。頭が混乱していた。すこし雪の積もった裏庭を歩いて、自分の足あとを振り返った。それからあすなろの木によじ登ってみた。

遠い日に万葉がのぼった、あすなろの木。枝がＹの字に分かれているところに立って、遠く分家のお屋敷のほうを見たけれど、なるほど距離もあり、それにこちらに向いているのは母屋の窓ではなく蔵の海鼠壁《なまこかべ》で、屋内の様子はぜんぜん見えなかった。確かに万葉は、ここから女中真砂の出産を見たのではなく〝視た〟のだ。なるほどなぁとユタカに感心したけれど、つぎの瞬間に思い出して、肩を落とした。ユタカは会わないあいだの数週間、いったいなにをしていたのだろう。

受け止めて、と言っても誰も受け止めてくれる人がいないので、わたしは一人でひらりと地面に飛び降りた。一瞬からだが浮いて、飛びそうになってから地面に向かって落下したので、なんだか飛行人間になった気がした。祖母が視た幻の中でいちばんおもしろいのは、豊寿さんの飛行だな、と思った。幻の意味はわからないままだが。それからわたしは縁側から家に入り、台所で温かい紅茶を入れて、ミルクも注いで、ごくごく飲んだ。母の毛毯のことが気にかかって、マグカップを持ったままで廊下を歩きだした。

蘇峰がわたしをみつけて「おかえり」と言った。

「ただいま」

「ひどい顔をしてるけど。どうかしたのか」

「どうも。ねぇ、有っちゃん、おかあさんが死んだときのこと、憶えてる？」

蘇峰もひどい顔になった。わたしについて廊下を歩き出して、

「……そりゃ、憶えてるさ。あれは大騒ぎだった。赤朽葉毛毬っていえば、大御所だったからね。まぁ、ほかの漫画家とちがってこの大屋敷にこもりっきりで、外に出ないから、本人に会ったことがある人は少なかったと思うけれど。とにかく十九歳から三十二歳まで十二年以上、ヒット作の週刊連載を続けたんだ。そりゃ倒れるさ。しかし業界は震撼《しんかん》したと思うよ」

蘇峰はふだんの蘊蓄では見せない険しい表情を浮かべて言った。わたしたちはつるつるした廊下を歩いて、その昔、毛毬が仕事部屋にしていた横長の和室にたどりついた。わたしたちは足を止めて、しばし部屋を眺めた。

インクの匂い。机を並べて黙って働き続けた、若いアシスタントたちの立てるペンの音。大屋敷の奥につくられた、秘密の漫画製造工場のようだったこの和室。その上座に大きな机を置いて、毛毬は毎日、漫画を描き続けていた。わき目もふらず。娘を顧《かえり》みることなく。夫を振り返ることなく。十二年以上ものあいだ。

あのころの、頭が痛くなるほどのインクの匂いも、アシスタントの少女たちの甘い体臭ももうここにはなくて、すこし埃っぽい、湿った空気が部屋に充満していた。ここにはもうなにもない。喜びも憎しみも、情欲も、もうなにも。わたしと蘇峰は、過ぎ去った時間にいまさらながら呆然と立ち尽くしていた。

「初めて毛毬ちゃんに会ったときは、あの子、まだ十九歳でね」

蘇峰がふいにつぶやいた。どこか優しい声であったので、わたしはその横顔を見上げた。

「いまのトーコより年下だったんだよ。まだ、ぜんぜん子供だったんだ」

そういえばそうだ。母はいまのわたしの年齢のときはとっくに、押しも押されもせぬ売れっ子漫画家だったのだ。改めてそれに気づいて、なんだかぞっとした。

「いい子だったよ。大人びてるくせに、ときどき急にガキっぽくてさ。いいとこあるのに、自信がなさそうだったから、だから、俺がいっぱしの漫画家に育ててやろうと思ったんだ」

「うん……」

「なってからは、毛毬ちゃん、なんだか変わっちゃったけどね」

蘇峰の顔に浮かんでいた、柔らかな笑顔が消えた。

「……逃げたいんだろうなぁ、と思ってた」

「おかあさんが？」

「あぁ。俺は逃げた編集者だからね。漫画も、金も、漫画家も、なにもかもがいやになって。だけど毛毬ちゃんは逃げなかったなぁ。死ぬまで描くなんて、考えてみりゃ、どうかしてるよ。人気が出すぎてやめられなくなったのはわかるけどね。おこがましいけれど、あのころ俺は、あの子をスターにしてしまった責任も感じていた。これはもう、死にでもしなきゃ逃げられないんだろうなぁ、と思ったもんだよ。毛毬ちゃんにも一度、そう言ったことがあるよ。あんた、死んだふりでもしなよって。手伝うよって。あの子はけらけら笑ってたけど。だけどほんとに死ぬなんて」

「うん……」

「しかし、最終回を描き終わってから死ぬところが、らしいね。毛毬ちゃんはむちゃくちゃだったけど、でも筋を通す子だったよ。それは、悪くないことだね。ひどい目にはあったけど、だけど俺はあの子のそういうところは、最後まで、嫌いにはなれなかったんだよ」

　蘇峰が仕事部屋の奥に歩いていって、毛毯の仕事机があった辺りに立った。そこにはもういない毛毯の幻を見下ろすようにして「赤朽葉毛毯は、よくがんばったよ」とつぶやく。

　わたしは大女の幻が、立ち上がり、幽霊のようにふらふらと、肩を揺らしてこちらに歩いてくるところを回想した。あの日は、アシスタントたちはいなかった。子供のわたししかいなかった。毛毯はペンを置いて、立ち上がって、こっちに歩いてきた。奥の仮眠部屋につづくふすまを開けて、もう行くヨ、と軽い口調で言って、ふすまを閉めた。あっ、と気づいてわたしが立ち上がり、おかあさん、とふすまを開けたら、布団にうつぶせに倒れて、もう死んでいた。わたしは倒れた母の顔を覗きこんで、鼻の下辺りに手のひらをかざしてみた。息をしていなかった。見よう見まねで脈も取ってみた。止まっていた。母は死んだ動物のように、ずっしりと重たくなっていた。急いで大人を呼んだ。奥の部屋を出て、廊下を転がるように駆け、誰か、誰か、おかあさんが、と叫んだのだ。

　わたしは夢遊病患者のようにふらふらと歩いて、あのときのように、ふすまに手をかけた。ゆっくりと開けると、なにもない九畳ほどの部屋に、あの日の幻がまた立ち現れた気がした。暗く、赤い陽炎《かげろう》がゆらめくように。真ん中にでんとあった、大きな布団。それ以外は着替えを入れた行李《こうり》が一つあるきりで、殺風景だった。その部屋で、布団に倒れた母はいつもより大きく見えた。スカートの裾がまくれて、浅黒い肌が蛍光灯に輝いていた。冷やしたミルクチョコレートみたいなつややかな肌だった。ふすまの手前で、わたしは母が倒れた音を聞いただろうか。記憶にない。どさりと音がしたのだっただろうか。わからない。母に駆け寄って、呼んだのに、答えなかった。死んでいたのだ。長期連載を終えたつぎの瞬間に、死んだのだ。

ゆっくりと蘇峰が寄ってきて、わたしの肩に手を置いた。蘇峰もまた、遠いあの日のことをまだ怖れているようだった。

「連載が終わったとたんに倒れたって知って、あぁ、この子、これでようやく逃げられるな、と思ったよ。いまでも逃げただけじゃないかという気がする。だけど、死体になっちゃったんだもんなぁ。死んだんだ。信じられないけれどね」

「うん……」

わたしは震えながらうなずいた。蘇峰にうながされて部屋を出て、廊下まで出たところでくらりと目眩がした。マグカップの紅茶は冷え切っていた。蘇峰が内緒話をするようにつぶやいた。

「俺、あのあと一度、毛毬ちゃんの幽霊を見たんだよ。内緒だけどな」

「おかあさんの、幽霊？」

「葬式の日に、トランク一つ持って、颯爽と出て行く毛毬ちゃん。みんな忙しそうで気づいてなかったけど、ずいぶん派手なワンピース着て、この廊下を急ぐように歩いて。あっけに取られて見てたら、振り返ってにっこり笑って、俺に手を振ってさ。あわてて追いかけたけど、玄関から出ていって、それっきり。ずいぶん明るい幽霊で、たまげたよ。声もかけられなかった」

「それは……」

わたしは、それはきっとアイラだよ、と言おうとした。粗忽者の蘇峰は寝取りの百夜のことも、彼女の葬儀があるまで女中の幽霊と思いこんでいたらしかったし、毛毬とそっくりのアイラのことも知らなかったのだ。毛毬の葬儀の日に、派手な服を着てトランクを持って出て行った女とは、影武者のアイラだったにちがいない。みんな、見ていなかったのではなく、アイラの存在を知っていたからおどろかなかったのだ。そんなシーンを覚えているのもきっと、幽霊とまちがえた蘇峰くらいのものだろう。

アイラと——。

そう、アイラと毛毬はそっくりだった。だからこそ多忙な漫画家の影武者として、アイラはけったいな活躍をしていたのだ——。

アイラは、毛毬が死ぬといつの間にか大屋敷から姿を消した。もう影武者の必要がなくなったからだ。いまどこにいるのだろう。とっくにビザも切れていたはずだが、ちゃんと国に帰れたものだろうか。それともまだ日本のどこかにいるのだろうか。

アイラとよく似た、毛毬のミルクチョコレートのような肌。くっきりとした、あの美貌——。

わたしはふいに、手のひらで口を覆った。廊下の奥を振り返った。いま自分が歩いてきた、この廊下。あの九歳のときも、ここを転がるように駆けて、大人を呼びに行った。おかあさんが倒れている、と叫びながら。あのとき、仕事部屋には毛毬と、子供のわたししかいなかった。

毛毬は……。

震えながら、仕事部屋に戻った。蘇峰もついてきた。

母はあの日、仕事部屋から、奥の仮眠部屋に入った。ふすまを閉めた。開けたときには倒れていた。あの死体は、母がどさりと倒れたものだと思っていた。だが、母がふすまを開ける前、仮眠部屋が無人であったかはわたしにはわからない。もともと、そこに死体があったとしてもわたしにはわかりようがないのだ。死体のある隣の部屋で、ずっとトーン貼りを手伝っていたのだとしても……。

母は仮眠部屋に入り、ふすまを閉めた。もしかしてそこに、もう一人の女が……たとえばアイラがすでに死んでいたとしたらどうだろう。同じ服を着せた死体が。でも、それでは毛毬が二人になってしまう。いや、隠れる場所がなかっただろうか。

わたしはいまはもうなにも置かれていない、奥の部屋を見回した。記憶がよみがえってきた。部屋の隅に置かれた行李。果たして大柄な女が一人、隠れられる大きさだっただろうか。わからない。子供のわたしにはとても大きな箱に見えていたが。ともかく隠れる場所はあったのかもしれない。母はそこに隠れた。わたしが入ってきた。アイラの死体をみつけて母だと思い、悲鳴を上げて大人たちを呼びにいく。毛毬はどうする？　わたしが母ならどうする？　もちろんこの隙に部屋を出るだろう。廊下を、わたしとは反対の方角に。それきり漫画家毛毬は死んでしまい、毛毬はアイラとして生き残る。もう多忙な漫画家ではない。そう、蘇峰がつぶやいたとおり「逃げた」のだ……。

ここまで考えてわたしは、はたと困った。アイラは殺されたのか？　わたしが産まれるときも、まるで毛毬の身代わりになったかのようにのた打ち回って苦しんでいたという、あの女。影武者として暗躍し、最後まで身代わりとなったのだろうか。そして、祖母が言い残した〝人を殺した〟という言葉はなにを表しているのか。祖母がアイラを殺し、母がその死体を身代わりに利用したのだろうか。それは計画的なことか、それとも突発的なことであったのか。祖母の最期の言葉「憎くて殺したんじゃない」にアイラは当てはまるように思える。なぜなら、祖母は彼女にはなんの恨みもなかったはずなのだ。

震えながらわたしは、殺人が行われたのかもしれない部屋に立っていた。そんなはずはない、とふと思った。母はわたしという娘をうまく愛し、育てることができなかったけれど、それでも、自分の死体の発見者に利用するなんてことはないように思えた。毛毬は筋を通そうとする女だった。万葉の殺人もまた、そういった、都合のための殺人ではないように思えて仕方なかった。部屋に戻り、ノートを取り出して毛毬の名前を消して、代わりに小さく、アイラと書いてみた。

でもわたしは、自分のルーツである二人の女をやはり信じたかった。これはちがう、とわたしは首を振った。ちがう、ちがう。

夕飯前に、分家の一つに顔を出した。鞄が嫁に行って采配を振るっている家だ。裏口から入って「鞄叔母さん、いる?」と聞くと、鞄が産んだ子供たちがわらわらと出てきて、「いるよ」とわたしの手をひっぱった。この子たちにはたいそう普通の名がつけられていたが、わたしは叔母には内緒で、それぞれ財布、電話、手帳、口紅などと呼んでいた。鞄の中から出てくるもの、の意味だ。叔母にばれたら怒られるだろう。叔母自身は自分の奇妙な名前が嫌いではなさそうだったが。

台所に顔を出すと、お手伝いさんと一緒に牛蒡《ごぼう》をささがきにしているところだった。子供が四人もいると食事の世話だけでたいへんなんよ、と鞄はひとくさり家事の話をした。それからわたしに「どうかしたの」と聞いた。

「叔母さん、昔、アイラって人が本家にいたでしょ」

「しーっ!」

鞄はあわてて、人差し指を唇に当てた。台所を出て、お手伝いさんには聞こえないように小声で、

「その名前、言っちゃだめよ」

「どうして」

「姉さんに影武者がいたなんて、知られちゃだめだからよ。あのころ、ずいぶん忙しくなったもんだから、姉さんは大屋敷で仕事して、アイラがテレビ出演やら雑誌の取材やら、ぜんぶこなしてたんだから。アイラのことは内緒なのよ」

「ふぅん……。でもその人って、おかあさんがなくなってからは大屋敷にいないよね。有っちゃんが、葬式の日にトランク持って出て行くところを見たって」

「あぁ。あの人は生まれた国に帰ったんだよ。憶えてるよ。通夜の席でみんなで相談してね、

美夫さんが、妻が世話になったっていうんでけっこうな額の退職金を出してね。アイラもあっけらかんとしたもんで、毛毬姉さんのパスポート持って、出て行ったよ」

「パスポート？」

「毛毬姉さんのふりをして飛行機に乗って、フィリピンに帰ったんだよ。それきり忽然とマニラの夜に消えたから、日本人がフィリピンで行方不明になったのかって、騒ぎになっちゃってね。だけど調べたら本人はもう日本で死んでるし、それで、パスポートを盗まれて悪用されたんだろうってことになって、一件落着だよ。アイラが大屋敷にいたことは外の人はみんな知らないわけだから、ただの盗難事件で済んだんだよ」

鞄はこともなく言った。

「出て行くときのアイラ、叔母さんも見た？」

「いや……。そういえばよく見なかったね。みんなばたばたしてたから、それどころじゃなかったよ。美夫さんはよく気が回ったと思うね。だって、あのあともアイラがいたら、やっぱり変でしょう。死んだはずの姉さんそっくりの人がうろうろしているわけだから。美夫さんが一人で、書斎にアイラを呼んで長いこと話していたよ。そういやあの日、美夫さん以外は、ばたばたしていて誰もアイラとしゃべっていなかったね。知らないうちに、あの子はさっさと出て行っちゃったねぇ」

わたしはうなずいて、そうなの、と言った。

まだ半信半疑だった。出て行った女は、ほんとうにアイラのほうだったのか。毛毬が入れ替わっていたのだとしたら、アイラの振りをしてフィリピンまで飛んで、そこからほんとうに行方不明になって、そして、どこかへ……。蘇峰が言うとおり、逃げ切ったのか……。

夕飯を食べていけと勧められて、結局、手帳と口紅のあいだに座って、分家でご飯を食べた。分家にはまだ、家族の団欒《だんらん》や和のようなものがあった。わたしはユタカのことを考えまいとして、考えてしまって、ときおりため息をついた。さっきの牛蒡は、煮物の中に茶色く散らばっていた。夜が更けていった。


月曜から金曜まで仕事に時間や気力を奪われるようになって、それきりしばらく、万葉のノートからは遠ざかった。一日中、全国のどこからかコールセンターにかけてくる見知らぬ人と話し続けるのはなんだか疲れたし、電話によってべつの企業の、べつの製品のエキスパートであるかのように対応しなくてはならないのでまったく気が抜けなかった。働くことと、誇りについて、わたしは考えた。土手から落っこちた夜に、ユタカがつぶやいていたようなことだ。答えはもちろん出なかった。そしてユタカともあれきり直接会うことはなかった。メールや電話がときどきあったけれど、なんだかこわくて、メールは読まずに、電話にも出ずに逃げ回っていた。わたしはすべてにおいて弱気になっていた。

高校のときからの友達と久しぶりに会って、週末に遊んだ。五人で居酒屋で飲んで、カラオケに行って、最後は駅前の歩道橋の下で季節はずれの花火を上げて、通報される前に走って逃げた。年齢にそぐわない、子供のように無責任な行動に、ふいに自由を感じた。頭の中にふわりと風が吹いた。あぁ、自分は薄ぼんやりとした、無気力気味な、ただの消費者のままで過ごしたい、と勝手なことを考えてみた。生産者になんてなれない。なりたくない。社会で責任を負いたくない。だけど社会において逃げ切っても、人間関係では逃げ切れなかった。人とのつながりもまたちいさな社会であり、わたしはそこでも見事に、みっともなく躓《つまず》いていたのだ。

高校のときいちばん仲のよかった女の子が、夜が明けるころにグループから離れて、わたしにささやいた。

「ユタカ君、落ちこんでるらしいよ」

「……あいつ、誰と浮気してたんだろう」

「年上の人らしいよ。よく知らないけど。男グループがあんまり教えてくれないから」

わたしは、ふぅん、とつぶやいた。自分の数少ない財産である若さというものを誇っていたので、年上の人と浮気されたことで、なけなしの自尊心が目に見えてざっくりと傷ついた。わたしは多くの女たちと同じように、年上の人はみんなおばさんなんだと思いこんでいた。どんなにきれいでも、素敵でも。しょせんは、古いものだと。

でもそれは愛ではなくてわたしの無力で傲慢な、この魂の問題だった。ユタカの領域ではない。そんなことを思い悩みながら、興味がないふりをして相槌をうっていたけれど、付き合いの長い彼女には本心は丸見えだった。

「気になるくせに。その態度」

「……そりゃあね。だってユタカとはもう五年もつきあってるし。でもね」

「先週、会社やめたんだって」

わたしは路上の石を蹴った。冬の石は重たく、湿っていて、ごろごろと鈍い音を立ててアスファルトの上を転がっていった。「あいつ、やめたんだ」とつぶやいた。友達はうなずいて、

「前も会社、やめたよね。ユタカ君ってがんばるけど、折れるよね」

「あのときもわたしと別れてたんだなぁ。そうだ、あのときもあんたから聞いたんだよ」

「ふふ。恋愛は情報戦。わたしはむかしから、トーコちゃんの諜報員《ちょうほういん》ですがな」

ふざけたように敬礼しながら、友達がそう言うので、おかしくなって笑い出した。わたしを取り巻く、この小さな社会。笑っていたらすこしだけ涙が出たので恥ずかしくなったけれど、友達は気づいてないふりをしてくれた。

つぎの日、週末なので、前日の夜遊びがたたったこともあって大屋敷でごろごろしていたら、携帯電話が鳴った。ユタカからだったけれど、やっぱりこわくて、出ずにずっと、鳴り続ける携帯電話を眺めていた。午後になって出かけて、錦港に向かった。定年退職した救急隊員の人に会うためだ。

錦港は海が荒れて、寒々とした潮風が吹きさらしていた。港に近い雑居ビルに介護センターがあって、捜している人は受付に座っていた。六十がらみの、半白髪の男の人だった。

わたしの話を聞くと、その人はすこし笑った。

「赤朽葉の社長の、事故のことか。あぁ、あれは大騒ぎだったな。もう二十年ほど経つな。あんたはもう生まれていたのかね？」

「まだ物心つかないぐらいで、ぜんぜん憶えてないんですけど。あの……」

祖父の首がもげた話についておそるおそる聞くと、その人はすこし真面目な顔になって、うなずいた。

「いや、まちがいなくあの事故のときに亡くなったんだよ。天井からはずれて落下したスチール板が、首と胴体のあいだに残っていてね、板にも痕跡が残っていて、もう、現場で一見して状況がわかったよ。もちろん、板に首を切られなくても、あれだけ谷底まで落下したら生きていられなかっただろうけどね。同乗していた人たちもみんな亡くなったしねぇ」

「そうですか……」

わたしはお礼を言って介護センターを出た。近くの喫茶店に入ってぶくぶく茶を頼んで、それからノートを広げた。赤朽葉曜司の名前に線を引いた。増えたり、減ったり。死者の候補は残り二人になった。

家に帰ると、夜だった。布団にもぐりこんで寝て、翌日。台所で頬杖ついて、コーヒーを飲んでいる父をつかまえた。

「おかあさんって、ほんとに死んだの？」

いきなりそう聞くと、父は盛大にコーヒーを噴いた。おどろいたように、

「なんだ。いきなり。いまごろ」

「あ、いや……。小さいころのことだから、その、自信がなくなって」

「自信がないにもほどがあるぞ。トーコの悪いところは、まずそこだと思うがなぁ」

「じゃ、ほんとうに死んだのね」

「確かに死んだじゃないか。まったく、どうしたんだよ、トーコ。確かに死んだだろう」

父が度肝を抜かれた様子で繰り返すので、わたしは恥ずかしくなって、すこし赤面した。小声で、むかしこの家にいた影武者のアイラのことを聞くと、父はうなずいた。

「アイラさんなら、さいきん儲かってるらしいな」

「……儲かってる？　どうして。えっ、まだ連絡を取ってるの」

「当たり前だろう。世話になったんだからなぁ。そういう縁は、こちらからは切っちゃいけない。ときどき話すけど、なかなか景気がよさそうだぞ。まぁ、資金もあったしな」

父の話では、アイラはフィリピンに帰った後で、退職金を使って海老料理のレストランを開いたらしかった。七年ほど前からインターネットカフェも兼ねるようになり、なかなかの収益を出しているようだという。父の書斎についていって、コンピュータのモニターを覗きこんでいると、やがてテレビ電話のソフトが立ち上がり、モニターに大柄で華やかな女が現れた。見事に黒々とした、大きな瞳。ミルクチョコレートのような色をした肌はつややかで、目尻にすこし皺が浮かんでいる以外は、まだまだ若々しかった。背景はレストランらしき建物の壁だった。大きな海老の絵が描かれた壁で、黒板にはわたしには読めない文字でメニューらしきものが書かれていた。

ヘイー、ヨスィオー、と女は言った。それからかたわらに立ってぽかんと口を開けているわたしを見て、この女の子は誰、もしかしてあの子供なの、と言った。赤朽葉の大屋敷にいたころは影武者を務められるほど流暢だったはずのアイラの日本語は、年月と環境に洗い流され、だいぶブロークンなものになっていた。

わたしは穴が開くほどじいっとアイラを見た。相変わらず美しかったが、アイラはいまではもうあまり母に似ていなかった。皮膚がさらに浅黒くなり瞳は黒曜石のようにしっとりと濡れ、ちりちりとふくらんだ黒髪はエキゾチックだった。日本にいたときはきっと、ただ日本の土地にまぎれていたのだ。外国で長く暮らすと、一種の保護色を身にまとうようになる。それが取れた本来のアイラは、もう少女漫画家、赤朽葉毛毬の影武者ではなく、アイラという女自身にしか見えなかった。

わたしの母はやはり、あの日死んだのだ。

父はのんきな口調で、景気はどうだ、と日本語で聞いた。とてもいい、とアイラははすっぱな口調で言ってみせて、そっちはどうだ、と聞き返した。父が、うむ、あんまりよくはない、と言うとアイラは笑った。なごやかで、昔の余韻が残るあたたかなやりとりだった。

わたしは思い切って、アイラが死んでおかあさんが生きてるんじゃないかと考えたのだ、と話してみた。アイラはまた腹を抱えて大笑いした。おもしろいことを考える子だね、でもそれだけ、おかあさんに生きてて欲しかったってことだね、まぁわかる気がするよ、とアイラは言った。どやどやと客が入ってきた足音がして、アイラはのっそりと立ち上がった。ではまたね、と挨拶をして通信を切った。

わたしは自分の部屋にもどった。それからノートを出して、アイラの名前にも線を引いた。

並べられた死者たちの名前。残っているのはもう一人だけだった。

赤朽葉百夜。両足を縛って、鉤手をつくって死んでいた、寝取りの血筋の、あの女だ。百夜なのだろうか。もしそうなら、万葉はこのとき五十五歳になっていたはずだ。おとなしい性質の初老の女に、三十歳になるかならぬかの女が殺せるだろうか。体力は若い方に分がある。だが万葉は大女だった。山の娘。大柄でがっしりしていたあのからだには、大きな力が眠っていたはずだとは思うが。

4　真っ赤な魂

その冬が終わるころ。年が明けて一月の末に、わたしは総合コールセンターの仕事をやめてしまった。

電話の対応に慣れるほどに、主に苦情処理の仕事に回され始めた。全国のあちこちから、株で損をした人や、パソコンがクラッシュした人や、なんだかわからないが怒っている人が、わたしたちのブースめがけて電話をかけてきた。0120で始まる各社のサポートセンター宛の電話がここに転送されてきているわけで、苦情を言うためにかけてくるその人たちは当然、東京や大阪などの大都市にある、各社の本社につながっているものと思いこんでいた。こちらから電話を切ることはできないので、可能な限り具体的な提案をし、そのあとはひたすら謝罪を繰り返して、気が済んで電話を切ってくれるのを待つばかりだった。一件につき数時間がかかることもあった。対応になれて、ルーティンワークになってきていたけれど、でもわたしは、地方都市の郊外にぽつんとある平屋の建物に、全国からかけられるこういった電話そのものに、だんだん嫌気がさしてきた。

その日、電話をかけてきたのはパソコンに芋焼酎をかけてべたべたにしてしまった五十がらみのおじさんだった。どうしてパソコンと焼酎がそんなに接近遭遇したのだろうか。無料修理を頼まれたけれど、過失による修理は有料と決められていた。おじさんはねばった。こちらもていねいに同じことを繰り返した。申しわけありませんが有料修理と決められております。当社では……。一時間半ぐらい経ったときにおじさんが怒鳴った。

「東京のもんはつめたいな。これぐらい地元の店じゃ、融通利かせて直してくれるぞ。おい」

わたしはかっとなって、つい言い返した。

「ここは鳥取です。残念ながら、東京なんかじゃありません」

「えっ、鳥取なの……。いったいどうして、鳥取なの……。これ、本社にかかってるんじゃないの」

「こちらはコールセンターです。本社の社員がこんな電話にいちいち応対しません。みんな忙しいんです」

「えっ……。君、いくつなのよ」

「二十二歳ですけど」

「へぇ……。ぼくね、山口なの。なんだ、意外と近くにかかってたんだな。山口から鳥取って、近いのよ。車ならすぐ。ねぇ、会おうよ。これもなにかの縁だし。ね？」

わたしは電話を叩き切った。ブースを監督する上司が、机から顔を上げてわたしを捜した。職員のほうから電話を切ると、そのデータが上司のコンピュータに飛ぶのだ。禁忌《きんき》を犯したわたしは減給され、それに個室に呼ばれて懇々と説教をされてしまうはずだ。

言われる前に、わたしは言った。

「やめます」

「トーコさん、ちょっと待って。ぼくとお話ししましょう」

片手を上げて、きれいな標準語で上司は言った。清潔で近代的なオフィスは、こうして立ち上がって見回すと、まるで都会を舞台にしたおしゃれなドラマのワンシーンのようだった。各ブースで応対中の職員たちが、なにごとだろうと、ちらちらとわたしを見上げていた。

「こんなコールセンターはくずです」

「トーコさん、落ち着いて。あっちで二人でお話ししましょう。ね」

「ここは東京のはきだめじゃない。都会の人がやりたがらない仕事を、一見、こぎれいなオフィスを作って、地方の若者に押しつけて。景気がよくなくていい仕事がないのをいいことに、いやなことばかり地方に押しつけて。ここははきだめじゃない。地方都市には地方都市の歴史と、誇りがある。こんな仕事はもうしない。誇りを守るために、わたしはやめます」

フロア中に声が響いた。

わたしの声は、自分で思っているよりずっと舌足らずで、甘ったるかった。

ぽかんと口を開けてわたしを見ていた、同世代の職員たちが、つぎつぎに電話を切って、立ち上がった。ヘッドセットも外して、無気力にゆっくりとだが、拍手をする。いくつもの電話が途中で切られて、上司の机で短いブザーがなんどもなんども鳴った。

ぱち、ぱち、ぱち、ぱち、とまばらな拍手の中、わたしは羞恥《しゅうち》と自己嫌悪でそれ以上は口も利けなかった。誇りを守るためにやめます、なんて、最低の嘘っぱちだった。自分でそれがよくわかっていた。わたしは、わたしは、逃げたのだ。いまのはいいわけ。ただの、屁理屈だ。

いろんなことに耐えながら、社会の矛盾を諦念《ていねん》を持って受け入れながら、漂い流れるように大人になっていく。清濁《せいだく》すべて併せ呑んで、大人になっていく。世の中にきちんと出て、つまらぬ日々を永遠に闘っていく。そういうことがわたしにはできないのだった。はるかむかしから、みんながやってきたことなのに。祖母の時代も、母の時代も、そして現代でも同世代の何割かは、そうやってもう社会で働いているのに。わたしにはそれができないのだ。親たちから、社会で生きる力も覚悟も継いでいないのだった。いやなことなんてどこにでもあるけれど、それに傷つく覚悟なんてなくて、自信がなくて、それでまた逃げるのだ。

わたしといっしょに、何人かの若者がブースを出て、それぞれの上司に「やめます」と言った。なにか言いたそうな表情を浮かべてこちらを見たまま、でも立ち上がることなく、口を動かして、電話の応対をし続けている子もたくさんいた。去る人。残る人。どちらにもそれなりの自負と、やりきれない思いがあるような気がした。わたしはオフィスを出て、外の空気を大きく吸いこんだ。あぁ、またやめてしまった。ぐるぐる、ぐるぐると迷って、また振り出しに戻ってきてしまった。わたしは自分の脆弱《ぜいじゃく》な精神を呪った。帰り道は足が重くて、こころが冷えこんで、永遠に、家にたどりつかない気がした。

会社をやめた、と家族に言うと、わたしがあんまり落ちこんでいるので、父はお説教しようとした言葉をごくりと呑みこんだようだった。がっかりしたその顔を見上げながら、わたしはいつだったか、朝、溶鉱炉の取り壊しの話をしたときの父の言葉を思い出した。「なんだってそうさ。始めることと、続けることが、だから、すごくたいへんなんだ」

大人になったら、社会人になったら、誰にでもできるはずのことがわたしにはできなかった。父を失望させたくないのに。誇りに思われたいのに。自分を恥じて、さきに目をそらした。叔父の孤独はとくになにも言わなかった。

部屋にもどって落ちこんだまま友達にメールをすると、諜報活動によって得た最新の情報がわたしにもたらされた。ユタカが会社にもどったらしい。なんで入れ替わるように復職するんだろう、とわたしはすこし笑ってしまった。「そろそろユタカ君に連絡しなよ。五年もつきあってたら、そりゃいろいろあるって」と友達が言うので、わたしは力なくうなずいた。

つぎの日、錦港の介護センターにいたおじさんに聞いて、海から赤朽葉百夜の死体を引き上げた人のところに、話を聞きに行った。百夜は両足をおそらく自分の手で縛って、泳げないようにして、遺書を置いて海に飛びこんだのだろう、という話だった。心中するつもりで男を誘ったのだが、引き上げたときには一人で、男のほうはどこにもいなかった。遺書があったから心中だろうということになった、とのことで、誰かに殺されたと考えられるような状況ではなかったようだった。わたしが、誰かが足を縛って海に放りこんで殺したなんてことはないだろうかとたずねると、相手はびっくりしたように「えっ？　そんなこと思いもしなかったねぇ。どうだろう」と逆に聞き返してきた。

　心中相手になるはずだった、米屋の若い衆を捜してみた。十年以上も前の事件なので、もう若い衆ではなくなっていたが、毛毬の娘だと名乗ると気まずそうにして、礼儀正しく応対してくれた。万葉の昔語りが嘘ではない証拠に、この米屋のだんなはなるほど、ことのほか醜《みにく》い男だった。わたしは母のあまりの悪食ぶりにいっそ感嘆して、米屋のだんなの顔を穴が開くほど眺めていた。

「殺人？　ありえないよ。だって、俺の目の前で海に落っこちたからね」

「叔母は、やっぱり、あなたと心中しようとしたんですね」

「錦港に遺書をおいて、ぱりぱりに乾いた水母《くらげ》でおもしをしてさ。自分で足を結んで、俺の足もぎゅうっと結んで、サァ死にましょうって体当たりしてきたんだよ。だけどこっちは妻も子もいるし、ほかの女と死ねないだろう。こわくなって、横にジャンプしてよけたんだよ。そしたら百夜の優しい顔が、きりきりと釣りあがって般若《はんにゃ》になってね。二人とも足を縛ってるから、百夜も唸りながらぴょんと跳んで。こっちはアワワと悲鳴を上げながら、やっぱりぴょんと跳んで。そう、この辺り。夜の港の、牡丹雪が散る、そう、ここで、二人で跳んで、逃げて、跳んで、逃げて。あのときの百夜の顔は、あぁ、鬼のようだったよ。目が釣りあがって、涙が冬の風に白く飛びちって、真っ赤な唇から、男みたいに野太い唸り声が途切れなくてね。そのうちバランスを崩して、ここからころりと海に落ちたんだよ。こっちもあわてて、なんども名前を呼んだけど、冬の海は荒れているから、あっというまに波間に消えてね。俺は腰を抜かして、水母の下においてあった百夜の遺書をつかんで、そのまま、こうやって、くるくる転がりながら逃げたんだよ。港をだいぶ離れるまで、自分で紐をほどけばいいって気づかなくてね。焦ってたんだ。ようやく気づいて紐をほどいて、膝が笑うのをがまんしてうちまで帰って、蔵に隠れて震えたよ。百夜の青白い魂がまだ捜してる気がしたんだ。それで朝になって、百夜の死体が上がって、みんなが俺を捜して、蔵で震えてるところを嫁にみつかってね。百夜の遺書を、本家の人に渡したよ。あの入り婿の人だ。そう、君の父親だ。〝毛毬さんへ〟って書いてあったよ。遺書を残すぐらいだから、仲のいい姉妹だったんだね。あぁ、おそろしい。いまもときどき魘《うな》されるよ。海から、百夜が呼んでいる声が聞こえて」

米屋のだんなはぶるる、と肩を震わせた。海は鬼門だ、とつぶやいて錦港に背を向けた。ことのほか醜いその横顔には、消えない、苦悶の跡のようなものが浮かんでいた。

冬の終わりの湿った潮風が、わたしの髪を吹き上がらせた。だんなは別れ際に、

「あれは確かに心中未遂だった。誰かが百夜を殺したというんなら、それは俺だろ？　あのころ、俺は百夜に情をもっていたけれど、情事にきらきら浮かれてもいた。姉妹に取り合いされ

ることに喜びを感じていた。男の浮かれが、百夜を海につき落とした。あれは殺人ではなかったけれど、百夜の死に関して罪のある人間はいる。俺さ。そう思うよ」

「叔母の遺書は、確かに母宛だったのですか」

「……あぁ。ずいぶんおおきな、のたくった字で、毛毬さんへと書かれていたよ」

「確かに？」

「あぁ、確かだ。忘れるもんか。目に焼きついてるよ。あの夜のなにもかも。忘れるもんか」

わたしはことのほか醜いその人にていねいにお礼を言って、わかれた。帰り道に、祖母の昔語りを思い出そうと頭をひねった。

祖母の話によると、百夜の遺書は赤朽葉本家に持ち帰られて、美夫が読み上げた。〝いっしょに死にます〟と書かれていて、それを聞いた祖母は倒れた。その遺書はいまも仏壇の引き出しに大切にしまわれている。

家に帰ったわたしは、おそるおそる仏間に入った。引き出しを開けて、百夜の遺書を取り出した。半紙に包まれたそれが出てくる。

封筒に書かれた宛名は、〝万葉さまへ〟とある。

昔語りに出てくる、百夜の遺書。心中相手はそれが毛毬宛であったと記憶している。それならなぜ、いまここにある遺書は万葉宛なのか。遺書は二通あったのだろうか。万葉宛の遺書のことなど、昔語りに出てこない。これが、ユタカが可能性としてあげていた、万葉が故意に飛ばしているエピソードなのだろうか。そうだとしたら、それこそが祖母の殺人にまつわるエピソードであるはずだ。

仏間に座りこんだまま、わたしは長いあいだ考えていた。

しかし、百夜は確かに自分で海に落ちたのだ。故意に隠されたエピソードが万葉の殺人に関わりがあるとしても、殺されたのは百夜ではない。ノートを取り出して、赤朽葉百夜の名前にもボールペンで線を引いた。死者の候補者はとうとういなくなってしまった。宛名のちがう、遺書の謎。存在しない被害者。耳に残る殺人の告白。わたしは頭を抱えた。

部屋に戻って悶々としていると、携帯電話が鳴った。ユタカからだった。わたしはのろのろと電話に出た。気まずい、ゆっくりとした会話の後、つぎの週末に会うことになった。諜報部員の友達に報告すると、ユタカの浮気相手がどうもあの図書館の年上の司書さんだったらしいことと、でも反省してもう会っていないこと、トーコがいないと生きていけないと言っていたことなど、最新情報がもたらされた。「……あとさ、わたし今年結婚するわ」といきなり言われて、面食らった。友達には、短大のときから付き合っている、村役場勤めの恋人がいた。われて、面食らった。わたしたちは今年で二十三歳になる。そろそろ身を固める人も出てくる年頃だ。「披露宴は秋になると思うけど。ユタカといっしょにきてね。いっしょにだよ」と念を押されて、わたしは小声でわかった、と言った。

時はどんどん流れている。誰にも止められない。古い死者は笑顔を浮かべて、どんどん遠ざかってしまう。

冬の終わりを告げるかのように、その朝雪がやんで、白い眩しい光が道路のあちこちに残る解けかけた雪を照らしていた。

久しぶりに会ったユタカは、だいぶ痩せていた。前と同じように本家の門のところまで迎えにきて、眩しそうに大屋敷をみつめて待っていた。車に乗りこむと、わたしは黙ってシートベルトを締めた。

車は発車せずにそこに停まったままだった。ユタカも黙っていた。やがてわたしのほうから口を開いた。

「会社やめて、でも、また戻ったんだって?」

「うん……。なんだ、よく知ってるなぁ」

「へんなの」

責める言葉をあれこれ探したけれど、うまく口から出てこなかった。仕方ないので黙ってうつむいていると、ユタカがとつぜんおかしなことを言い出した。

「……会社やめたくって、浮気したんだ」

「はぁ?」

ぎょっとして、思わずユタカの横顔を見た。ユタカは真面目な顔をしていた。どうやら冗談を言っているわけではないらしかった。

「なによ、それ……」

「会社やめたいけど、トーコと付き合ってると、トーコに悪いから」

「な、なんでわたしに悪いの？」

「ぼくが無職だと、いろいろ言われるだろ」

「わたしだって無職じゃない」

「トーコはいいんだよ。君は赤朽葉本家の人だから。本来、働かなくてもいいぐらいだろう。トーコと付き合ってると、周りは、そりゃ悪気はないけど、逆タマとか言うから。トーコがぼくにだまされてると思う女もいるし。家柄やお金目当てだって」

わたしはぽかんと口を開けて、ユタカの横顔をみつめ続けていた。そんな話は一度も聞いたことがなかった。五年もつきあっていたのに。わたしのほうこそ、ユタカが甲子園に出たころは風当たりが強くて、たいへんだと思っていた。

「ぼくがちゃんとしてたらいいけど、男として弱かったらトーコがいろいろ言われるじゃないか。だから。トーコから離れたら会社、やめられるなぁと。でもやっぱりおかしい気がして。いちばん大事なのはトーコだなと思って。君のところに戻りたいと思って、それで復職した」

「へんだよ、それ……」

「うん」

「前にも一度、わたしと別れたときに、会社やめたよね」

「そうだね……。ごめんね。なんども同じようなことして……」

また沈黙が訪れた。

きまずさを断ち切るように、ゆっくりと車が走り出した。わたしは助手席から、赤朽葉本家の真っ赤な大屋敷を振り返った。尊大に、ずっしりとした重量感を持ってそれはそびえていた。もうずっと長いあいだ、この大屋敷はここに在《あ》るのだ。

かつて甲子園の英雄であったユタカは、それきり黙って車を運転し続けていた。ユタカの考え方は、なんというか優しげではあるけれど、ずいぶん非社会的だなぁとわたしは思った。車は海沿いのドライブコースをぐるぐると回った。カローラⅡの中には、わたしとユタカだけ。まだ肌寒い季節のせいか、車は多くなかった。ときおりすれ違う車には、わたしたちとよく似た若いカップルが乗っていた。日本中にどれだけこんなふうなカップルがいるのだろう、とわたしは思った。

「ごめんね」

と、ユタカが言った。

「うん」

「ごめんなさい。許してください。愛してます」

「わたしも」

「もうしない」

「いや、きっとまたするよ」

「しない。しません。しませんよ。もうわかりました」

「どうかなぁ」

助手席でわたしは、できればふざけるなと叫んで車を降りて、このまま別れてしまえたらいいのになぁと思った。若いだけの女の、このなけなしのプライドを、浮気して踏んづけられてしまった。いや、それはわたしの心貧しさの問題だが。わたしはしょげていた。嫌いになれればかんたんなのだけれど、やっぱりユタカが好きだった。変わらず好きだった。高校一年のときからずっと変わらない気持ちだった。六年も経っているのに不思議と色あせず、自分はこの先もずっとこの男の子のことを好きでい続ける、ぜったいだ、と思った。自分が持っている〝ぜったいのこと〟は、このしょうもない男の子を好きだということ、それだけだった。

ようやくたどりついたこの現代で、わたし、赤朽葉瞳子には語るべき新しい物語はなにもない。なにひとつ、ない。紅緑村の激動の歴史や、労働をめぐる鮮やかな物語など、なにも。ただわたしに残されているのは、わたしが抱える、きわめて個人的な問題だけだ。それはなんと貧しい今語りであることか。

しかし、もしもこの先もユタカと別れずにいて、何年かして結婚することになったら、わたしは祖母も母もしなかった唯一のこと、つまり恋愛結婚をする女になるのだ、とふと気づいた。これからどうなるのか、未来はまだぜんぜんわからないけれど。

──ドライブしながら、ユタカに万葉のノートのことを話した。死者がすべて候補から外れて、二通あった遺書の謎が残されたことを話すと、ユタカは首をかしげた。

「中身は同じなのに、宛名が二種類、ということ？」

「そう。万葉宛と、毛毬宛。どういうことかなぁ、と思って」

車でだんだんの坂道を上がって、本家に着くと、ユタカもわたしについて降りてきた。遺書が見たいというので仏間に案内して、紫色の線香の煙が今日ももうもうとする中、仏壇の引き出しから例の遺書を取り出した。

ユタカはそれを受け取りながら、

「もしかして、筆跡がちがう、なんてことはないかな」

「筆跡って？」

「つまり、封筒に書かれた〝万葉さまへ〟と、便箋に書かれた〝いっしょに死にます〟が、べつの筆跡で書かれているんだよ。それなら説明できるけど」

「どうだろう……」

わたしは首をかしげた。半紙に包まれた遺書を取り出し、封筒から便箋を出して、開く。二人で息を潜めて、見比べた。

二つの筆跡は一見したところは同じだった。なかなかの達筆だ。ユタカがため息をついた。

「同じ人が書いたみたいだね。ますますわからないな。どういうことだろう……」

「そりゃ、遺書だもの。ふつうはそうじゃない。ユタカはどうして筆跡がちがうんじゃないかと思ったの？」

「封筒と便箋が、べつの手紙のものをあわせただけなんじゃないかと思ったんだ。だって、君が話していた万葉さんの昔語りには、手紙がもう一通出てくるだろう」

「そうだっけ？」

「遺書にこだわるから思い出せないんだよ。そうじゃなくて、置手紙。ほら、工場が製鉄業をやめたときに、職工さんが一人、出て行っただろう。万葉さんに置手紙を残して」

わたしは、あぁ、とうなずいた。父の赤朽葉美夫が溶鉱炉の火を止めて、職工の穂積豊寿さんが出て行った夜の話だ。〃万葉さまへ〃と書かれた置手紙が祖母に残された。〃遠くに行きます〃と書かれていて、それで祖母は、溶鉱炉の英雄と呼ばれた豊寿が、ついに赤朽葉製鉄を見捨ててどこかに行ってしまったのを知ったのだ。

だけどそれなら、ここにある手紙はいったいなんだろう。確かに、豊寿の手紙は万葉宛だった。しかし便箋に書かれた手紙は、豊寿のものとは内容がちがう。百夜の遺書の文面である。しかし筆跡は同じ人物のものなのだ。これはいったいどういうことだろう。

わたしはユタカと顔を見合わせて考えこんだ。結論は出なかった。

雪がやむのと同時に、工場跡地を更地にする工事がすこしずつ始まった。孤独が忙しそうに、朝早くから出て行った。血がつながっていないのに、背広を着たその後ろ姿はどこか、父の美夫と似ている気がした。わたしは春から、レッドデッドリーフで経理部の仕事を手伝うことに決まった。周りの大人に気を遣わせてしまうかもしれないし、と躊躇したけれど、いい経験になるからと父に厳しく言われて、すこし続けてみることにした。

ユタカとは相変わらずだった。ふとなにかが吹っ切れたように、ユタカは不平も言わずに会社に行くようになった。なにか心境の変化があったのか……。わたしにはよくわからない。わたしたちはそろそろ二十三歳になろうとしていた。たいしたことはしていないのに、若さとい

う財産をどんどん食いつぶしているようだ。そんな不安を孤独に言うと、孤独は微笑んで、

「いや、若くなくなっても人生は続くし、べつにたいしたことないよ」

と、微妙に励ましになっていないことを言って、わたしの肩を叩いた。

二月も半ばを過ぎた、その夜。わたしは縁側に出て、まだ骸骨のような枯れ枝をからませている、裏庭の景色をぼうっと眺めた。それから外に出て、だんだんの坂道の上から工場跡地を見下ろした。もうすぐ取り壊されてしまう、繁栄の象徴であった巨大な溶鉱炉が、夜の空に灰色に輝いていた。なんとはなしに気になって、わたしは溶鉱炉をみつめていた。それから屋敷に帰り、孤独がお風呂を出たので自分もお風呂に入って、出てきて、上着をはおって外に出て、また溶鉱炉をみつめた。別れが近づいているから、いつまでも見ていたかった。

夜更けに眠りについたら、久しぶりに万葉の夢を見た。まだ幼い、山出しの娘の万葉が、だんだんの坂道の途中で空を見上げていた。ぽうっと口を開けて。憧れるように。瞳を潤ませて。そんな表情を浮かべた万葉を見たことがなかったので、わたしは夢の中ですこし驚いて、おばあちゃん、なにを見ているの、と聞いた。わたしの声が届いたのか、幼い姿をした山出しの万葉は、こちらを振り向いた。それから細い人差し指で空を指差した。

わたしも万葉と同じものを見た。

そこにふわりと誰かが浮かんでいた。天気のよい午後で、三つ葉ツツジの濃いピンクの花びらが風に舞い上がって、水色の空を水玉模様のように彩《いろど》っていた。空に浮かんでいるのは、中年の男だった。枯葉色の服は、もとは菜っ葉の色した職工の作業服が古びて変色したものとわ

かった。男の左目はとても優しそうだったけれど、右目は無残につぶれて、皮膚とほとんど同化して一本の長い皺のようになっていた。豊寿さんだ、とわかった。かたわらの万葉を見ると、ぽうっとして、空に浮かぶ豊寿さんを見上げていた。わたしには見せたことのない、柔らかで幸福そうな表情を浮かべていた。

一ッ目男の豊寿さんは、両手両足を広げて大の字になって、空に背中を、こちらにお腹をむけて、うつぶせに飛んでいた。楽しそうに空を飛行しているように見えた。やがてゆっくりと豊寿さんは空の彼方に遠ざかっていった。ほっこりと微笑んだまま。万葉がひくっとしゃくりあげたので、わたしは夢の中で、幼い祖母に「どうしたの」と聞いた。

——豊さんは、知らんかった。

万葉が低い声でつぶやいた。

——豊さんは、わしが文字を読めんことを、知らんかった。だって恥ずかしかったけん。豊さんに知られるのは、恥ずかしかったけん。黙っとった。

万葉は泣いた。いかにも子供じみたしぐさで、手の甲で涙を拭いた。それは最後の夜、鏡台の前で祖母がつぶやいていた言葉と同じであった。祖母はあの、もうすぐ死ぬという夜、鏡越しに未来のわたしの夢に入りこんでいたのだろうか。逢いにきてくれていたのだろうか。あのときわたしは廊下にいて、不安のあまりぶるぶると震えていた。

夢の中で万葉は、泣いているうちにするすると髪はのびからだも上に向かってのびて大きくなり、がっしりとした、大人の、山の娘になった。千里眼奥様となった万葉がこんどは大人の声で豊寿さんを呼んだ。空気が割れるほどの、おおきな獣の咆哮にも似た、おそろしい声だった。

空のかなたから、飛んでいったはずの豊寿さんがひゅうっと戻ってきた。大の字になったまま。微笑んでいた顔は、こんどはすこしさびしそうにやつれていた。

おばあちゃん、とわたしは呼んだ。

万葉の顔には表情がなかった。空が暗くなり、奈落のような夜がきた。万葉といっしょにとつぜん天地が反転して、わたしは悲鳴を上げてしゃがみこんだ。角度が変わると豊寿さんは、万葉とわたしが上に、飛んでいる豊寿さんが下になった。夜空はくるりと回って、大の字になったまま仰向けになった。万葉とわたしはそれを見下ろしていた。いつのまにか両手でなにかをつかんでいた。丸い、黒い、分厚い鉄。わたしも万葉も足場によじのぼって、それをつかんでいた。わたしは背後を振り返って、ぞっとした。

そこは、溶鉱炉のいちばん上のところだった。冬の始まりの日、ほんのすこしのぼってから振り返り、こわくなって下に下りたことがある、溶鉱炉の足場だ。わたしと万葉はいつのまにかそのいちばん上にいた。背後は闇のような夜空で、見下ろすとはるかはるか下に地面があった。すべてが群青色《ぐんじょういろ》に、つまり夜に暗く染まっていた。インクを零したような濃い闇。

万葉は溶鉱炉の内部を見下ろしていた。

わたしも、巨大な煙突のようなそれの、中を見下ろした。

天地が反転する前はふわふわと飛んで、空高く遠ざかっていくようだった豊寿さんは、反転するとそうではなくて、あおむけになり、両手をひろげて、ゆっくりと溶鉱炉の中に落ちていくところだった。寂しそうなその顔。片方だけ残された瞳の光が、闇に向かって遠ざかり、星が燃えるように瞬《また》いて、あっというまに消えた。

飛行人間ではない。

豊寿は、空を飛んだのではない。

あの幼い日に万葉は、天地を反転した未来を視たのだ。

彼を見上げたのではない。ほんとうは見下ろしたのだ。

豊寿は空を飛んでいない。そうではなく、溶鉱炉に落ちたのだ。

旅立ったのではない。死んだのだ。穂積豊寿こそが、わたしが捜していた死者の正体だ。誰も彼が死んだことを知らない。彼を殺した、万葉以外は。

そうしておそらく、穂積豊寿の死体はいまもまだ、つめたくなった溶鉱炉の中で眠り続けているはずだ。祖母が生きているあいだは取り壊されることのなかった、廃工場の中心地にある、あの、巨大な溶鉱炉の、中に。


——わたしは飛び起きた。

びっしょりと汗をかいていた。

闇の中に、黒菱みどりの金歯が光っていた。わたしはぎゃっと叫んで後ずさった。目が慣れてくると、みどりだけではなく孤独もいた。魘《うな》される声に起こされて、飛んできたらしい。わたしはなんでもない、なんでもない、と二人に言った。孤独がそれなら、と立ち去ろうとするので、追いすがって聞いた。

「孤独ちゃん、溶鉱炉の取り壊しって、いつ」

「ええ？　いや……そうすんなりとはいかないよ。しばらくかかると思うけどね。夏までにはなんとか」

「そう……」

「でも、どうして？」

「ううん、べつに。わたし、いま寝ぼけてるの。それだけ」

みどりも出て行こうとするので、わたしは小声で聞いた。

「ねぇ、おばあちゃんって、豊寿さんと仲、よかったよね」

黒菱みどりは奇妙な顔つきで振り返った。

「……ちがうの？」

「いや、ちがわないよ。あの二人は、そのぅ、お互いにずっと好きあってたからネェ」

「そうなの？　おばあちゃんの話には、そんなことは、あまり……」

「あの人には節度というものがあったからね。豊さんにも。だけど、まぁ、まちがいないだろうよ」

わたしは驚いてみどりの顔をみつめた。それならそれこそが、ユタカが言っていた、万葉が故意に飛ばしたエピソードなのだろうか。

「だけど、トーコ。どうしてそんなこと聞くんだい」

「ううん、なんでもないの……」

わたしは一人になると、震えながら考えこんだ。それから上着をはおり、そっと廊下を歩いて、外に出た。

月明かりにぼうっと浮かび上がる、冷えきった溶鉱炉をみつめた。なにが起こったのだろう、とつぶやいた。飛行人間の幻は、空を飛ぶのではなく、奈落に落ちることの未来視であった。落ちていく豊寿を、溶鉱炉のてっぺんから見下ろしていた万葉。万葉は豊寿が死ぬところを実際に〝見た〟のだろうか。それとも千里眼の目で〝視た〟のだろうか。どちらにしろ、落ちるところは目撃しなかったのだろうか。もしも実際に見たのなら、万葉が豊寿を突き落として殺したのだろうか。いや……。

それはちがう。

わたしは屋敷に戻り、ふらふらと廊下を歩いた。歩いても歩いても、月明かりに照らされた溶鉱炉がどこからかわたしを見下ろし続けている気がした。仏間に入ると、まだ線香の匂いが染みついていた。引き出しからあの謎めいた遺書を取り出して、開いた。

これは、とわたしは思った。

これは、百夜の遺書ではありません。

しかしこれは、豊寿さんの置手紙でもありません。

ではこれは、なんでしょうか。

わたしは声に出して言ってみた。甘ったるい、どうにも子供っぽいこの声で。

「これは、豊寿さんの遺書です」

涙がしみ出てきた。手の甲で拭いた。

「豊寿さんは死にました。

あの人が、わたしがずっと捜していた、死者でした。

殺人の犠牲者でした。

でも、おばあちゃんが殺したのではありません。

誰が殺したのでもありません。

ここに遺書が在ります。これが証拠です。

豊寿さんは、自死しました。

溶鉱炉といっしょに。

だけどおばあちゃんには、遺書が読めませんでした」

額を畳にこすりつけた。祖母の代わりに、この遺書を書いた一ツ目の男、昔語りの飛行人間、穂積豊寿に頭を下げた。

みどりが言うように、祖母はあなたを好きだったのだろうか。それでなのだろうか。文字が読めないことをあなたに隠していたのは、それでだったのだろうか。

「祖母は、あなたを死なせてしまったと思って、気に病んでいました。

だけど、許してやってください。そうじゃないよと、あの世で逢ったら、慰めてやってください。

気に病んでましたから。あんなに。ずっと」

祖母は文字が読めなかった。豊寿はそれを知らなかった。溶鉱炉が止められて数日を経た、あの日。豊寿は万葉に遺書を残した。

〝いっしょに死にます〟

目の前にある置手紙の言葉が、聞いたことのないはずの豊寿その人の声で、耳によみがえった。

〝俺《おい》は、溶鉱炉といっしょに死にます〟

置手紙ではない。遺書だった。

わたしのとなりに、幻の万葉が現れた。銀色の長い髪を畳に垂らし、悄然《しょうぜん》として座っている。わたしは畳の上に置かれた豊寿さんの遺書に頭を下げ続けた。

あの夜きっと、万葉は手紙を受け取って、でも、読むことができずに早合点したのだろう。ユタカが言っていた、昔語りの中にある殺人者の嘘、殺人を隠すための万葉の嘘は、この一点のみにあった。豊寿の置手紙を受け取ると、〝万葉さまへ〟と封筒にあり、中には〝遠くに行きます〟とあった、と。万葉に置手紙が読めたはずはない。彼女は文字が読めないのだ。ただ、万葉は豊寿さんが死ぬとは思っておらず、遠くに旅立つ別れの手紙だと早合点したのだ。

万葉は、その夜に豊寿が死んだことを、きっと長いあいだ知らなかったろう。男がどこか遠くで生きてくれているものと、思いこんでいただろう。千里眼なのにわからなかった。早合点して、まちがえていた。

豊寿からの手紙に書かれていた本当の内容を知ったのは、それから六年もの月日が経ったときのことだ。一九九八年の冬のことだ。赤朽葉百夜が心中事件を起こし、自分だけ死んで、冷たくなって大屋敷に戻ってきた。心中相手の手にあった百夜の遺書を、美夫が読み上げた。百夜の書いたものは、豊寿と同じ内容であった。美夫が〝いっしょに死にます〟と読むと、万葉が顔色を変えて昏倒した。万葉はこのとき初めて、豊寿さんの手紙に書かれていた内容を知ったのだ。同じ文字であるのは、見ればわかった。

あのとき読めておれば、豊寿さんを死から引き止めることができた、万葉はそう思ったのだろうか。それは残念なことではあるが、殺人ではない。万葉は豊寿さんを助けられなかったが、人を殺してはいない。

だが、万葉はそういったことを気に病むたちであった。いまわたしのとなりにぼうっと浮かぶ万葉の幻は、すこし悲しげに首をかしげて、豊寿さんの遺書をみつめている。

「おばあちゃん」

わたしはつぶやいた。幻がふと身じろぎした。

「おばあちゃんが殺したんじゃない。赤朽葉万葉は山の人たちの子孫で、本家の千里眼奥様で、わたしのおばあちゃんで……殺人者じゃない。誰も殺してない」

わたしの推理は合っているのだろうか。

これで正解だろうか。

溶鉱炉が取り壊されるまで、真偽のほどはわからない。だけどわたしは確信していた。やがて夜が明けると、万葉の幻は暗く赤い陽炎のようにゆらめいて、そうして、祖母の真っ赤な魂は朝日の中に吸いこまれるようにきらめいて消えた。わたしは朝になってもしばらくそのまま、仏間でじっとしていた。朝の線香を上げにきたみどりに、高熱を出してぼうっと座っているところを発見されて布団に押しこまれ、それから三日ほど寝付いてしまった。

溶鉱炉の取り壊し作業は、そのあいだも粛々《しゆくしゆく》と続いていた。

5 ビューティフル

寝付いているわたしを尻目に、寒々と凍えていた紅緑村は春の訪れに柔らかく解けて、雪解け水が碑野川の河川敷いっぱいまで広がって激しく流れ出した。この音が聞こえるともう春。木の芽が芽吹きだし、田畑は田植えの季節に近づいていた。いついかなるときもスモーキーな山陰地方の空も、雲間から眩しい光が射して、山肌を白々と照らしていた。

ようやく起き上がれるようになって、わたしはシャワーを浴びて身奇麗にして、出かけた。だんだんの坂道を降りながら、ふっと山のほうを振り返った。

かつて祖母とみどりが登った、山脈の奥。二人がもう帰れなくてもいいと思いながら登り、たどりついたという鉄砲薔薇の渓谷《けいこく》。それは二人して見た夢だったのだろうか。それともほんとうに、死者の箱が並ぶその谷が、霧の奥深くに隠されているのだろうか。

古代から変わることのない深い伯耆《ほうき》の森に、いまもまだいるのだろうか、あの人たちは。民俗学者たちにサンカ、ノブセ、サンガイと呼ばれるあの人たち、山の人たちは。いるのかいないのか、誰にもわからない。国を支える労働者ではない。税金も納めない。社会をつくらない。ただ、在る。国家から見ればまるで透明人間のような、流れていくだけの人間たち。

でも、彼らは在るのだ。わたしがいまここにいるように。

わたしは目を細めてしばらく山を見上げてから、またきびすを返して歩きだした。だんだんの坂道をゆっくりと下っていく。

春に近づいた紅緑村をゆっくりと歩き、郊外にあるお寺の裏手、梅の花咲く墓地に行ってみた。

墓地には花が咲き乱れ、古い墓石は苔むして、土の湿った匂いが漂っていた。赤朽葉本家の立派な墓石にまっすぐに向かうと、見覚えのある痩せた中年男が立っていた。

三城だ。くたびれた背広に、書類鞄。昼間の容赦ない光に照らされると、無残に美貌がひび割れていた。薄くなった髪の向こうに青白い頭皮が見えている。眩しそうに目を細めて、三城はわたしを見た。

「また、会ったね」

「ええ。……伯父に？」

赤い薔薇の花束とワインの瓶が供えられていた。三城はうなずいて「酒と薔薇だよ」とつぶやいた。

「へぇ……」

「我ながら、あんまりきざだから、こっそり持ってきたんだけど、よりによって君にみつかるとはね。悪いことはできない」

「悪いことでは……」

「瞳子さん、だったっけ」

「はぁ」

沈黙がおとずれた。春の日射しは容赦なくわたしたちを照らしていた。生き続けた三城の老いも、わたしという若い女の、寝ぼけた横顔も。

小鳥がチーチチ、と遠くで鳴いた。

わたしはふいに我慢できなくなって、早口で言った。

「瞳子ですけど。でもほんとは自由って名前になるはずだったんです。赤朽葉自由に。それも、いいですよね」

「ふぅん。泪と、自由か」

「ええ」

うなずいた。それから持ってきたお花を置いて、線香に火をつけた。ついでなので掃除もしていると、三城も手伝ってくれた。墓石を磨いたり雑草を抜いたりしながら、わたしは、どうしてだろう、と考えた。

曾祖母のタツが、わたしに自由と名づけようとしていたのはなぜだったのだろうか。名前が運命を変えるのではなく、運命が名前を呼び寄せるとタツは信じていたという。それならわたしの未来には、自由をめぐる闘いがあるのだろうか。わたしはそれを得るのだろうか。しかし、これからの時代において、わたしたちの自由とはいったいなんだろう……。

三城は几帳面な性格らしく、わたしが残した雑草もきっちりと抜いて掃除を終えた。二人で並んで歩きだした。天気がよかった。わたしは小声で三城にささやいた。

「あのね、三城さん」

「ん?」

「伯父が死んだから、だからわたしは生まれたんです。伯父は優秀で、みんな期待してたんだけど、とつぜんあんなふうにいなくなってしまって。それで妹に当たるわたしの母が、お婿さんをもらうことになったの。本当なら、伯父の子供が本家の跡継ぎになるはずだったのに」

「泪は子供なんてつくらないよ。あいつは男しか愛さない。生きてたって、どっちにしろほかの兄弟の子供が跡を継いだささ」

三城はこともなく答えた。突き放すような言い方だった。そうはっきり言われるとわたしもおどろいて、口をつぐんだ。

「ほんとうに、そう思う?」

「思ってないことなんておれは言わない」

「そう……」

わたしはすこし笑った。

足元の石ころを蹴っ飛ばす。その石に追いつくと、今度は三城がその石を蹴った。二人で一つの石ころを蹴飛ばしながら、墓地を歩いた。

「だけどどちらにしろ、ね。わたしは泪が死んだせいで生まれたの」

「まぁ、どちらにしろ」

三城が石ころを蹴って、わたしを見た。目尻にしわが寄った。そうすると微笑んでいるようで、さっきよりもすこしだけ優しそうに見えた。

「ようこそ。紅緑村《ビューティフルワールド》へ」

虚をつかれて、わたしはびっくりした。口を開けて三城を見上げていると、三城は次第にうつむいた。横顔が徐々に赤くなった。

「やっぱり、きざだったか。失敗したな」

チーチチ、と小鳥が遠くで鳴いた。

梅の花が風に揺れた。

つぎの瞬間、わたしは両の瞳から大粒の涙が零れて、歩けなくなった。前も見えないほどだった。でもどうして泣いているのかわからない。三城がこちらに手を伸ばして、そうっと、わたしの背中を撫でた。

「泣くなよ、おい……」

わたしは嗚咽《おえつ》していて、なにもしゃべれなかった。しばらく三城は、突き放したいのにできない、といった困った様子で背中を撫でていたが、やがて観念したようにわたしを抱き寄せた。泣きやめ、泣きやめったら、なんだよ、まだ泣いているのか、ちぇっ、こまったな、とつぶやいている。

ようこそ。

と、わたしは泣きながらささやいてみた。

ようこそ。ようこそ。ビューティフルワールドへ。悩み多きこのせかいへ。わたしたちはいっしょに、これからもずっと生きていくのだ。せかいは、そう、すこしでも美しくなければ。

この年の春が終わるころ、大掛かりな取り壊し工事の途中で、溶鉱炉の底から、身元のわからない男性の白骨化した死体が発見された。職工の制服を着ていたが、古びていて名札も判別できない状態だった。警察があれこれと調べ始めた。父の美夫や孤独が困っているので、わたしはそっと、あれは穂積豊寿さんのような気がする、と言った。やがて歯型や身体的特徴からほんとうにそうであることがわかって、遺族に遺体が引き渡された。わたしは例の、穂積家の子孫の司書さんにすごみながら頼んで、内緒でお骨をすこしわけてもらった。豊寿さんの遺書といっしょに、仏壇の引き出しにそうっと入れた。

「殺したんじゃないよ、おばあちゃん」

と、わたしは引き出しを閉めながら、つぶやいてみた。もはや死者はおらず、その魂も本家の大屋敷をさまようことはないようで、平和な家からは怪異の気配は感じられなかったが、自分に言い聞かせるようにそうつぶやいてみたのだ。

「誰が死なせたんでもない。豊寿さんは、自分で溶鉱炉に上ったんだよ。――きっと、変わらないために」

わたしたちは、その時代の人間としてしか生きられないのだろうか。たたらの世界をめぐる村の男たちも、女たちも、生きたその時代の、流れの中にいた。人間というのはとても不器用なものだ。わたし自身を振り返っても、まったくどうしてこんなにだめなんだろうと自分でもわかっているのに、そういう自分からなかなかうまく抜け出せない。変わるって難しいことだ。成長するって、たいへんなことだ。だけどわたしは、がんばって生きていくぞ、と思う。

春の訪れからすこし遅れるように、赤朽葉本家の裏庭にも、枯れ枝にちいさな新しい芽がつき始めた。まだ肌寒いと震えるように、ゆっくりと緑の葉が増えていって、風が吹くたびざわざわと揺れた。小川を雪解け水が流れ、小鳥がときどき一斉に飛び立った。

村では、遺体の身元を当てたことで、赤朽葉本家の娘もすこしは千里眼らしいでと噂が流れた。年寄りに聞かれると、わたしは神妙な顔をして、そうかもしれませんねぇとうなずいた。すこしは千里眼。悪くない称号だ。……ほんとうにそうだとおもしろいんだけどな。

さて、これにて、約六十年前に祖母が視た空を飛ぶ男についての考察と、未来を探す心もとない道のりを吐露《とろ》した、殺人者をめぐる物語を終える。祖母、母と比べると頼りないわたしではあるが、それでもこれは製鉄に導かれた、紅緑村の、それなりに真っ赤な魂のお話である。わたし、赤朽葉瞳子の未来は、まだこれから。あなたがたと同様に。だから、わたしたちがともに生きるこれからのこの国の未来が、これまでと同じくおかしな、謎めいた、ビューティフルワールドであればいいな、と、わたしはいま思っているのだ。

参考文献

『幻の漂泊民・サンカ』沖浦和光著　文藝春秋
『サンカの末裔を訪ねて』利田敏著　批評社
『サンカの民と被差別の世界』五木寛之著　講談社
『サンカ研究』田中勝也著　新泉社
『出雲神話』松前健著　講談社現代新書
『河童が編集したザ・山陰』妹尾河童ほか編　平凡社
『鉄から読む日本の歴史』窪田蔵郎著　講談社学術文庫
『たたら製鉄の近代史』渡辺ともみ著　吉川弘文館
『八幡製鉄所・職工たちの社会誌』金子毅著　草風館
『近代日本の軌跡8　産業革命』高村直助編　吉川弘文館
『重文民家と生きる』全国重文民家の集い編著　学芸出版社
『明治の結婚　明治の離婚』湯沢雍彦著　角川選書
『近代日本の「手芸」とジェンダー』山崎明子著　世織書房
『千里眼事件』長山靖生著　平凡社新書
『60年代「燃える東京」を歩く』ビートたけし、日高恒太郎、須藤靖貴ほか著　JTBパブリッシング
『60年代が僕たちをつくった』小野民樹著　洋泉社
『ケネディ家の呪い』エドワード・クライン著　全重紘訳　綜合社
『戦後マンガ史ノート』石子順造著　紀伊国屋新書
『昭和史発掘2〔新装版〕』松本清張著　文春文庫

参考サイト

「鉄のまちの記憶と記録」千葉県立現代産業科学館　http://www.cmsi.jp/16jfe/index.html
「たたらの話」日立金属　http://www.hitachi-metals.co.jp/tatara/index.htm

文庫版あとがき

今回の文庫化に当たって、『赤朽葉家の伝説』を久々に再読した。故郷の鳥取に借りたアパートに籠もりきり、執筆したのは二〇〇六年の春から夏にかけてだから、今からもう四年も前になる。執筆当時のこととしては、とにかく楽しかった、作品の世界につかって毎日書き続けることそのものが娯楽で、快感だったという記憶がある。その日々を思いだすと、ふっと笑顔になる。

そこからさらに半年ほど時を遡《さかのぼ》ってみよう。担当編集者と新作についての打ち合わせをした日の情景が、蘇《よみがえ》ってくる。

彼はレストランのテーブルを激しく叩いて「桜庭さん、新作でぜひ〝初期の代表作〟を書いてください」と語ったのだった。「へっ、代表作?」と聞きかえすと、「桜庭さんには全体小説が書けると思うんですよ。個人があり、家族があり、国の歴史があり、恋愛があり、労働があり……すべてが詰まったおおきな小説を、ぜひ」そう言われて、えーっと天井を見上げるうちに、これまでに読んできたさまざまな〝おおきな小説〟が連想されて、まんまとわくわくしてきた。そして「全体小説かぁ……」とつぶやいたときには、確かに自分もそういうものを書いてみたい、という気持ちになっていた。（ここだけの話だが、お調子者の作家をうまいこと乗せるのも編集者の手腕であり、同時に、うまく乗せられてきゃっきゃと踊りだすのも、作家に必要な資質なのである……。いやいや、ほんとです）

さて具体的にどんなストーリーにしよう、と考えていると、編集者がなおも「ぼくは一族の女三代の年代記を読んでみたいなぁ」と言い募《つの》る。彼はミステリー畑の編集者だが、もともと日本文学にも詳しい。たとえば有吉佐和子の『紀ノ川』や、山崎豊子の『女系家族』、宮尾登美子の作品のタイトルがぽんぽんと出てきた。一方、わたしのほうはミステリーと海外文学を主食としてこれまで生きてきた。女三代、一族、年代記と言われたら、ガルシア＝マルケス『百年の孤独』に、イサベル・アジェンデ『精霊たちの家』、ヴァージニア・ウルフ『オーランドー』などが脳裏に浮かんだ。

思えばどれもが、遠い昔、若い、いやひどく幼い日々に読んでは胸を激しく焦がした、外国の一族の年代記である。そういえばあのころ、いつか自分でもこんな物語を書いてみたい、と夢見たのだった。自分のルーツを辿り、それによって未来を発見するという、文字の上での血沸き肉躍る冒険をしてみたい、と。

この最初の打ち合わせでだいたいのあらすじが決まった。舞台は鳥取の山間にある旧家とし、真っ赤な大屋敷に住む、千里眼の祖母、漫画家の母、そして三代目の、まだなにものでもないわたし。この〝わたし〟が、全体の語り手という大任を努めることになった。

スチュワート・ウッズの『警察署長』の話にもなり、女三代を巡る長い時間に、一つの謎が存在し続けて、物語の最後にようやく解ける、という謎解き要素も入れようと話しあった。さてその謎とは、いったい……？

ここで、わたしがとつぜん「飛行人間を出したい！」と主張し始めた。「えっ。なんですか、それは？」「いや、まだわからないけど……。でもいま閃《ひらめ》いた。一代目で空を飛ぶ不思議な男を出して、三代目が彼の謎を解くことにします」というのは、昔、読んだローレンス・ノーフォーク『ジョン・ランプリエールの辞書』という本に、燃えながら城の窓を飛びだして夜空を飛んで消えてしまった男の伝承が載っていたのだ。その正体がわからないままだったので、魅力的な謎として、わたしの胸の中をずっとプープー飛びまわっていた。その男が、打ち合わせをしていたこのとき、とつぜんこちらに向かって勢いよく飛んできたような気がしたのだ。

こうして、わたしの胸にいた正体不明の飛行人間が、職工の穂積豊寿さんになった。

赤朽葉家は、アメリカのケネディ家のようにしたいなと思って、翌日からさっそく資料を集め始めた。つまり、ルーツをたどると移民の一家であり、繁栄し、しかし国がうまくいっているときは一族も安泰だが、未来に影がさすときにはともに没落していってしまう……。まるで国の運命そのものを体現するような、一族。もともと興味があって、彼らについていろいろと読んできた。もっとも、そういった人びとは都会にいそうだというイメージがあったが、あえて地方都市を選んだら面白いかなぁとも思ったのだ。

あらすじが決まり、資料も読んだ。鳥取のアパートに籠もって、ようやく書き始めた。

飛行人間が気持ちよさそうに飛び、青年が光って飛び散り、狸の親子と一緒に、万葉がぶくぶく茶屋の前で雨宿りをした。その万葉に、赤朽葉家のぼんが声をかけた。二人は、出逢った。万葉は桜吹雪の舞い散る中、ぼんの首がもげて飛んでいく幻を視た——。

そのうち、作者の意図を離れて大活躍し始めたのが、出目金こと黒菱みどりだった。最初は端役のはずだったが、黒と金の振袖で着飾って躍りでてきて、万葉ともめたり慰めあったりしながらすっかり仲良くなってしまい、万葉が亡くなっても、最後まで赤朽葉家にでんと居座った。これには、おどろいた。「ちょっとあんた、まだ出てくるの」と、書きながらおそるおそる肩を叩いてはみるのだが、そのたびにフラメンコを踊っていたり手品を見せていたりで、てんで聞いちゃいないのだった。

当初、わたしはこの三代記を三部に分けて書いて、一部ごとにがらっと変わった雰囲気にしようと考えていた。第一部は歴史小説。第二部は少女漫画。第三部は青春ミステリー。イメージしていたのは、ジーン・ウルフ『ケルベロス第五の首』で、これは少年の一人称、採取された民話、日誌や証言のコラージュという、形式も文体も異なる三篇を集めた摩訶不思議な小説だった。だが完成後、編集者との打ち合わせで第二部を改稿することにした。暴走族のぶっとんだ説話をごっそり削って、赤朽葉の一族の物語を増やし、第一部にあわせて文体も統一した。(改稿前の少女漫画風の第二部は、後に加筆して『製鉄天使』として刊行された)

『赤朽葉家の伝説』はこのように、物語というものが持つ楽しさとダイナミズムのことを考えて、楽しく、挑戦的に書いた作品だった。読者の手に無事に届いて、彼らがときに笑い転げたり、しんみりしたり、とにかく多くの人が楽しんでくれることばかりを願っていた。

後に幾つかの文学賞の候補になったとき、だからおどろいて、ついで冷汗がたらっと出た。だっ、大丈夫だろか、と……。

日本推理作家協会賞の選評で、選考委員の馳星周さんから「これしかあるまい」と、福井晴敏さんから「作り手には『これを書くために作家になった、いや生まれてきた』と言える著作との〝出会い〟があるものですが、本作は桜庭一樹という作り手にとってその一本になると確信します」と言っていただいて、静かに、とてもうれしく思った。また山田正紀さんの「この作者の代表作になる作品であると思う」という評に、あぁ、よかった、編集者との約束どおり初期の代表作を書けたのかもしれない、と安堵した。


さて、こうして『赤朽葉家の伝説』単行本版が刊行されてから、三年半が経とうとしている。件《くだん》の担当編集者から、文庫化のゲラを読みました、改めて面白かった、送るので桜庭さんも目を通してくださいね、と連絡があった。これは私信なので、あれではあるが、ちょっとうれしかったもので（お調子者になってまたきゃっきゃと踊りだしそうである）、一部だけこっそり引用してみようと思う。

「四年前には思わなかったことですが、いま読んでみてほぼ確信したのは、桜庭さんはまず間違いなく、いつかもっと巨大な物語を描くのだろうな、ということでした。その日が楽しみです」

つぎに描く、巨大で楽しくてめちゃくちゃな、飛行人間に千里眼に踊る女、さまざまな人間と時間が入り乱れた、ビューティフルワールド――。それに出逢うために、作家として日々、精進を重ねたいと思う。

桜庭一樹

この作品は、二〇〇六年小社より刊行されたものの文庫化です。

著者紹介　1999年，デビュー。2003年開始の〈GOSICK〉シリーズで多くの読者を獲得し，さらに04年に発表した『砂糖菓子の弾丸は撃ちぬけない』が高く評価され，一気に注目の存在となる。07年『赤朽葉家の伝説』で第60回日本推理作家協会賞を，08年『私の男』で第138回直木賞を受賞。他の著作に『ファミリーポートレイト』『道徳という名の少年』『桜庭一樹読書日記』など多数。

検印
廃止

赤朽葉家の伝説

2010年9月24日　初版
2024年3月8日　再版

著者　桜《さくら》庭《ば》一《かず》樹《き》

発行所（株）東京創元社
代表者　渋谷健太郎

162-0814/東京都新宿区新小川町1-5
電話　03・3268・8231-営業部
03・3268・8204-編集部
URL　http://www.tsogen.co.jp
振替　00160—9—1565
モリモト印刷・本間製本

乱丁・落丁本は，ご面倒ですが小社までご送付ください。送料小社負担にてお取替えいたします。

ISBN978-4-488-47202-3　C0193

ふたりの少女の、壮絶な《闘い》の記録

An Unsuitable Job for a Girl ◆ Kazuki Sakuraba

少女には向かない職業

桜庭一樹

創元推理文庫

◆

中学二年生の一年間で、あたし、大西葵十三歳は、
人をふたり殺した。

……あたしはもうだめ。
ぜんぜんだめ。
少女の魂は殺人に向かない。
誰か最初にそう教えてくれたらよかったのに。
だけどあの夏はたまたま、あたしの近くにいたのは、
あいつだけだったから――。

これは、ふたりの少女の凄絶な《闘い》の記録。
『赤朽葉家の伝説』の俊英が、過酷な運命に翻弄される
少女の姿を鮮烈に描いて話題を呼んだ傑作。